Luna llena

KERI ARTHUR

Luna llena

Libros de seda

Luna llena. Libro 1 de la serie *Guardianes de la noche.*

Título original: *Full Moon Rising. Riley Jenson Guardian 1.*

Paseo de Gracia 118, principal
08008 Barcelona
www.librosdeseda.com
info@librosdeseda.com

Diseño de cubierta y maquetación: Germán Algarra
Imagen de la cubierta: Thinkstock

Primera edición: abril de 2013

Depósito legal: B. 8612-2013
ISBN: 978-84-15854-04-3

Impreso en España – Printed in Spain

Capítulo 1

La noche era tranquila.

Casi demasiado tranquila.

Aunque ya había pasado la medianoche, era viernes y las noches de los viernes significaban fiesta, por lo menos para los que no teníamos pareja ni turno de noche. Este sector de Melbourne no era exactamente un sitio de diversión, pero había un club nocturno que permitía la entrada tanto a humanos como a no humanos. Y aunque no era un local que yo frecuentara mucho, me gustaba la música que programaban y me encantaba ir bailando por aquella calle cuando volvía a casa.

Pero esa noche no se oía música. Ni risas. Ni siquiera el jolgorio de los borrachos. El único sonido que traía el murmullo del viento era el estrépito del tren al salir de la estación y el ruido sordo del tráfico que llegaba desde la autopista.

Como era de esperar, el club era el lugar predilecto de los camellos y sus víctimas, y por eso las redadas y la clausura del local eran frecuentes. Quizá la policía les había hecho otra visita.

Pero ¿por qué no había ningún movimiento en la calle, ni clientes marchándose contrariados a otros clubes?

¿Y por qué el viento venía cargado con aquel aroma de sangre? Me coloqué el bolso en el hombro para ir más cómoda, luego caminé por el andén de la estación, que permanecía en penumbra, y subí corriendo las escaleras que conducían a la avenida Sunshine. Las luces de la salida estaban apagadas y las sombras me envolvieron en cuanto puse un pie en la calle.

En general no temo a la oscuridad. Después de todo, soy una criatura de la noche y de la luna y estoy acostumbrada a deambular por las calles a horas intempestivas. Esa noche, aunque la luna iniciaba su fase creciente, su blanca luz no conseguía traspasar la gruesa capa de nubes. Pero la fuerza de su resplandor brillaba en mis venas, haciéndome sentir un calor que aumentaría en las noches siguientes.

Aunque no era la proximidad de la luna llena lo que me estaba poniendo nerviosa, ni tampoco la falta de vida que provenía de aquel local casi siempre tan ruidoso. Había algo más, pero no sabía qué. Sentía que algo malo ocurría aquella noche, y no tenía ni idea de por qué.

Sin embargo, no podía pasarlo por alto.

Abandoné la calle que llevaba al apartamento que compartía con mi hermano gemelo y me dirigí al club. Puede que me estuviera imaginando ese olor a sangre o esa maldad de la noche. Puede que el silencio del club no tuviera nada que ver con esas sensaciones. Pero una cosa era cierta, tenía que averiguarlo. Si no, no podría dormirme.

Desde luego la curiosidad no solo mata a los gatos, a menudo también hace pedazos a los licántropos. O en mi caso, a una medio licántropo. Mi olfato para los líos me había causado más problemas de los que quería recordar.

Por lo general, mi hermano siempre estaba a mi lado, ya fuera luchando junto a mí o alejándome del peligro. Pero Rhoan no se encontraba en casa y no me podía poner en contacto con él. Era un guardián del Consejo General de Otras Razas: un órgano de gobierno entre la policía y los militares. La mayoría de los humanos opinaba que el Consejo era algo más que una fuerza policial especializada en la captura de delincuentes no humanos y, en algunos aspectos, tenía razón. El Consejo, tanto en Australia como en el extranjero, investigaba todo lo concerniente a los no humanos, y sus guardianes no solo capturaban, sino que tenían el poder de ser juez, jurado y verdugo.

Yo también trabajaba para el Consejo, pero no como guardián. Estaba lejos de ser tan despiadada como para ascender del rango de burro de carga para todo el mundo, como le pasaba a la mayoría de los que trabajaban allí. Por supuesto me pusieron a prueba. Y estoy muy feliz de haber fracasado, sobre todo porque el ochenta por ciento del trabajo de un guardián implica asesinatos. Puede que yo fuera medio loba pero no era una asesina. En nuestra pequeña familia, Rhoan era el único que había heredado esos instintos. Si yo tenía alguna habilidad era la de meterme en líos, que era sin lugar a dudas lo que cualquiera se podía encontrar cuando metía las narices donde no debía. Pero ¿iba yo a detenerme por un problema? Por supuesto que no.

Sonreí burlonamente, hundí las manos en los bolsillos del abrigo y aceleré el paso. Los tacones de diez centímetros de mis zapatos repiqueteaban sobre el cemento y resonaban en el silencio de la calle. Si «había» problemas esperando más adelante aquello me delataría. Así que me puse a caminar sobre la isleta de hierba seca que separaba la calzada de la acera, tratando de que los tacones no se hundieran en la tierra.

La calle doblaba hacia la izquierda y las casas decadentes que se alineaban a cada lado de la calzada daban paso a fábricas y almacenes viejos. El club de Vinnie se encontraba a mitad de la calle y ya desde lejos se veía que estaba cerrado. Sus chillonas luces intermitentes de color verde y rojo estaban apagadas y no había clientes arremolinados cerca de la entrada.

Pero el olor a sangre y la percepción de maldad eran más fuertes que nunca.

Me detuve cerca del tronco de un eucalipto y alcé la nariz para olfatear la suave brisa, en busca de olores que pudieran darme algún indicio de lo que estaba pasando allí delante.

Bajo la intensidad de la sangre me llegaron otros tres olores: excrementos, sudor y miedo. Para que esos dos últimos fueran tan evidentes a aquella distancia, algo grave debía de estar pasando.

Me mordí el labio y casi pensé en llamar al Consejo. No era tonta —no del todo al menos— y fuera lo que fuese que estuviera pasando en ese club me olía mal. Pero ¿de qué iba a informar?, ¿de que había olor a sangre y mierda por el aire?, ¿que un club nocturno, que acostumbraba estar abierto los viernes por la noche, había cerrado de repente? No estarían dispuestos a quitar unas unidades por eso. Necesitaba acercarme más y ver qué estaba pasando en realidad.

Cuanto más me acercaba más se me revolvía el estómago, y más segura estaba de que algo andaba muy mal ahí dentro.

Estudié el edificio desde la sombra de la puerta de un almacén que estaba casi frente al club de Vinnie. No se veía luz en el interior y ninguna de las ventanas estaba rota. La puerta principal, de metal, permanecía cerrada y unos barrotes protegían las ventanas pintadas de color negro.

La puerta lateral estaba cerrada con candado. El edificio se veía seguro. Vacío.

Sin embargo, había algo dentro. Algo que caminaba más silencioso que un gato. Algo que olía a muerto. O mejor dicho, a no muerto.

Un vampiro.

Y a juzgar por el intenso olor a sangre y a sudor humanos que acompañaba su rastro, no estaba solo. De eso sí podía informar. Me coloqué el bolso delante para sacar el teléfono móvil, y al sentir de pronto en mi piel el efecto del calor, me di cuenta de que ya no estaba sola en la calle. Y el mal olor a carne sucia me dijo de quién se trataba.

Me di la vuelta y escudriñé la oscuridad que envolvía la calzada.

—Sé que estás ahí, Gautier. Muéstrate.

Una risita atravesó la noche, un sonido sordo que me puso los pelos de punta. Salió de las sombras y se acercó con tranquilidad. Alto como un poste, Gautier era un vampiro mezquino que odiaba a los licántropos casi tanto como a los humanos que le pagaban para que los protegiera. Pero era uno de los guardianes del Consejo con más éxito y, según se decía, apuntaba a lo más alto.

Si él llegaba hasta allí, yo me iría. El tipo era un cabrón con C mayúscula.

—¿Qué estás haciendo aquí, Riley Jenson?

Su voz, al igual que su oscuro cabello, era suave y empalagosa. Por lo visto, antes de que lo convirtieran había sido vendedor. Y hasta estando muerto se le notaba.

—Vivo cerca de aquí. ¿Qué excusa tienes tú?

Su repentina sonrisa dejó a la vista unos colmillos ensangrentados. Había comido y no hacía mucho. Miré hacia el club. No era posible que fuera tan depravado, que estuviera tan fuera de control.

—Soy un guardián —dijo acercándose y deteniéndose a media docena de pasos de mí, media docena de pasos demasiado cerca para mi gusto—. Nos pagan para patrullar las calles, para mantener a salvo a la humanidad.

Me froté la nariz con la mano, y casi deseé —y no era la primera vez en todos esos años tratando con vampiros— que mi olfato no fuera tan agudo. Hacía tiempo que había desistido de intentar que se ducharan con regularidad. No sé cómo se las arreglaba Rhoan para pasar tanto tiempo entre ellos.

—Vosotros solo rondáis por las calles cuando os sueltan para matar —y haciendo un gesto hacia el club le dije—: ¿Es eso lo que has venido a investigar?

—No —respondió taladrándome con sus ojos marrones, mientras un inquietante zumbido comenzó a interferir en mis ideas—. ¿Cómo sabías que yo estaba allí si las sombras envuelven mi cuerpo?

El zumbido se hizo más fuerte y sonreí. Estaba intentando hacerme una llave mental para forzarme a responder —algo que los vampiros tenían tendencia a hacer cuando querían preguntar lo que de antemano sabían que no sería respondido por las buenas—. Por fortuna, las llaves mentales habían sido declaradas ilegales hacía años en la ley de derechos humanos, que establecía los límites en la relación entre las razas no humanas entre sí y con los humanos. El problema es que las leyes les importaban un comino a los muertos.

Pero él no tenía ni la más remota posibilidad conmigo, porque yo era algo que no debería existir, la hija de una loba y un vampiro. Por mi herencia híbrida era inmune a las tácticas controladoras de los vampiros. Y esa inmunidad era la única razón por la que yo trabajaba en el departamento de enlaces de los guardianes del Consejo. Debería haberse dado cuenta de ello, aunque ignorara la razón de mi inmunidad.

—Odio decir esto, Gautier, pero no es que despidas el mejor olor del mundo.

—Estaba a favor del viento.

¡Dios! Ya lo creo que lo estaba.

—Algunos olores son más fuertes que el viento para un lobo —dije vacilando, aunque al final no pude evitar añadir—: ¿Sabes? Puede que seas un no muerto de esos, pero no tienes por qué oler como ellos.

Entrecerró los ojos y su repentina quietud me recordó la de una serpiente a punto de atacar.

—Harías bien en recordar quién soy.

—Y tú harías bien en recordar que estoy entrenada para protegerme de la gente de tu especie.

Resopló.

—Como todos los enlaces, sobrestimas tus capacidades.

Puede que tuviera razón, pero desde luego no pensaba admitirlo, porque eso era justo lo que él quería. A Gautier no solo le encantaba atormentar a la mano que le daba de comer, sino que, con bastante frecuencia, la mordía. Sus superiores se lo permitían porque era un guardián muy bueno.

—Por más que me guste estar aquí intercambiando insultos, lo que de verdad quiero es saber qué está pasando en ese club.

Dirigió su mirada a Vinnie y me relajé algo, pero solo un poco. Cuando se trataba de Gautier no era bueno relajarse demasiado.

—Hay un vampiro dentro del club —dijo.

—Eso lo sabía sin tu ayuda.

Volvió a mirarme, con sus ojos apagados y, en cierta forma, cadavéricos.

—¿Cómo lo sabías? En lo que a vampiros respecta, un licántropo no tiene más percepción que un humano.

Los licántropos no podían, pero yo no era loba del todo, eran mis instintos de vampira los que habían detectado al tipo que estaba dentro del edificio.

—Empiezo a creer que a los vampiros habría que llamaros «los inmundos». Este apesta casi tanto como tú.

Me miró de nuevo con los ojos entrecerrados, y una vez más tuve la sensación de que el peligro me rondaba.

—Algún día te pasarás de la raya.

Es posible. Pero con un poco de suerte, sería después de que su propia arrogancia acabara con él. Señalé con la mano el club de Vinnie.

—¿Hay alguien vivo ahí dentro?

—Sí.

—Entonces, ¿vas a hacer algo o no?

Su sonrisita sarcástica era en extremo desagradable.

—Yo no.

Parpadeé. Esperaba que dijera muchas cosas, pero la verdad es que esa no.

—¿Por qué demonios no?

—Porque esta noche voy tras una presa más grande —respondió, y su mirada recorriéndome de arriba abajo me puso la piel de gallina. No porque hubiera algo sexual en ella, Gautier no me interesaba más de lo que yo a él, sino porque era la expresión de un depredador midiendo a su próxima presa.

Cuando levantó la mirada hasta cruzarse con la mía, su expresión fue de desafío.

—Si te crees tan condenadamente buena, encárgate de ese asunto.

—No soy un guardián. No puedo.

—Sí puedes —me cortó—, porque eres un enlace de guardianes.

Según la ley puedes interferir si es necesario.

—Pero...

—Hay cinco personas vivas ahí dentro —dijo—. Si quieres que sigan estándolo, ve a rescatarlas. Si no, llama al Consejo y espera. De todas formas, yo me largo.

Y diciendo esto, envolvió su cuerpo en las sombras y desapareció de mi vista. Mis sentidos de vampiro y mujer lobo siguieron a su forma oculta mientras se desplazaba a toda velocidad hacia el sur. Se había ido de verdad.

¡Mierda!

Volví a mirar hacia club de Vinnie. No oía latir ningún corazón y no sabía si Gautier me había dicho la verdad sobre la gente que estaba viva dentro. Puede que yo tuviera una parte de vampiro pero no bebía sangre, y mis sentidos estaban sintonizados para captar vida. Sin embargo, estaba oliendo a miedo y seguro que no sería así de no haber alguien vivo en el club.

Si llamaba al Consejo no llegarían a tiempo de rescatar a nadie. Debía entrar. No tenía elección.

Saqué el teléfono móvil del bolso y marqué rápidamente el número de emergencias del Consejo. Cuando me respondieron, les di los datos y les conté lo que estaba pasando. La ayuda llegaría en diez minutos, me dijeron.

En diez minutos esa gente de ahí dentro es probable que estuviera muerta.

Metí el teléfono en mi bolso y crucé la calle a grandes zancadas. Aunque había heredado la capacidad de los vampiros para oscurecerme, no me molesté en usarla. El vampiro que estaba dentro sabría que me estaba acercando porque oiría los rápidos latidos de mi corazón.

¿Era por miedo? Pues claro. ¿Quién en su sano juicio no sentiría miedo cuando está a punto de meterse en la guarida de un vampiro? Pero el miedo y yo habíamos vivido juntos muchas aventuras. Nunca antes me había detenido y no me detendría ahora.

Cuando llegué a la acera me detuve y estudié las puertas de hierro. Aunque el impulso de apresurarme comenzaba a abrirse paso en mi mente, sabía que era lo único que no debía hacer. No, si quería salvar alguna vida.

La puerta estaba cerrada con simples candados. Para cerrar el club ponían unos barrotes parecidos a los que se usan en las ventanas para impedir que las fuercen. Eso quería decir que al menos Vinnie se encontraba dentro y casi seguro que también alguno de los camareros.

Cerré los ojos y respiré hondo. Me llegaron tres olores diferentes de la izquierda. De la derecha, el del vampiro y otros dos.

Resoplé y sacudí las piernas para quitarme los zapatos. Unos tacones de diez centímetros están bien para salir de fiesta, pero son una mierda cuando hay que luchar. Por lo menos para los pies. En realidad, los tacones eran una buena arma, sobre todo si estaban hechos de madera, como los míos. No solamente servían como pequeñas estacas cuando tocaba tratar con vampiros, sino que también resultaban muy útiles contra cualquiera. Poca gente pensaría que un zapato pudiera convertirse en un arma peligrosa, pero estos lo eran. Después de tantos años de meterme en problemas imprevistos, por lo menos había aprendido algo: siempre se debe tener a mano un arma. Los dientes de licántropo a veces no parecen lo bastante disuasorios.

Enrollé los bajos de los *jeans* para no tropezar con la tela, luego lancé el bolso hacia la esquina que había a mano derecha de la puerta, fuera de mi camino y de mi vista. Después de apretar los puños con fuerza, avancé y le pegué una patada a la puerta. Esta se movió por el impacto, pero no se abrió. Maldije por lo bajo y le di otra patada. Esta vez salió volando hacia atrás con tanta fuerza que hizo añicos la ventana más próxima.

—¡Consejo de Otras Razas! —exclamé quedándome de pie en el umbral mientras recorría la oscuridad con la mirada. No era capaz ver al vampiro que se escondía en las sombras, pero podía olerlo. ¿Por qué no se lavaba la mayoría de los vampiros?

—Sal o atente a las consecuencias.

No era en rigor la jerga legal, pero me había relacionado lo bastante con guardianes como para saber que a ellos casi nunca les preocupan las legalidades.

—Tú no eres un guardián —respondió una voz suave, casi infantil.

Hice rotar mis hombros intentando aflojar la tensión de los músculos. La voz me llegó desde la izquierda, aunque el mal olor me seguía viniendo por la derecha. ¿Había dos vampiros? Seguro que Gautier me lo hubiera advertido... Entonces recordé su desagradable sonrisa. De acuerdo, el desgraciado lo sabía.

—No he dicho que sea un guardián. He dicho que soy del Consejo. Y mantengo lo que he dicho.

El vampiro resopló.

—Oblígame.

Dijo «oblígame», no oblíganos. Aquel vampiro estaba seguro de que yo no sabía que había dos de ellos.

—Tú, vampiro, esta es tu última oportunidad.

—Puedo oler tu miedo, lobita.

Yo también. Un estremecimiento me recorrió las venas. Pero el olor de mi miedo no era nada comparado con el de los humanos que había en aquella habitación.

Entré en el club.

El aire que venía de la derecha se removió y el acre aroma a muerto se intensificó. Me calmé. Una sombra se elevó sobre mi espalda, su hedor casi me provoca una arcada. Un ligero golpe al posarse en el suelo me avisó de que estaba cerca. Aunque su olor estuviera muy cerca, resultaba demasiado asfixiante para poder precisar dónde se encontraba. Me di la vuelta, y solté una patada con el pie descalzo. El golpe topó en la oscuridad con algo sólido y el vampiro gruñó. El aire volvió a moverse, lo que me sirvió de aviso. Me volví, batiendo a ciegas el tacón de aguja de mi zapato. Sentí que había rasgado carne y, en ese momento, el vampiro lanzó un alarido de dolor. Esta vez tampoco era la voz de un adulto, parecía más la de un joven. Alguien había convertido a muchachos jóvenes. Solo pensarlo me ponía enferma.

Noté que algo se movía. El primer vampiro se había liberado de las sombras y se puso de puntillas girando en redondo para colocarse frente a mí. Mirándome con sus ojos enrojecidos y con sed de sangre, su delgado rostro se contrajo con rabia. No solo eran jóvenes en términos humanos, sino también como vampiros. Pero eso no los hacía menos peligrosos. Solo un poco menos retorcidos.

Corrió hacia mí. Lo esquivé, luego le di la vuelta al zapato y le sacudí en la barbilla tan fuerte que se oyó el impacto. Soltó un alarido y comenzó a repartir puñetazos a diestro y siniestro. Me eché hacia atrás y sentí el aire de un puño acariciando mi barbilla. El tufo a carne sucia me inundó de nuevo. Agarré por un mechón de pelo al vampiro de la melena castaña y lo lancé de un tirón para cortarle el paso al segundo vampiro.

Chocaron con tanta fuerza que los dientes les castañetearon, pero no fue suficiente para dejarles sin sentido. El primero se volvió no sé cómo y me dio un puñetazo que me impactó en un lado de la cara con tanta fuerza que me hizo caer. Me di contra la tarima y solté los zapatos. Por un momento hasta vi estrellas. Luego uno de los vampiros se me tiró encima cubriéndome con todo su cuerpo e inmovilizándome. Su hedor inundó mis sentidos haciéndome difícil respirar mientras sus colmillos crecían ante la perspectiva de comida.

Pero ese no iba a comer de «mi» cuello, ni hablar.

Me revolví para quitármelo de encima, pero sus piernas estaban entrelazadas en torno a mí para sujetarse. Se río, y de pronto todo lo que vi fueron unos dientes ensangrentados hundiéndose en mi carne.

—Ni se te ocurra, maldito.

Interpuse mi brazo entre los dos. Sus dientes me rajaron la muñeca con un corte profundo y un dolor candente me penetró recorriendo todo mi cuerpo. Algunos vampiros hacen de la experiencia de chupar sangre algo placentero, pero desde luego este no. Quizás era demasiado joven. Fuera cual fuese la razón, grité.

El otro vampiro se rió, lo que solo sirvió para avivar mi furia. De mis brazos surgió una fuerza que eliminó el dolor momentáneamente. Mientras el vampiro chupaba con avidez mi sangre, introduje la mano que tenía libre en su melena, le agarré del pelo y tiré de su cabeza hacia atrás, desclavando sus dientes de mi brazo. Mientras chillaba sorprendido, apreté mi puño ensangrentado y le golpeé en la boca tan fuerte como pude. Sangre, dientes y huesos saltaron por los aires. Y su chillido se convirtió en un aullido agónico. Me revolví con fuerza otra vez y lo lancé hacia atrás por encima de mi cabeza. Cuando cayó al suelo, la espalda le crujió al dar contra la barra, y ya no se levantó.

Uno fuera de juego, quedaba otro.

Y ese otro venía volando en picado hacia mí. Me puse en pie con dificultad y me aparté de su camino. El vampiro se volvió en el aire y se posó en el suelo como un gato. Llevaba botas y con una de sus piernas me hizo un barrido tratando de derribarme. Salté para esquivar el golpe y al bajar le aplasté los pies. Cayó al suelo y se dio un buen golpe en el trasero, pero se repuso enseguida y se abalanzó sobre mí. Un puñetazo me impactó contra el muslo e hizo que me tambalease. El vampiro se levantó al instante dejando ver en la oscuridad el brillo de sus colmillos. Fallé un golpe que iba dirigido a su cabeza, me di la vuelta y me abalancé sobre él con mis zapatos. Si acertaba en el sitio preciso, mataría a aquel chupasangre.

De todos modos, no importaba dónde le diera, una estaca de madera colgando de su pecho no solo lo haría más lento, sino que le quemaría de manera brutal. En realidad, nadie sabía a ciencia cierta por qué, puesto que los vampiros podían tocar la madera sin problemas. Algunas teorías recientes sugerían que se debía a un tipo de reacción química entre su sangre y la madera, y «esa» era la razón por la que una estaca en el corazón podía matar a un vampiro. Les provoca una reacción que carboniza sus órganos internos, de la misma manera que la luz del sol chamusca a los vampiros nuevos que son tan tontos como para salir al exterior.

El vampiro se me echó encima gruñendo con rabia. Agarré el zapato, le arranqué el tacón y luego rodé por debajo de él poniéndome en pie de un salto. Cuando estuvo frente a mí, le clavé la estaca en el pecho lo más adentro que pude.

Como se revolvió, perdí el punto exacto. Pero no importaba. En ese momento cualquier cosa servía. Se detuvo en seco y se quedó mirando con fijeza los borbotones ardientes que salían de su herida. En ese momento lo solté. Cayó al suelo y se quedó inmóvil.

Durante unos instantes me quedé ahí, luchando desesperadamente por recobrar el aire de mis pulmones. Cuando pude volver a respirar, el dolor me llegó como una oleada que me devoraba. Hice una inspiración tan honda que me estremecí y llamé al lobo que merodeaba en mi interior.

Una fuerza estremecedora me recorrió venas, huesos y músculos con un hormigueo; la vista se me nubló y el dolor se atenuó. Mis extremidades se acortaron, se transformaron y recompusieron: ahora quien estaba de pie en el club era otro ser no humano, un lobo. Permanecí así varios segundos, jadeando y escuchando el silencio, atenta a cualquier movimiento; luego retomé mi forma humana.

Las células corporales de un licántropo conservan los datos de las células del cuerpo en el que se transforman, por eso viven tanto. En la transformación las células dañadas se reparan y las heridas se curan. Y aunque por lo general se tarda más de una transformación en recuperarse de heridas tan profundas como las que yo tenía en el brazo, con una al menos detendría la hemorragia y empezaría el proceso de curación.

Era evidente que transformarse estando totalmente vestida nunca es bueno para la ropa, en especial cuando lo que llevas es tan delicado como el *top* de encaje que vestía. Por lo menos mis *jeans* eran de tejido elástico y solían aguantar el cambio sin deformarse mucho.

En cuanto volví a mi forma humana, anudé los trozos de blusa que me quedaban, y me di la vuelta, buscando en la oscuridad a los humanos que había allí, en alguna parte. Fue entonces cuando empezaron las palmadas. Era un palmoteo solitario y sarcástico.

Sabía que se trataba de Gautier sin siquiera olerlo.

—Desgraciado —le dije mientras me volvía para mirarle de frente—. ¿Estabas ahí mirando?

No había nada de agradable en aquella sonrisa.

—Tenías razón, puedes arreglártelas sola.

—¿Por qué no me has ayudado?

Se metió las manos en los bolsillos y comenzó a caminar.

—Solo he vuelto a tiempo para ver cómo le clavabas el tacón a ese en el pecho. Una innovación interesante, por cierto.

Quería enfadarme con él, o mejor aún, agarrar el otro zapato y clavárselo a aquel asqueroso, pero ¿de qué serviría? Gautier se retorcería y disfrutaría de la caricia del fuego atravesando su carne.

—Llamé al Consejo, ¿por eso estás aquí?

Asintió con la cabeza y se agachó junto al vampiro al que yo había atravesado.

—El Consejo no recibe todos los días la llamada de emergencia de un enlace. Jack dio la orden a todos los guardianes que estuvieran por esta zona de que investigaran y detuvieran a quien hiciera falta —dijo alzando la cabeza y mirándome—. Figúrate qué suerte, estando yo tan cerca.

«Figúrate», pensé con acritud, y me di la vuelta con los pies descalzos, para ir hasta la esquina donde yacían Vinnie y una mujer, que supuse era una de las camareras. Aquel hombre corpulento estaba lleno de cortes en los brazos, el pecho y una mejilla, pero no todos eran igual de profundos. Tenía la pierna doblada formando un ángulo raro y, a pesar de la tenue luz, pude distinguir la tibia blanca. Él mismo había logrado hacerse un torniquete alrededor del muslo, pero a pesar de eso, había perdido mucha sangre. Me pregunté por qué aquellos pequeños vampiros no se la habían bebido.

La mujer no había salido tan bien parada. Tenía la blusa abierta y rasgada, y sus pechos mostraban cortes muy profundos. Los vampiros los habían succionado como los niños hacen con sus madres, y por cómo se veían, la habían dejado seca.

Me agaché junto a Vinnie. Cuando me miró, su expresión era distante, asustada.

—Se metieron cuando abrí. Ni siquiera los vi.

Coloqué la mano sobre la suya. Estaba fría. Húmeda.

—Llamaré a una ambulancia. No deben de estar lejos.

—¿Y Doreen? ¿Se encuentra bien? Dios mío, ¿qué han hecho con ella?

Miré al cadáver de Doreen. El reflejo del terror aún se veía en el azul de sus ojos sin vida. Qué manera tan repugnante de pasar los últimos momentos en este mundo.

Se me revolvió el estómago y me subió bilis a la boca. Me la tragué y apreté la mano de Vinnie.

—Estoy segura de que se pondrá bien.

—¿Y los demás?

Dudé.

—Si me voy a mirar, ¿seguro que no me necesitaréis?

Asintió con la cabeza.

—Doreen y yo te esperaremos aquí.

—No me alejaré mucho.

Mientras me levantaba oí el chasquido de un hueso. Era Gautier terminando lo que yo había empezado.

No es que romperles el cuello a los vampiros los mate, pero sin duda, los incapacita un rato. El suficiente como para meterles una estaca en su negro corazón. Gautier no necesitaba neutralizar a ningún vampiro para clavarle una estaca, simplemente se divertía con ello. Disfrutaba viendo el miedo en sus ojos mientras la sostenía y se la clavaba en el corazón. Lo que significaba con toda probabilidad que en aquel momento estaba muy molesto conmigo porque había dejado inconscientes a aquellos dos vampiritos, robándole ese placer. Quién sabe por qué les estaba rompiendo el cuello. Tal vez era una costumbre. Quizá solo le gustaba el sonido.

Pasé por delante de él como si nada, como si cada día viera ejecutar a vampiros delincuentes en mi presencia. Cualquier otra reacción hubiera sido fatal, porque me estaba observando como un gato a un ratón.

Y no tenía ninguna intención de ser el ratón de Gautier.

El sonido distante de las sirenas rompió el silencio mientras me agachaba junto a las otras tres mujeres. Las tres tenían cortes muy graves y al menos dos de ellas habían sido violadas. Cuando oí el rumor del suave crujido de la madera penetrando en la carne y atravesando los huesos hasta el corazón, una parte de mí se alegró muchísimo. Esos desgraciados no se merecían un juicio justo ni nada parecido. Ni siquiera se merecían la rapidez con la que les estaba clavando la estaca.

Por fin llegaron los equipos de emergencia. Mientras atendían a Vinnie y a las mujeres, hice mi declaración a los policías. Gautier mostró rápidamente sus credenciales y salió. Pero la mirada que me dirigió mientras envolvía su cuerpo en las sombras me hizo entender que no íbamos a ser amigos durante mucho tiempo. Eso no me sorprendía.

En cuanto pude, recogí mi bolso y me largué de allí.

El aire de la noche era agradable comparado con el del club e inspiré a fondo, permitiendo que mis pulmones se llenaran, y luego me sacudí la suciedad. La sangre aún flotaba en el aire, pero eso era natural, sobre todo porque yo llevaba mucha encima.

Lo que necesitaba era una buena ducha. Así que me crucé el bolso en bandolera y me dirigí a casa con los pies descalzos. Pero apenas había dado una docena de pasos cuando la sensación de que algo iba mal me llegó de nuevo, y esta vez más fuerte que antes.

Me detuve y miré por encima del hombro. ¿Qué demonios estaba pasando? ¿Por qué sentía eso si lo del club ya se había resuelto?

Entonces me llegó otra vez.

Pero aquello no procedía del club ni de la noche. Venía de un lugar más lejano. Un lugar más personal. Un lugar originado en el vínculo de los gemelos.

Mi hermano estaba en peligro.

Capítulo 2

Me entró el pánico. En los últimos meses habían desaparecido diez guardianes en circunstancias sospechosas y solo habían encontrado a dos de ellos. O mejor dicho, habían encontrado restos de ellos. Mi hermano no podía ser el undécimo. Él era la única familia que me quedaba desde que nuestra manada nos echó. Era la única persona importante para mí, la única sin la que no podría vivir. Perderlo me mataría igual que lo haría una bala de plata.

Hice una inspiración profunda e intenté calmar mis temores. Rhoan no estaba herido ni se estaba muriendo, de ser así, yo sentiría cualquiera de las dos cosas.

Se había metido en algún lío aunque, unas veces por mi culpa y otras no, había tenido problemas toda su vida. Fuera lo que fuese sabría arreglárselas.

Lo último que yo necesitaba era que me entrara el pánico. No estaba de más hacer una comprobación. Saqué el teléfono móvil, presioné el botón de videocámara y marqué enseguida el número de mi jefe. Era el jefe actual de la división de guardianes y uno de los pocos vampiros que en realidad me caían bien. La otra, Kelly, que era guardián y una de mis pocas amigas. No solo eran ambos agradables, sino que se duchaban como la gente normal.

Las desgastadas facciones de Jack aparecieron en la pantalla. Me sonrió mostrando todos los dientes, aunque había una intensidad en sus ojos verdes que contradecía aquella jovial expresión.

—Encantado de verte ilesa después de tu excursión nocturna —me dijo con un tono de voz frío y divertido.

—Espero tu informe por la mañana.

—Lo escribiré en casa y te lo enviaré por correo electrónico. Oye, ¿has sabido algo de Rhoan?

—Hace una par de horas. ¿Por qué?

Dudé. Debía tener cuidado con lo que iba a decir, porque nadie del Consejo sabía que Rhoan y yo éramos familia, y aún menos gemelos. Tener el mismo apellido no significaba nada, porque los miembros de una manada lo compartían. Así que todos los de la nuestra, fueran o no familia, se apellidaban Jenson. Y si entraba alguien nuevo, adoptaba legalmente el apellido de la manada. Era la única manera de diferenciar el origen entre manadas con el mismo color de pelaje.

En realidad, muchos del Consejo suponían que éramos amantes solo porque vivíamos juntos, una teoría que ninguno de los dos había aclarado porque era mucho más fácil para nosotros que lo creyeran así. Por supuesto, si conocieran a Rhoan mejor, se hubieran dado cuenta de lo imposible que resultaba que fuéramos amantes.

No estaba segura de lo que Jack sabía; nunca había hecho comentarios sobre nosotros, ni me había preguntado sobre nuestra situación. Aparentaba que no le importaba nada de eso, pero después de trabajar para él seis años, yo sabía que no era así.

—¿Sabías que los licántropos intuimos cuando alguno de nuestra manada está en peligro?

Se limitó a asentir con la cabeza.

—Bueno, pues ahora tengo esa sensación con Rhoan.

—¿Un peligro de vida o muerte?

—No.

—¿Está herido?

—No. Todavía no.

Frunció el ceño.

—O sea, ¿que solo tienes la sensación, sin más?

—Sí —respondí, porque lo sentía en todo mi cuerpo, tan fuerte como podía sentir la luna.

—No es que no te crea, Riley, pero como aún no se ha atrasado, prefiero esperar. Su misión es delicada, y enviar alguien a rescatarlo podría hacerla fracasar.

Como si a mí me importara otra cosa que no fuera mi hermano...

Inspiré hondo otra vez y exhalé despacio.

—Pero teniendo en cuenta las otras desapariciones, ¿no valdría la pena ir a comprobarlo?

—Los otros desaparecieron de un área en concreto, pero la misión de Rhoan no debería llevarlo allí.

—Entonces, ¿sabes dónde está?

—Sí —dudó—. Aunque tú y yo sabemos que él nunca avisa si cambia de lugar.

Era la pura verdad. Y si él no se hallaba donde se suponía que debía estar, encontrarlo iba a ser muy complicado.

—¿Cuál es el plazo?

—Debe informar mañana a las nueve de la mañana.

—¿Y si no lo hace?

—Entonces decidiré qué hacer.

—Yo quiero participar.

—Riley, tú no eres un guardián.

«Todavía», pensé. Casi me pareció oír aquella palabra no pronunciada. Desde luego, lo que sí vi fue una sonrisa que rasgó sus ojos. A pesar de haber suspendido las pruebas, por alguna razón Jack tenía el firme convencimiento de que yo poseía todas las cualidades para ser un buen guardián. Me lo había dicho muchas veces. Pero al haberlas realizado ya, él no podía obligarme a pasarlas de nuevo. Estaba a salvo, al menos hasta que encontrara la manera de hacerme repetir el maldito examen. O hasta que yo le siguiera el juego.

—Él es de mi manada. Y no tengo la intención de quedarme de brazos cruzados si tiene problemas.

—Entonces preséntate a trabajar por la mañana y veremos lo que hacemos.

No significaba un sí ni un no, pero era cuanto iba a conseguir esa noche.

—Gracias, Jack.

—Intenta no olisquear nada más en el aire esta noche —dijo con un tono frío—. Ahora parece que hasta una hormiga podría tumbarte.

—Pero solo una en buena forma.

Se rió y colgó. Me quedé mirando la pantalla en blanco durante unos segundos. Si Jack no iba a ser generoso con la información, quizá debería intentarlo con otra persona. Alguien como Kelly.

Los guardianes suelen hablar de sus misiones, así que tal vez ella supiera dónde habían enviado a Rhoan. No tenía ni idea de si encontraría en casa, pero sabía a ciencia cierta que no estaba trabajando. Merecía la pena probar.

Marqué su número, y después de que sonara tres veces el tono de llamada saltó el contestador.

—Kel, soy Riley. Llámame cuando llegues a casa, no importa la hora que sea —dudé y luego añadí para no asustarla—: no es nada urgente. Solo quiero preguntarte algo.

Colgué, metí el teléfono en el bolso y me dirigí a casa.

Sin embargo, aún no había terminado de encontrarme con cosas extrañas aquella noche. Tenía a un vampiro de pie ante mi puerta.

Un vampiro desnudo, de hecho.

Me detuve y me quedé mirándolo. No lo podía evitar, estaba desnudo. ¡Y vaya cuerpo tenía!

El color de su pelo debía de ser negro, pero con todo el barro seco que lo cubría se veía marrón; sus ojos negros eran cualquier cosa menos los de un no muerto; y su rostro uno de esos por los que muchos ángeles matarían.

Tenía el cuerpo cubierto de barro igual que el pelo, pero debajo de aquella capa de suciedad, se le veía delgado y fuerte, de tipo atlético. Y para completar aquel perfecto envoltorio, estaba bien dotado. La suya no era la mayor que yo hubiera visto pero era muy grande de todos modos.

La puerta del hueco de la escalera se cerró de golpe a mis espaldas, sacándome de mi estupor contemplativo.

—¡Hola! —dije.

—¡Hola! —repitió.

Un vampiro educado. Sorprendente.

—¿Hay alguna razón en particular para que estés desnudo en mi puerta?

Esperaba que la hubiera. Esperaba que quizás él fuera alguna especie de regalo. Reconozco que mi cumpleaños había sido hacía bastantes meses, pero las mujeres siempre soñamos.

Aunque en mis sueños no hay a menudo vampiros desnudos, y menos cubiertos de barro.

Respondió a mi pregunta con otra.

—¿Hay alguna razón para que estés cubierta de sangre?

—He estado en una pelea. ¿Cuál es tu excusa?

Miró hacia abajo como si hasta ese momento no hubiera reparado en su desnudez.

—No tengo ni idea de cómo he llegado así aquí —dijo con una voz grave cuya vibración me llegó tan adentro que hizo encogerse los dedos de mis pies. Que me maten si no tenía la voz más *sexy* que jamás había oído en un hombre, vivo o muerto.

—Pero ¿sabes por qué has llegado hasta mi puerta?

Inclinó la cabeza.

—Si vives aquí, entonces he venido a verte.

—Puedo asegurarte que no llegan a la puerta de mi casa muchos tipos con el trasero al aire.

Precisamente era de eso de lo que me había estado quejando a mi hermano antes de que desapareciera para ir a su misión, y era la razón principal por la que una parte de mí esperaba que ese vampiro fuera un regalo. Rhoan solía hacer cosas así. Aunque reconozco que hay pocos vampiros con sentido del humor y la mayoría no se hubieran prestado a semejante numerito.

—A menos que puedas explicarte, ves sacando tu bonito trasero de estas escaleras y saliendo de este edificio.

—Necesito ayuda.

Lo que quizá quería decir era que necesitaba más la ayuda del Consejo que la mía. Y eso era una verdadera lástima. Di otro repaso con la vista a su cuerpo desnudo sin poder evitar una mirada de deseo. De acuerdo, yo ya había visto muchas figuras atractivas en los clubes nocturnos para licántropos pero, sin duda, este vampiro era el mejor provisto que yo había visto últimamente.

—¿Para qué necesitas ayuda? ¿Has mordido a la mujer del hombre equivocado? —cuando dije eso sus ojos mostraron irritación por un instante.

—Lo digo en serio. Alguien trata de matarme.

Puede que fuera así, pero era difícil tomárselo en serio viéndole ahí de pie tan tranquilo. ¿No hubiera sido más lógico informar del problema a la policía o incluso al Consejo?

—Siempre hay alguien intentando matar vampiros, y generalmente os lo merecéis.

—No todos acabamos con la vida de otras criaturas para sobrevivir.

Bueno, no, pero los que lo hacen les dan muy mala fama a los demás.

—Mira, me dices lo que quieres o ya te estás yendo a exhibirte frente a otra.

—Tú eres un guardián del Consejo, ¿verdad?

—No. Es mi compañero de apartamento.

—¿Está tu compañero aquí?

Suspiré. ¿Por qué todos los guapos solo querían ver a Rhoan?

—No creo que vuelva hasta mañana —o más tarde, pensé, a juzgar por el malestar que sentía en la boca del estómago.

—Entonces esperaré.

—¿Ah sí?, ¿dónde? —le pregunté sorprendida.

—Aquí —respondió señalando el suelo con un gesto elegante.

—No puedes quedarte aquí —repliqué, pensando que a la señora Russel, la dueña de esta vieja fábrica destartalada que tiene la desfachatez de llamar edificio de apartamentos, le daría un ataque. La única razón por la que nos había alquilado uno era porque iba contra la ley discriminar a los no humanos, y porque tener licántropos como inquilinos producía el afortunado efecto de mantener alejados a los bichos. Según parece, no les gustamos a las ratas.

Pero encontrarse a un vampiro sentado en la entrada haría que la vieja bruja se pusiera como loca y a nosotros nos pondría de patitas en la calle. La señora Russel hacía mucho que odiaba a los vampiros, aunque celebraba cada día que su marido hubiese sido la comida de uno de ellos.

—Sobre todo porque estás desnudo —añadí—. Va contra la ley ir así en público.

Algo que aprendí cuando me detuvieron por hacer lo mismo dos meses atrás, aunque yo estaba en un parque en lugar de en un vestíbulo. Me libré solo con una pequeña multa, pero entonces mi excusa fue la luna llena. Al vestido de seda que llevaba durante la transformación no le había ido mejor que a mi blusa de encaje hoy. Pero ninguna de estas experiencias me iba a impedir llevar ropa inapropiada. La ley podía crear problemas a los que van por ahí corriendo desnudos, pero no a los licántropos.

—La bombilla se ha fundido —dijo con una voz tan suave, tan cálida, que otra vez sentí un escalofrío bajándome por la espalda—. No hay ventanas y el vestíbulo está a oscuras. Nadie va a verme.

Yo lo había visto, y aunque él tenía que haberme oído subir las escaleras, no se había molestado en envolverse en sus sombras. Y eso me inquietaba. Tanto como que estuviese desnudo. No era un secreto que yo era una mujer lobo ni que habría luna llena dentro de siete días. Y era bien sabido que los deseos sexuales de los licántropos crecían de manera espectacular los siete días anteriores a la plenitud de la luna. Él debía de ser un cebo.

¿Pero por qué alguien querría ponerme un anzuelo a mí? Aparte de tener un hermano guardián, yo no era nada, no era nadie. Quizá me estaba volviendo paranoica debido a mi temor por Rhoan.

—Si tienes problemas, ¿por qué no acudes al Consejo? Aquello está lleno de guardianes que te pueden ayudar.

—No puedo.

—¿Por qué no?

La confusión cruzó la profundidad de sus negros ojos.

—No soy capaz de recordarlo.

Sí, y yo que me lo creía.

—¿Te importaría alejarte de mi puerta?

Lo hizo. Saqué las llaves del bolso y me acerqué a ella con cautela. Levantó las manos observándome con ojos risueños mientras yo abría, empujándola. Una vez dentro me relajé. Aunque muchas de las leyendas relacionadas con vampiros no eran ciertas, la de que no podían traspasar el umbral de las puertas sí lo era.

Tiré el bolso sobre el sofá verde y me encontré con sus ojos oscuros como la noche.

—No muerdas a ninguno de mis vecinos o yo misma te llevaré a rastras hasta el Consejo.

Me sonrió de tal manera que mis hormonas se pusieron como locas.

—He examinado con atención este edificio. Tú eres la única a la que merecería la pena morder.

No pude evitar sonreír. Podía estar desnudo, cubierto de barro y tramando algo, pero estaba para comérselo y su olor era realmente agradable comparado con el de la mayoría de vampiros con los que yo trabajaba. En otro momento y en otro lugar, me hubiera sentido tentada de tragarme ese anzuelo cubierto de barro, y al diablo con las consecuencias.

—Los cumplidos no lograrán abrirte mi puerta.

Se encogió de hombros haciendo un gesto que tenía cierto encanto.

—Solo digo la verdad.

—Ah, eso... —murmuré cerrando a medias la puerta y dudando—. ¿De verdad no puedes acordarte de por qué estás desnudo?

—En este momento, no.

¿No se acordaba o le resultaba demasiado vergonzoso contarlo? Sospechaba esto último, aunque la verdad es que no sabía por qué, ya que la vergüenza era una emoción que los vampiros que conocía nunca sentían.

—Bien. Entonces hasta luego.

Cerré la puerta y me dirigí al cuarto de baño para ducharme. Después avancé a gatas sobre la cama hasta meterme entre las sábanas arrugadas e intenté dormir. Pero la certeza de que mi hermano tenía algún problema, combinada con el hecho de que tenía a un vampiro atractivo y desnudo sentado fuera, y a saber qué más, era una garantía de que lo que menos iba a conseguir era dormir.

Después de una hora de dar vueltas en la cama, me rendí y me levanté. Me puse mi camiseta favorita de Marvin el Marciano para protegerme del ligero frío de la noche, fui a la cocina a buscar un vaso grande de leche y la lata de galletas de chocolate y sentada en mi mullido sillón preferido comí, bebí y vi cómo la noche se iba abriendo a un rojo amanecer. Cuando el espectáculo del cielo se acabó, tecleé mi informe en el portátil de Rhoan y se lo envié a Jack por correo electrónico. El teléfono sonó un segundo después.

Me recosté en la silla y descolgué el auricular de la pared.

—¡Hola, Kel!

Una risa ronca se deslizó por la línea. Kelly tenía una de esas voces que podría ser un éxito en una línea erótica.

—¿Cómo sabías que era yo?

—Porque te dejé un mensaje en el teléfono y porque cualquiera menos tú sabe que no debe llamarme a estas horas tan intempestivas de la mañana.

—Pero ya estás despierta, lo que significa que tienes un problema —dijo dudando—. ¿Es solo una necesidad angustiosa de sabia conversación femenina o es algo más grave, como que necesitas que ese súper rabo sin cerebro de novio que tienes te quite las manos de encima?

Sonreí con una mueca. A Kelly no le gustaba Talon más que a Rhoan, pero por lo menos era capaz de ver el provecho de tenerlo cerca. Los hombres con tan buen paquete como Talon no eran tan comunes.

—La verdad es que tengo algo que preguntarte.

—Está bien, lástima. Ahora mismo no me hubiera importado un poco de acción con un hombre lobo bien dotado. Pero, venga, pregunta.

—¿Hablaste con Rhoan antes de que se fuera? ¿Tienes idea de a dónde se dirigía?

—No, y no. ¿Por qué?

—Me da la sensación de que tiene algún problema.

—Pero no el tipo de problema que se ha llevado a diez de los nuestros ya, ¿verdad? Por lo menos, eso espero.

—No. Al menos todavía no.

—Bien —dijo. Luego se calló. Al fondo se oía el tictac de un reloj, lo que significaba que estaba en la central del Consejo. El único que había en su casa era uno viejo, de pie, tan alto y tan pesado que yo tenía que salir de la habitación cuando daba la hora—. Me toca guardia otra vez mañana por la noche. Si para entonces no ha vuelto, veré que puedo averiguar.

—Gracias. Te debo una.

—Llévame a un club durante la fiebre de la luna y estaremos en paz.

Sonreí.

—Trato hecho. Nos vemos luego.

—*Arrivederci, bella.*

Colgué el teléfono, me levanté y me dirigí hacia la cocina.

No era la mejor cocinera del mundo, muchos días se me quemaba la comida, pero casi siempre me salían bastante bien los bollos, los huevos y el beicon. Por suerte para mi estómago era uno de esos días. Mientras fregaba los cacharros, miré hacia la puerta preguntándome si mi desnudo vampiro querría comer algo. No es que pensara ofrecerme yo misma, sencillamente es que Rhoan siempre tenía una reserva de sangre sintetizada en el refrigerador porque la necesitaba. Si bien éramos gemelos, yo era más licántropo y mi hermano más vampiro. Sus dientes no eran extensibles, comía y bebía con normalidad, y podía ir por ahí a la luz del día, pero en cuanto comenzaba a crecer la luna llena también necesitaba consumir sangre.

Tomé un paquete de sintetizada del refrigerador, un plato y me dirigí hacia la puerta.

—¿Has comido? —le pregunté.

Sus ojos reflejaron sorpresa.

—¿Alguna oferta?

Sonreí y le lancé la bolsa de plástico.

—Poca cosa. Pero mi compañero de apartamento siempre guarda sangre sintetizada. ¡Te la puedes quedar!

Atrapó con habilidad la bolsa con una mano.

—Gracias, es muy amable de tu parte.

—En otras palabras —dije con ironía—, la oferta es para chupar, pero apáñatelas de momento con esto.

La broma hizo sonreír a aquellos labios tan atractivos.

—Eres experta en leer la mente a la gente ¿no?

—Solo a las razas no humanas y porque soy como soy. Me encogí de hombros y me senté cruzando las piernas en el lado seguro del umbral. Incluso siendo un extraño que casi seguro tramaba algo, por lo menos era alguien con quien hablar. La imagen del lobo solitario no correspondía a la mayoría de los lobos, pero «sí» se ajustaba a Rhoan y a mí. Habíamos crecido en un entorno hostil a nuestra presencia —a nuestra existencia— y se había convertido en una costumbre defensiva. Lo que significaba, por supuesto, que el arte de hacer amigos con facilidad no era una habilidad que ninguno de los dos tuviera. ¡Dios!, me había llevado toda una vida bajar la guardia y dejar que Kelly entrara un poco en ella. Hacía tres años que nos conocíamos y a pesar de que yo la llamara mi amiga —una buena amiga— ella todavía no tenía ni idea de que Rhoan y yo fuéramos familia, y mucho menos gemelos.

Y los dos amantes que frecuentaba con cierta regularidad, no eran lo que se entiende por amigos. Melbourne puede llegar a ser una ciudad muy fría cuando estás prácticamente solo.

Su mirada se deslizó por las partes de mi cuerpo que apenas estaban tapadas y sin tocarme me calentó. No me sorprendía. La luna ardiente, como los licántropos llamamos a esa fase que duraba una semana, y durante la cual la necesidad de aparearse se hace obsesiva, había empezado. Y aunque no me afectara ni de lejos con tanta intensidad como a los licántropos puros, la necesidad imperiosa de sexo resultaba difícil de controlar.

Si la avidez que me provocaba el cambio de la luna ya era tan intensa ahora, me esperaba una semana dura pero excitante.

—Qué —dije, intentando borrar de mi mente la imagen de mí misma con aquel vampiro, haciéndolo ahí mismo en el vestíbulo, e intentaba no pensar en la estupenda posibilidad de escandalizar a la puritana señora Russel—. Es obvio que no has entrado en razón esta noche.

—Bueno, eso depende de a qué le llames «entrar en razón» —al decirlo el brillo de sus oscuros ojos reflejaba cordialidad—. Si te refieres a que aún estoy aquí, entonces es evidente que no. Si te refieres a que he recobrado algo de memoria, entonces sí.

—Entonces, ¿te acuerdas de por qué estás aquí?

—Te lo dije anoche. —Lo había hecho, pero tenía curiosidad por saber si cambiaría su historia.

—Y como ya te contesté, si es algo urgente debes acudir al Consejo. Cualquier guardián te puede ayudar.

—A quien tengo que ver es a tu compañero.

Pinché una tira de beicon y la unté en la yema.

—¿Eres otro de sus amantes?

Se echó hacia atrás con tanta violencia que cualquiera hubiera dicho que le había pegado.

—No, no lo soy.

Sonreí.

—No quería ofender. Es que muchos vampiros que tienen más de uno o dos siglos se mueven entre los dos sexos.

Me estudió con un rostro serio y una mirada en cuyas profundidades cualquier incauta se perdería con facilidad.

—¿Eres una mujer lobo, no?

—Sí —respondí mientras partía un buen pedazo de bollo, lo untaba en el huevo y me lo comía. Muy elegante, así era yo.

—Ni los licántropos ni los humanos perciben la presencia de vampiro—dijo con suavidad—. Así que ¿cómo es que sabías que yo era un vampiro y que tenía dos siglos?

Me encogí de hombros.

—Mi compañero es un guardián y trabajo con ellos. Te enteras de cosas así.

Su expresión me dijo que no se lo había tragado.

—¿Te puedo hacer otra pregunta?

—Puedes preguntar, pero lo que no te garantizo es que vaya a responderte.

Su sonrisa le empequeñeció los ojos. No solo era educado sino que tenía sentido del humor. Increíble.

—Tú no tienes..., digamos ¿el típico?... cuerpo de los licántropos.

—¿Quieres decir que tengo tetas y curvas? —le pregunté. Las tetas eran lo que me salvaba cuando buscaba trabajo. A pesar de que está prohibido discriminar, eran pocos los que querían a licántropos en su empresa debido al hecho de que el ciclo de luna hace que los lobos se ausenten una semana de cada cuatro. Pero gracias a las benditas tetas, poca gente adivinaba qué era yo.

Levantó la mirada.

—Eres pelirroja. Yo creía que solo había cuatro pelajes, plateado, negro, dorado y marrón.

Negué con la cabeza.

—Mucha gente lo piensa porque hay pocas manadas de pelaje rojo y, de alguna manera, están aislados. Eran originarios de Irlanda, luego emigraron a Australia central. La mayoría vive allí todavía.

—Irlanda y Australia central son dos lugares muy diferentes, ¿no te parece?

Después de haber visitado Irlanda hacía ocho años, podía dar fe de que así era. Nunca había visto llover tanto en mi vida, por lo menos hasta que llegué a Melbourne.

—Los echaron de allí durante la sublevación de la raza en 1795. En aquella época Inglaterra utilizaba su colonia de Australia como penal y, como en aquel país había muchas tierras por colonizar, se fueron allí —dije encogiéndome de hombros—. Me imagino que después del frío de Irlanda, el calor de Australia fue un sueño.

—En aquel tiempo podían elegir los lugares que quisieran. ¿Por qué irse al desierto?

—¡Quién sabe! —respondí, desde luego yo no lo sabía. La historia de la manada nunca había sido mi punto fuerte. Por otro lado, tampoco es que se hubieran matado por enseñarnos, después de todo, ¿por qué se iban a molestar cuando tenían toda la intención de echarnos a patadas en cuanto alcanzáramos la edad adulta?

Algunas manadas de lobos eran tolerantes con los cruces. La nuestra, no. La principal razón por la que se nos había permitido vivir era porque nuestra madre, que era la hija del lobo alfa, había amenazado con dejarla si nos condenaban a morir.

Y cuando al final nos marchamos fue mayor alivio para ella que para nosotros. Ella nos quería, los dos lo sabíamos, pero nos dejó bastante claro que no deseaba volver a vernos.

Esa decisión me había dolido —todavía me duele—, pero pude entender su necesidad de recuperar una vida de manada normal. No tuvo que resultarle fácil criar a dos cachorros que nadie quería excepto ella.

—¿Y los de la manada de pelo rojo no son delgados, como otros lobos? —preguntó mi mugriento vampiro.

—La mayoría no.

Inclinó la cabeza, dejando rodar sus ojos con languidez por mi cuerpo, haciéndome sentir como si el sol me estuviera asfixiando. Lo que era una sensación extraña viniendo de una criatura de la noche.

Aunque para ser honesta, los vampiros no eran esos bloques de hielo que se creían los humanos. Solo resultaban fríos si no conseguían comer bastante.

Carraspeé.

—Yo no lo haría.

Una mirada risueña danzaba en sus ojos oscuros.

—¿Por qué no?

—Tú sabes por qué no.

Una sonrisa de deleite se dibujó en sus labios y se me cortó la respiración en algún lugar de la garganta. ¡Dios mío!, desde cuándo los hombres muertos se habían hecho tan deseables.

—A mí no me importaría.

Bueno, en realidad, a mi tampoco, pero tenía mis principios. Por lo menos hasta que la fiebre de luna me afectara de verdad.

—Estás aquí para ver a mi compañero, no a mí —le atajé, vacilando y frunciendo el ceño—. Anoche dijiste que alguien intentaba matarte. Si eso es así, ¿por qué estás tan tranquilo aquí sentado en mi entrada?

—Porque me dieron por muerto. Y tengo mis dudas de que vuelvan para comprobarlo.

—¿Y estás desnudo y cubierto de barro por...?

—Me clavaron desnudo contra el suelo entre un montón de mantillo y otro montón de tierra para sembrar.

Me quedé mirándolo, no estaba segura de si me lo decía en serio o no.

—¿Te clavaron en una jardinería?

—Eso parece. Por suerte para mí, decidieron no atravesarme el corazón con la estaca, se conformaron con mirar mientras el sol me quemaba.

—Lo que como se puede ver, no pasó.

Volvió a sonreír, aunque esta vez había cierta expresión de ferocidad en su cara.

—Lo bueno de tener más de cien años es que se desarrolla una cierta inmunidad al sol. Algo que los que me atacaron no sabían. Al amanecer, empecé a gritar. Les entró el pánico y echaron a correr.

Lo que sugería que, quizá, los hombres que lo atacaron eran nuevos en la caza de vampiros. Me incliné contra el marco de la puerta y coloqué el plato medio vacío sobre el polvoriento suelo de madera.

—¿Por qué no controlaste sus mentes y escapaste?

—Lo intenté. Estaban bloqueadas —me respondió observándome durante un minuto—. Más o menos como la tuya.

Puse cara de sorpresa. Rhoan me había dicho que había una banda de humanos que iban por la ciudad cazando vampiros, pero yo pensaba que se trataba solo de adolescentes. Tenía mis dudas de que hubieran sido lo bastante fuertes para aplastar a este vampiro, y menos que hubieran desarrollado sus defensas psíquicas lo suficiente para conseguir que él no se metiera en sus mentes. Porque aunque existían defensas tecnológicas que funcionaban bien, eran tan caras que muy pocos podían permitírselas.

—¿Eran jóvenes?

—No. Todos hombres, por lo menos treinta.

Eso no sonaba muy bien.

—Quizá sea mejor que te pases por la central del Consejo. Si hay una segunda banda activa, es mejor que lo sepan.

—No puedo.

—¿Por qué? Puede que mi compañero no vuelva en varios días, y es algo de lo que debe informarse.

—Rhoan me pidió que viniera a verle a él, y solo a él. Me extrañó.

—Pensaba que no conocías a mi compañero. Y si lo conoces, ¿por qué no dijiste cómo se llamaba cuando preguntaste por él anoche?

—Porque la verdad es que anoche no podía recordar su nombre, solo su dirección. Y nunca mencioné si lo conocía o no.

Típico de los vampiros. Estoy convencida de que en algún momento de su vida la mitad de los que no habían sido vendedores, fueron abogados.

—¿Eso quiere decir que le has visto hace poco?

—Sí. Antes de que esos hombres me apresaran y me clavaran una estaca. Por eso sabía su dirección.

Era posible que este vampiro pudiera ayudarme a encontrar a Rhoan si Jack y el Consejo no lo hacían.

—¿Cuándo fue eso?

Frunció el ceño.

—No estoy seguro.

¡Dios!

—¿Entonces dónde lo viste?

—No puedo decirlo.

—¿Y por qué a esos hombres les iba a dar por clavarte?

—Otra cosa que no puedo recordar.

—Parece que existe un cúmulo enorme de asuntos que no eres capaz de recordar —murmuré, sin saber si creerle o no.

—Un lamentable efecto colateral de haber sido golpeado varias veces en la cabeza.

Mi mirada fue hasta su frente. Bajo el barro se notaba algo oscuro, algo que podía ser un moretón.

—¿Tienes un nombre?

—Lo tengo.

Contraje los labios en una sonrisa nerviosa.

—¿Puedes compartirlo o también se te ha perdido en la confusión?

—Quinn O'Connor.

—Soy Riley Jenson.

Se inclinó hacia mí para tenderme la mano. Se la estreché de manera automática, lo que fue algo del todo estúpido. Podría haberme sacado de casa de un tirón si hubiera querido hacerme daño.

Pero lo único que hizo fue envolver con sus largos y fuertes dedos los míos y apretármelos con suavidad. Solo con el calor ardiente de su palma sobre la mía, me fue fácil imaginar la suave presión de esos dedos deslizándose por mi cuerpo, agitando el deseo que ya estaba surgiendo en mi interior. Tragué saliva.

—Es un placer conocerte, Riley Jenson —añadió con una voz tan suave que resonó en mi mente más que en mis oídos.

Saqué la mano de entre las suyas, pero doblé los dedos para retener el calor de su tacto. Esa reacción hizo que me diera cuenta de que tenía que andarme con cuidado. Hasta que supiera más sobre él y sobre qué tramaba de verdad, era mejor guardar las distancias. No importaba que las hormonas me sugirieran otra cosa.

Sin embargo, la curiosidad era más fuerte que la cautela.

—¿Y recuerdas cómo te ganas la vida?

Movió la cabeza afirmativamente.

—Soy dueño de Evensong Air.

Casi me da algo. Evensong era la mayor de las tres aerolíneas transpacíficas del país y hacía poco que había pasado a controlar el servicio regular de enlace con las estaciones espaciales. Lo que convertía a ese vampiro desnudo que tenía enfrente en un multimillonario.

—¿Cambia eso tu opinión sobre mí? —dijo, acercando mucho su cara a la mía.

—Como si hubiera tenido tiempo de formarme una opinión —dije con sarcasmo, y añadí—: Pero si la tuviera, sería solo porque nunca me he follado a un tipo mega, «mega rico» antes. —Aunque desde luego había follado con millonarios corrientes. De hecho, todavía lo hacía.

Su risa me produjo un escalofrío agradable en la espalda.

—Una cosa que me encanta de las mujeres lobo es que siempre son directas en lo que respecta al sexo.

—¿Has tenido una o dos mujeres lobo en tu vida, no?

Eso no me sorprendería del todo. Era rico, guapísimo y vampiro. Una de las pocas razas que podían seguirle el ritmo a los licántropos durante la luna ardiente.

—Una o dos.

No parecía que quisiera dar detalles y me pregunté por qué. Le miré durante un segundo mientras sorbía su comida.

—Pensaba que el dueño de Evensong era un tal Frank Harris —dije.

—Él es el director y el rostro actual de la empresa —me respondió encogiéndose de hombros—. Ser vampiro tiene sus limitaciones. Siempre necesitaré a alguien que dirija el negocio durante el día.

De todas maneras, podía apostar a que tenía bien atado a Frank Harris.

—¿Y qué hace un hombre de negocios de éxito dejándose clavar estacas por humanos? Deberías de estar rodeado de los últimos dispositivos de seguridad.

Su expresión fue de extrañeza.

—Me hubiera gustado. Es de lo más molesto despertar y encontrarse con que unos humanos te han clavado una estaca y no tener ni idea de por qué.

—Me imagino que lo más fastidioso es darte cuenta de que te han aplastado unos simples humanos.

—Por supuesto, mucho más.

Me deleité otra vez mirando su boca risueña y mi corazón volvió a rugir. Era el momento de retirarse antes de hacer alguna tontería, como, por ejemplo, morder el anzuelo de ese vampiro.

—Oye, tengo que arreglarme para irme a trabajar ¿Quieres un abrigo o alguna otra cosa? El pronóstico del tiempo es de lluvia.

Una risa sensual coqueteó en sus labios.

—Aprecio tu ofrecimiento, pero los vampiros no sentimos el frío.

—Quizá no, pero solo con verte me estoy quedando helada —dije, aunque me pasara justo lo contrario, y era mejor que él no lo supiera.

Se encogió de hombros.

—Si hace que te sientas mejor, aceptaré el abrigo.

Subí y descolgué uno de los abrigos de Rhoan de detrás de la puerta. Por lo menos el corazón de la señora Russel no se pararía si llegaba a toparse con él. Dudaba de que pudiéramos encontrar otro apartamento tan amplio, tan barato y tan cerca del centro.

Después de cerrar la puerta, revolví en el cesto de la ropa limpia hasta que encontré una blusa y una falda que ponerme. En cuanto las planché ya estaba lista para ir a trabajar. Quinn seguía sentado en la entrada cuando salí hacia la estación.

El tren rebosaba de pasajeros y, como siempre, me pasé todo el trayecto con la nariz pegada a la ventanilla intentando respirar el poco aire fresco que pasaba entre las ranuras de los paneles, luchando contra los agobiantes olores a humanidad, sudor y perfume.

Conseguí salir de aquella lata de sardinas en la parada de la calle Spencer y fui andando hasta el edificio de cristales verdes donde estaba la sede del Consejo. Antes de entrar pasé por los controles de seguridad y después del escáner dactilar, tomé el ascensor hasta los sótanos y me detuve en el tercero. Los diez pisos que se elevaban sobre el nivel del suelo eran la cara pública del Consejo —donde se trabajaba de día recibiendo los informes de los crímenes cometidos por no humanos, procesando los delitos menores y haciendo tareas rutinarias, como documentar las informaciones de nuevos nacimientos de vampiros—, y los cinco pisos del sótano eran el centro de actividad. Una zona poco conocida por el público. Allí controlábamos las investigaciones y nos encargábamos de las cosas más repugnantes, como de los no humanos que violaban, asesinaban y chupaban la sangre hasta dejar secas a sus víctimas. Se trabajaba veinticuatro horas al día, aunque la mayoría de los guardianes solo salía de caza por la noche.

Éramos solo un centenar, setenta de los cuales eran guardianes. A los otros treinta se nos conocía oficialmente como «enlaces» de los guardianes. Solíamos trabajar en turnos de ocho horas, y nuestras funciones eran básicas pero no lo que se dice sencillas; cuando se trataba de vampiros nada resultaba sencillo. Comprobábamos y procesábamos la información de los delitos más graves. Al anochecer distribuíamos a los guardianes sus misiones y nos encargábamos del suministro de comida y bebida para los que trabajarían de día.

Como era de esperar, la mayoría de humanos todavía creía que se forzaba a dormir a los vampiros durante las horas de luz solar, pero eso era una falacia —una que la mayoría de vampiros estaba encantada de perpetuar—. Sí, era cierto que los vampiros no podían exponerse a la luz directa del sol por miedo a quedarse fritos, pero tampoco es que se convirtieran en comatosos. No necesitaban dormir más de lo que les hacía falta respirar. Si dormían era porque les quedaba ese hábito de cuando eran humanos o porque estaban muertos de aburrimiento.

Yo era una de las tres hembras que trabajaban de enlaces, y las otras dos eran mujeres vampiro. Los guardianes no eran un tipo de gente con el que resultara fácil tratar y allí solo se asignaba alguna función a quienes sabían protegerse a sí mismos.

Jack levantó la mirada de la pantalla del ordenador cuando entré y me dedicó otra de esas sonrisas suyas mostrando los dientes.

—Buenos días, encanto.

—Buenos días, Jack —saludé quitándome el abrigo y dejándome caer en mi silla; luego miré al escáner de seguridad para que analizara mi iris y cuando confirmó mi identidad, el ordenador se puso en funcionamiento de manera instantánea.

—¿Otra vez te has pasado la noche aquí?

—¿Qué otra cosa puede hacer un feo y pobre desgraciado como yo?

Sonreí burlona.

—No lo sé, ¿tener vida propia, quizá?

—Tengo mi vida. Lo llaman Consejo.

—Eso es penoso. Lo sabes, ¿verdad?

—Prefiero llamarlo estar comprometido.

—Suena a «deberías comprometerte».

Sonrió.

—Me he leído tu informe. Buen trabajo.

—Gracias. ¿Alguna noticia de Rhoan?

—Todavía no —respondió mirándose el reloj. Pero no son las nueve y tu compañero nunca es puntual.

Lo sabía muy bien y no me preocupaba.

—¿Empezarás la búsqueda si no se presenta?

—No de manera inmediata.

—¡Dios! Sé que pasa algo malo.

—Solo tu instinto visceral nos lo dice. E incluso así, aseguras que no es grave. Perdóname, Riley, pero eso no es suficiente como para poner en peligro su misión.

La frustración se apoderó de mí. Soplé haciendo que se me levantara el flequillo.

—Entonces lo que tengo que hacer es ir a ver yo misma qué pasa.

Jack me estudió durante un minuto, por la manera en que se estiraba el rabillo de sus ojos se veía que se divertía.

—Si encuentras algo, házmelo saber.

Le miré inquisitiva.

—¿Es una orden?

—Sí.

—Y si tú descubres algo, ¿me lo dirás?

—Riley, Rhoan es un guardián, y la misión en la que está es de alto secreto. No puedo compartir esa información —se detuvo—. A menos que lo haga con alguien que esté dispuesto a pasar su segundo examen para guardián.

—Eso es chantaje.

—Sí.

Meneé la cabeza.

—Y yo que pensaba que eras un vampiro bueno.

—No existen los vampiros buenos —me dijo—. Solo hay diferentes tonos del mismo color. Estaría bien que recordaras eso, sobre todo aquí.

Eso era la pura verdad.

—No voy a hacer otro examen —le respondí; no estaba tan preocupada por la seguridad de Rhoan. Todavía no.

Decidí enfrentarme a la pila de correo que tenía por leer. La mañana avanzaba con lentitud y la sensación de que Rhoan estaba en peligro ni crecía ni disminuía y eso resultaba raro. Si se había metido en algún lío del que no podía salir, ¿la sensación no debería aumentar? ¿Qué demonios significaba el hecho de que permaneciera estable?

En el almuerzo, saqué un sándwich y un refresco de cola de la máquina expendedora que había en el vestíbulo y después me dirigí de nuevo a buscar alguna información del misterioso pero, «qué-bueno-estás», Quinn.

Había montones y montones de fotos en las que estaba de rechupete —quienquiera que hubiera empezado el mito de que los vampiros no podían ser fotografiados o era un chiflado o nunca lo había intentado. En unos artículos lo trataban de monstruo y en otros de salvador de pequeñas empresas. Uno de ellos hablaba de un vampiro que se encontró muerto en uno de los aviones de la compañía de Quinn. Otros comentaban las ampliaciones de su empresa farmacéutica de Sidney. Y encontré un recorte de su compromiso con una tal Eryn Jones, con una foto de los dos juntos. Ella era una mujer esbelta, de melena castaña, y de una belleza impresionante. Pero no me imaginaba a alguien como Quinn unido para siempre a una mujer con tan poco estilo. Miré la fecha del artículo, nueve de enero. Hacía seis meses.

Tenía que quererla mucho, porque los vampiros no tienen por costumbre comprometerse con una persona. Kelly me contó una vez que era demasiado difícil ver cómo tu amado se marchita y muere mientras tú permaneces joven para toda la eternidad. La otra posibilidad que tenían era transformar en vampiros a sus amantes, aunque pocas parejas sobrevivían a los cambios originados por la conversión. Los vampiros tienden a ser territoriales y dos vampiros juntos no suelen poder vivir en armonía.

Encontré un interesante artículo sobre Eryn, o mejor dicho, sobre su misteriosa desaparición. Quinn había sido interrogado por la policía, pero luego lo habían soltado, y las investigaciones seguían en curso. Lo que significaba que los polis no tenían ni una puñetera pista.

¿Sería esta la razón que estaba tras el ataque a Quinn? ¿Sospecharía alguien, en alguna parte, que él estaba detrás de su desaparición? Si era así, ¿por qué me lo encontré en mi casa esperando a Rhoan? ¿Tendría algo que ver con la desaparecida Eryn o habría algo más?

¿Cómo había llegado siquiera a conocer a Rhoan si su domicilio habitual estaba en Sidney?

Seguí buscando información sobre su novia, pero no conseguí mucho más, aparte de que trabajaba para una conocida empresa farmacéutica, una que Quinn al parecer había comprado y desmantelado unas semanas después de su desaparición.

Interesante, por no decir otra cosa. Aunque solo Dios sabía cómo estaba eso conectado con los actuales problemas de Rhoan.

Jack volvió de su almuerzo y tuve que ponerme a trabajar. La tarde pasaba despacio, quizá porque estuve pendiente del reloj, pero no hubo noticias de Rhoan. Jack parecía no atender a nada que no fuera su ordenador, pero yo era consciente de que estaba pendiente de mí. Sabía que esperaba que le dijera algo. Que le preguntara por Rhoan y por la posibilidad de una búsqueda y, por supuesto, por aquel dichoso examen.

Algo que no pensaba hacer hasta no agotar mis propias vías, que consistían en investigar tan pronto como llegara a casa y me cambiara. A menos, por supuesto, que la sensación de algo malo se agudizara mucho.

A las seis fiché y me largué de allí. Como era sábado, y por añadidura ya era tarde, mucha gente se había ido a casa y no se veía el tránsito habitual de peatones. En el tren se podía respirar.

Comenzaba a anochecer cuando el tren se detuvo en mi estación. Me apeé y caminé por el andén hasta la salida. De pronto, sentí la piel la sensación de que ya no estaba sola. Miré por encima del hombro.

Como siempre, la mitad de las luces estaban apagadas. Las sombras acechaban a lo largo de las verjas, avanzando con sigilo sus dedos esqueléticos sobre el andén. Nadie se había bajado del tren excepto yo, y no había nadie ni nada escondido en las sombras. Al menos nada que yo pudiera ver o sentir. Miré por el andén del otro lado de las vías. Tampoco vi a nadie allí.

Entonces, ¿por qué esa comezón de la piel alertándome? Sabía que esa percepción significaba que había un vampiro cerca, escondido entre las sombras.

¿Por qué no podía identificar con precisión dónde se encontraba?

¿Y por qué de pronto sentía que la noche era hostil?

Fruncí el ceño, me crucé el bolso y seguí por el andén. Pero al llegar a los escalones que salían a la avenida Sunshine, un fuerte olor a almizcle, menta y hombre me hizo contraer la nariz.

No era de vampiro sino de hombre lobo. El macho de nuestra especie solía tener un olor ligeramente más intenso que los de otras. O quizá lo parecía porque las hembras estábamos más sensibilizadas por naturaleza con ese olor.

Me detuve en seco. Se encontraba a la izquierda de los escalones escondiéndose entre la pared de la estación y la rampa para gente discapacitada. Permanecía inmóvil, algo que resulta muy raro entre nosotros los lobos. A menos que estemos durmiendo, tendemos a movernos si estamos en un sitio mucho rato. Es la energía incontenible de la bestia, según la teoría de Rhoan.

—Sé que estás ahí —dije en voz baja—. ¿Qué demonios quieres?

Las sombras se abrieron y el lobo salió a la luz. Era alto y delgado, con aspecto de pobre, y se parecía tanto a Henri Gautier que podía haber sido su hermano. Lo único es que, por lo que yo sabía, Gautier no tenía ninguno.

—¿Riley Jenson? —su voz era gutural, densa y tan fría como el escalofrío que me recorrió la espalda.

—¿Quién lo quiere saber?

—Tengo un mensaje para ti.

El corazón me dio un brinco. Aunque no podía creer que una escoria como esa fuera amigo de mi hermano, no me extrañaría que Rhoan lo utilizara de mensajero.

—¿Cuál?

—Muere, monstruo.

Su mano se volvió borrosa y entonces vi la pistola.

Me moví tan rápido como pude.

Oí el estallido de un disparo.

Luego sentí dolor.

Nada más que dolor.

Capítulo 3

—¿Riley?

La voz sonaba familiar, pero lejana. Muy, muy lejana.

—Riley, dime qué ha pasado.

A pesar de aquel dolor que me abrumaba, esa pregunta, formulada de manera tan delicada, llenó de un calor vivo cada una de mis células nerviosas. Tenía que ser Quinn. Nadie más podía producirme semejante reacción. ¿Pero qué demonios hacía él allí, en lugar de estar rondando la entrada de mi casa?

¿Y qué quería decir con qué ha pasado? «¡Me han disparado, por Dios!» Eso es algo que era obvio incluso para las mentes más simples.

Dios, cómo dolía. Quemaba.

—¿Es una bala de plata?

Plata. La bala era de plata. Por eso me dolía tanto.

—Sácala...

«Deprisa».

Dijo una palabrota. «Amén a eso», pensé casi sin fuerzas. No podía abrir los ojos, el brazo estaba dormido y el entumecimiento se extendía demasiado deprisa por el resto de mi cuerpo. El lobo no me había dado en el corazón pero eso era ahora lo que menos importaba. Si Quinn no me sacaba esa bala del hombro lo antes posible, sería una lobezna muerta.

Sentía que flotaba en un mar de agonía, en el que perdía y recuperaba la consciencia de forma arbitraria, con el cuerpo en llamas y chorreando sudor.

Sin embargo, su voz me alcanzó y me arrastró de vuelta al mundo real.

—No tengo un cuchillo. No me queda más remedio que usar los dientes. Te va a doler.

«No me fastidies, Sherlock». Pero mis palabras se quedaron sin poder salir, respirar se me hacía cada vez más duro, más difícil.

Me desgarró la blusa, sus labios tocaron mi carne como una breve caricia que hacía estremecer mi piel. Luego sus dientes se hincaron y cortaron profundamente el músculo. Un grito que me desgarraba la garganta pareció atascarse en algún lugar de mis amígdalas. Su mente penetró en la mía y como una mano delicada y fría me envolvió, suavizando el dolor, calmando el ardor.

Retiró los dientes de la carne y los reemplazó por los dedos. No podía escapar de la agonía que me producía cuando hurgaba, no importaba cuánto tratara de aliviarme. Cuando tocó la bala, la sacó y grité de nuevo.

Después ya no había bala, no había fuego y en su lugar quedó un sordo dolor normal.

Alcancé ese mágico lugar interior donde llamo al lobo. La energía se apoderó de mí y me invadió, borrando el dolor y sanando la herida. Pero en cuanto adopté la forma humana perdí el mundo de vista.

❋❋❋

Amanecía cuando recuperé la consciencia.

Inmediatamente, las sensaciones se me agolparon en la mente.

Mi cabeza descansaba sobre algo que parecía acero cubierto de carne, pero el resto del cuerpo yacía sobre un material duro e incómodo. Tenía un dolor continuo en el hombro y un ardor profundo en todo el brazo. Aunque la plata no matara a los lobos, podía dejarlos lisiados de manera permanente. Ese temor me hizo flexionar los dedos. Cuando se movieron suspiré aliviada.

A mi alrededor una brisa fría se movía llenando el aire de olor a humanos y a gases de tubos de escape mezclados con la incitante cercanía del olor a sándalo, hombre y barro.

De mi derecha llegó el continuo ruido del tráfico y de más cerca todavía, el traqueteo del tren saliendo de la estación. Era obvio que no estaba en mi casa. Aunque podía oír los trenes desde mi apartamento, este no temblaba cuando pasaban, como aquí.

Abrí los ojos y miré alrededor. La habitación era pequeña, horrible, y estaba llena de basura. A mi izquierda había unas ventanas con barrotes y sin cristales, y a mi derecha una puerta abierta. Unos asientos de madera se disponían en fila contra una pared cubierta de grafitis y el suelo era de asfalto. El reconocimiento me agitó. Estábamos en la puñetera sala de espera de la estación.

Me volví un poco para calmar el dolor del hombro y me di cuenta de que tenía la cabeza apoyada sobre los muslos de Quinn. Todavía llevaba puesto el abrigo que le había dado por la mañana, y por la rodilla desnuda que veía, no llevaba nada más encima. Sabiendo que estaba casi desnudo y que debía de estar cubierta de sangre, me preguntaba por qué nadie había llamado a la policía.

Levanté la mirada hasta encontrar la de Quinn. En el fondo de sus impresionantes ojos persistían la preocupación y la desconfianza.

—¿Cómo te sientes?

Su voz fluía por mi piel con tanta dulzura como una caricia y en mi interior se agitó la excitación. Si en una situación como esta tenía una reacción así, entonces la próxima fiebre de luna iba a ser muy mala.

—Me siento como una mierda —le respondí agarrándome al borde del asiento en un esfuerzo por levantarme y separarme de él.

—¿Por qué estamos aquí?

Dudó.

—Te seguía a tu casa desde el Consejo la otra noche.

Así que era ese el motivo por el que me sentía espiada. Aunque sin duda no era el único.

—¿Y por qué me estabas siguiendo cuando se supone que tenías que estar esperando a mi compañero?

Se quedó mirándome fijamente un momento entrecerrando sus ojos oscuros.

—Porque no estaba seguro de que irías adonde dijiste que ibas.

—¿Y por qué pensaste eso?

—Me han atacado; Rhoan ha desaparecido y cuando voy a su casa, de repente tiene una compañera de la que no sé nada.

—No me sorprende, considerando que ayer no podías acordarte de mucho.

—Es verdad —dijo dudando—. Pero incluso cuando recuperé la memoria no tenía ningún recuerdo de él mencionándome que compartía el apartamento con alguien.

—¿Y por qué tendría que haberte mencionado él algo así?

Se encogió de hombros.

—Hemos sido amigos durante un tiempo. Me parece raro que nunca comentara que compartíais apartamento.

—Bueno, amigo, él tampoco me dijo en absoluto nada sobre ti, así que la desconfianza es totalmente mutua.

Me recompuse y volví a atar los pedazos de la blusa para que mis tetas no acabaran desparramadas por ahí.

Otra multa por exhibicionismo no era lo que necesitaba justo en ese momento.

—Entonces, dime qué hacemos aquí.

—No tengo otro sitio adonde llevarte. Soy un vampiro, recuerda que tengo limitaciones.

—Un hospital es público.

Se sorprendió.

—Pensé que los licántropos preferían evitar los hospitales.

—Así es, pero hay una docena de sitios a los que podías haberme llevado —y seguí en mi mente: como el bar del otro lado de la calle donde sirven café de avellana y unos sándwiches de bistec bien gordos, dos cosas que era justo lo que necesitaba en ese momento, para acabar con una copita de licor de chocolate y quizá, incluso, un poco de sexo.

Mi mirada recorrió su cuerpo y se detuvo en sus delgadas y musculosas piernas. De acuerdo, mejor un montón de sexo, con preferencia con esas piernas enlazadas con firmeza entre las mías...

Traté de contener a mis desbocadas hormonas. No era momento para ese tipo de pensamientos.

—Un café es demasiado público —dijo con un brillo divertido en sus ojos, que sugería que sospechaba hacia dónde iban mis pensamientos aunque no pudiera ni siquiera leer mi mente—. Por lo menos aquí, podía asegurarme de que nadie se iba a acercar lo bastante para molestarnos o para ver en qué estado te encontrabas. En cualquier otro lugar yo hubiera levantado sospechas.

Lo que quería decir era que estaba empleando el viejo truco de la llave mental para que nadie entrara en la sala.

—Este sitio suele estar bastante lleno, incluso los domingos. Así que estás aplicando una buena dosis de control.
—Más incluso de la que el propio Gautier tenía. Solo imaginarlo me asustaba.

—Y hasta ahora, aparte de un instante en que sufrías mucho, no he sido capaz de rozar tu mente —dijo, pensando en mí un momento—. Lo que sugiere que posees una fuerza considerable.

—Trabajo con vampiros. Créeme, necesito saber cómo bloquearos —le expliqué e hice una pausa—. Si me estabas siguiendo, ¿por qué demonios no intentaste detener a ese loco?

—Porque no estaba seguro de lo que intentaba hasta que sacó la pistola. A pesar de la opinión general, los vampiros no somos más rápidos que una bala.

Medio sonreí.

—¿Así que tampoco pudiste leer su mente?

Levantó la mano. De la yema de uno de sus dedos colgaba un fino cable.

—Llevaba una defensa antiintrusión psíquica.

Aquel nanocable era lo último en nanotecnología para protegerse de la intrusión psíquica. Yo no sabía con certeza en qué consistía, pero sí que solo funcionaba cuando los dos extremos estaban conectados y que de alguna manera extraía energía del calor corporal. Todavía no se había puesto a disposición del público y el Consejo luchaba para que siguiera siendo así. Porque buena parte de la información que obtenía procedía de medios psíquicos.

Y si ese hombre lobo llevaba un cable encima, estaba claro que tenía conexiones gubernamentales o con organizaciones criminales, porque eran los únicos que en la actualidad disponían de ellos.

—No poder leerle la mente te ha tenido que fastidiar.

—Un poco.

Por su expresión, aquello le había fastidiado más que un poco. Sonreí con franqueza.

—Entonces, ¿qué hiciste cuando me disparó?

—¿Qué crees que hice? Lo maté.

Esa era la respuesta de los vampiros a cualquier problema: matar primero, preguntar después. Esa solución estaba bien si el problema se daba con alguien que había pasado la ceremonia de conversión en vampiro, pero resultaba bastante inútil con cualquier otro. Los muertos de verdad no pueden responder preguntas.

—¿Y el cuerpo?

—Por desgracia, tu atacante se cayó a la vía cuando pasaba un tren. El servicio se ha retrasado durante un rato mientras la policía investigaba.

—Y por supuesto no encontrarán ningún indicio que les lleve a pensar que se trata de un asesinato.

—Por supuesto —respondió, observándome con mirada risueña, pero con una expresión que aún reflejaba desconfianza.

No se fiaba del todo de mí, pero mira, eso estaba bien, porque la desconfianza era mutua. Él podía ser quien decía que era, pero de momento, yo ignoraba si de verdad conocía a Rhoan.

—¿Tienes alguna idea de por qué ese lobo intentó matarte? —añadió.

Me encogí de hombros.

—Cosas así pasan a todas horas —contesté, aunque tenía que admitir que nunca antes había oído que un licántropo matara a uno de los suyos—. Nos disparan tanto como a vosotros los vampiros.

De hecho, los humanos nos consideraban en un escalón inferior a los vampiros y eso había que agradecérselo a las películas de hombres lobo producidas en Hollywood a lo largo de los años. Por regla general, los licántropos no enloquecían ni cazaban humanos durante la luna llena. Si había alguno que lo hacía, enseguida se resolvía el asunto dentro de su manada. Y era muy, pero que muy raro, que las víctimas de esos ataques se convirtieran en hombres lobo —generalmente porque eran pocos los humanos que sobrevivían—. Y los pocos casos de transformación que ocurrían se debían a que la víctima tenía algún ancestro lobo en la familia. Pero, según parece, los humanos preferían creer en los mitos de Hollywood antes que en la realidad. O quizá los vampiros eran considerados más *sexys* porque no se convertían en un animal cada luna llena.

—¿Lo habías visto antes? —me preguntó—. ¿Lo sentiste?

Negué con la cabeza.

—Entonces, ¿cómo sabía que volverías a casa a esa hora? ¿Y por qué te habrá disparado?

—Si te hubieras molestado en preguntárselo antes de matarlo, ahora tendríamos exactamente las respuestas a esas dos preguntas.

No reaccionó a mi nada sutil indirecta.

—¿Crees que puede haber alguien que quiera matarte?

—Ese tipo parecía querer hacerlo.

Hizo una mueca irónica.

—Quiero decir ¿has jodido a alguien hace poco?

Sonreía.

—Soy una mujer lobo.

Movió la cabeza de un lado a otro, su expresión era solemne pero de nuevo una mirada risueña asomó a sus ojos.

—En otras palabras, sí.

—Soy bastante capaz de protegerme a mí misma, creo que ya lo sabes.

A menos, claro, que alguien decida otra vez dispararme de cerca con una bala de plata.

Se levantó, y el abrigo se entreabrió, dejando ver unos incitadores muslos bien torneados. El calor me atravesó como un latigazo de anhelo que empeoraría según se acercara la luna llena.

—Será mejor que te lleve a casa.

Me gustó como sonaba la parte de «te lleve», pero no estaba muy convencida del resto. De momento eso no parecía demasiado práctico.

—Puedes irte adonde quieras. No necesito que nadie me escolte.

—Quizá no, pero ahora mismo, hasta que Rhoan regrese, tengo la intención de acampar en la entrada de tu casa.

¿Por qué? Esa era la pregunta para la que él no tenía respuesta que darme.

—¿Por qué no vas a la habitación de un hotel? Hay uno que no está lejos de aquí —le sugerí, aunque, claro, era uno frecuentado por putas y drogadictos, pero no me parecía que a él le importara mucho. Puede que fuera rico, pero seguía siendo un vampiro y, en un momento u otro, la mayoría de los vampiros habían hecho alguna de esas cosas. O eso es lo que Kelly creía—. Por lo menos allí te podrás duchar.

—Si esto se alarga mucho más, lo haré.

La presión de sus dedos sobre mi espalda, mientras me acompañaba fuera de la salita de espera, me quemaba. Combinado con el intenso olor de sándalo que me cosquilleaba en la nariz, ¿a quién podría extrañar que el pulso se me pusiera a mil?

Al ser un vampiro, sin duda alguna percibía mis reacciones. Y como si me lo confirmara, su mirada rozó la mía, con una profundidad llena de percepciones y de apetito. No apetito de sangre. Apetito sexual.

No solo podía verlo en sus ojos, también al aspirar su olor y el mío.

Lancé un resoplido y aparté la vista. La fuerza del aura de un licántropo, casi siempre bien protegida, tiende a funcionar a toda velocidad, pero a veces tiene «fugas» durante la luna llena por lo que muchos de los nuestros no van al trabajo esa semana. Los humanos casi nunca se acercan a nosotros ni por equivocación, y cuando eso pasa no hay nada peor a que los humanos nos toquen o traten de cazarnos. De todas formas, dudaba mucho de que Quinn estuviera afectado por alguna fuga de mi aura. Creo que era más bien un caso evidente de vulgar deseo.

—¿Esa sugerencia de que me vaya a un motel significa que no me vas a invitar a entrar en tu apartamento cuando lleguemos? —preguntó dejando resbalar la mano por mi espalda y mis nalgas, un roce en broma que encendió el deseo en todo mi cuerpo.

—Sin duda alguna.

—Es una lástima.

Mis hormonas también lo pensaban. Pero por suerte para mí, ellas no estaban dirigiendo esta función.

Todavía.

—Y seguirá siendo una lástima —dije—, al menos hasta que me entere de lo que realmente tramas.

Subimos las escaleras y cruzamos al otro lado para tomar mi calle. La luz del sol le acariciaba y calentaba su piel mientras caminábamos. No se inmutó, lo que significaba que tenía más años de los que yo pensaba. No es habitual que los vampiros sean tan inmunes al sol hasta que han cumplido más de quinientos años.

—Si quisiera podría matarte —me dijo mirándome con aquellos ojos negros—. Podría hacerlo aquí y ahora, y nadie en esta calle vería u oiría nada, no importa lo fuerte que gritaras.

El hecho de que me retara con tanta tranquilidad, sin el sentido de intimidación que siempre envolvía las amenazas de Gautier, me hizo creerle. A pesar de eso, quizá por una cierta perversión, mi deseo por él aumentó. Como nuestros parientes animales, los licántropos estamos genéticamente programados para buscar a la pareja más fuerte. Este vampiro podía clasificarse así.

Aunque no importaba cuanto lo deseara, yo no podía bailar con él, no hasta que supiera la verdad. Y para descubrirlo, tenía que encontrar a Rhoan.

Cuando llegamos a mi casa, lo dejé de pie en la entrada y fui a ducharme. Luchaba contra el impulso de invitarlo a compartir la ducha, e intentaba con todas mis fuerzas no imaginarme lavándole el barro de su húmeda piel dorada y de su negro y sedoso cabello.

Ni siquiera el agua fría pudo borrarme esa fantasía o enfriarme un poco.

En cuanto saqué un pie de la ducha, caminé hacia el espejo por el suelo enmoquetado y comprobé cómo estaba la herida de bala. Se veía fea —arrugada en un revoltijo enrojecido que me dejaría cicatriz—. Y una cicatriz me hacía tanta falta como que me dispararan otra vez. Ya tenía bastantes repartidas por las rodillas, las manos y la espalda, recuerdos de todas mis peleas o de mis no menos animadas aventuras.

No había mucho que hacer con la herida. Me sequé y me dirigí a mi habitación para vestirme. Si iba a recorrer el circuito de los clubes después del trabajo, necesitaría ropa adecuada. Una falda hasta la rodilla y un jersey práctico, la ropa de mi actual trabajo —el habitual— no se aceptaría en ninguno de los clubes que Rhoan y yo frecuentábamos. En realidad, allí la mayoría prefería mostrar solo la piel, pero si había que ponerse ropa, cuanta menos mejor. Exploré mi armario y al final elegí una minifalda negra, muy mini, y una vaporosa blusa verde oscuro. En la bolsa metí ropa interior y blusas de más porque Talon —el más fuerte de mis dos parejas en varios sentidos— solía ser un poco rudo con la ropa en la fase de la luna, y cuando terminábamos yo acababa a gatas buscando por debajo de la cama mis verdes y relucientes tacones de quince centímetros. En cuanto los recuperaba de entre los restos de compresas polvorientas, me ponía los zapatos y la ropa limpia, mi grueso abrigo de lana y me marchaba.

Quinn estaba esperando en lo que ya estaba convirtiéndose en su sitio y tuve que utilizar hasta la última gota de autocontrol para pasar por delante de él.

Cuando llegué a la oficina, Jack todavía se encontraba frente a su ordenador.

—¿Alguna noticia? —le pregunté al tiempo que tiraba mi bolsa detrás de la silla y me dejaba caer en ella.

—Gautier eliminó a los seis imbéciles que estaban aterrorizando el distrito de Footscray.

Hasta para ser vampiro, este tipo era un flipado.

—Quiero decir sobre Rhoan.

—Lo sé.

—¿Y?

—No hay noticias.

—¿Has enviado a alguien a averiguar qué pasa?

—Sí. Le habían visto donde en teoría se le había enviado, pero al parecer ya no estaba allí.

—¿Y dónde se le había enviado supuestamente?

Jack me devolvió una sonrisa de cocodrilo.

—¿Quieres decir que has reconsiderado hacer otra vez el examen para guardián?

—No.

—Entonces eso es información confidencial.

—Cabrón.

Me miró sorprendido.

—Para ser alguien que se preocupa tanto, en realidad estás buscando muy poco.

—Intenté ponerme a buscar anoche, pero un retrasado decidió que yo necesitaba un disparo.

La expresión risueña desapareció de sus ojos.

—¿Qué pasó?

—Acababa de bajarme del tren. Él salió de las sombras de un salto y me disparó —dije encogiéndome de hombros—. A los lobos nos pasan estas cosas.

No estaba segura de si estaba tratando de tranquilizarme a mí o a él. Después de todo, ese lobo era clavado a Gautier, aunque tuviera un olor diferente.

—¿Y tu atacante?

—Muerto —respondí vacilando—. Un tren se lo llevó por delante.

—Por lo menos nos ahorra el papeleo —hizo una pausa y luego añadió—: Entonces ¿vas a ir a buscar a Rhoan?

—En cuanto acabe de almorzar.

—Resultará interesante ver quién lo localiza primero, si tú o Kelly.

Apenas pude contener una sonrisa. Él no tenía la menor idea de que, de todas formas, Kelly pensaba hacerlo. Aun así, el hecho de que él hubiera dado ese paso significaba que se estaba tomando la desaparición de Rhoan más seriamente de lo que suponía.

—¿Entonces la vas a enviar de patrulla esta noche?

Asintió con la cabeza y yo me sentí algo mejor. Con dos de nosotros ahí fuera encontraríamos alguna pista de lo que le estaba pasando. Porque, estaba claro que algo le pasaba, incluso si ese algo malo todavía no había llegado a su punto álgido.

—Bien —dije y me senté a hacer el papeleo, sintiendo encima el peso de la mirada de Jack. Se notaba que estaba esperando algo, pero no se me ocurría de qué se trataba.

—¿Has pensado salir de fiesta esta noche? —me preguntó al cabo de un rato.

Cuando lo miré, señaló mi bolsa de viaje.

—Faltan cinco días para la luna llena —le respondí a modo de explicación.

Se echó hacia atrás en la silla con expresión confundida.

—¿Cómo es que las lobas nunca acaban con bombo? Quiero decir, lo hacéis como locas durante siete días y nunca pasa nada. Y por lo que he oído no tomáis anticonceptivos.

—¿Cómo puedes llamar al placer absoluto «nada»? —repliqué sonriendo.

Rechazó el comentario con una mano.

—De verdad. Siempre he sentido curiosidad por saberlo.

—¿Y nunca has pensado en preguntárselo a un lobo? ¿O pasearte por sus pensamientos para descubrirlo?

—Nunca me ha importado tanto como para hacer ninguna de esas cosas.

—Entonces, ¿por qué preguntas ahora?

—Odio el silencio.

—Sí. Es verdad —asentí porque sabía que él odiaba los silencios tanto como yo el baile de la luna. A pesar de eso no vi nada malo en responder a su pregunta, que no era la primera vez que alguien me hacía—. Los licántropos no tomamos anticonceptivos, pero llevamos un chip electrónico para prevenir la concepción. No me preguntes cómo funciona, solo sé que lo hace. Los chips los insertan bajo la piel en la pubertad y mientras no se retiran no quedamos embarazadas.

Eso había sido inútil conmigo porque sufría un raro desequilibrio hormonal que impedía que mis óvulos llegaran al útero. Lo bueno era que no tenía menstruación. Lo malo, que no podía concebir sin atención médica. Pero incluso así, los doctores no me aseguraban que pudiera quedarme embarazada o llevar a término un embarazo. De hecho, la mayoría de ellos se imaginaban que yo era el equivalente a una mula, con todo en su sitio pero sin funcionalidad. Pero las reglas eran las reglas, y no había manera de saltárselas, aunque no pudieras concebir de manera natural.

—¿Qué pasa si quieres quedarte embarazada?

—Debería pagar a un médico del gobierno quinientos billetes para que me quitasen el chip. Hecho eso, puedes quedarte embarazada en veinticuatro horas.

—¿Y el gobierno os obliga a hacerlo así?

—Sí.

Resopló sin hacer ruido.

—Increíble. Tienen una ley para los humanos y otra para los demás.

—Me imagino que no quieren que los lobos invadan el mundo.

—Está invadido de humanos y ellos provocan más daño del que llegaríamos a hacer todos nosotros.

—No se habla así de quien te da de comer.

Se encogió de hombros y dejó el asunto de lado. Era extraño, por no decir otra cosa. Llegó el mediodía y subí por las escaleras hasta la cocina del segundo sótano para comprobar la comida —que en su mayor parte era sangre y no de la sintetizada— destinada a los guardianes. Lo cargué todo en el carrito, lo empujé hasta el ascensor y bajé hasta el cuarto sótano.

Las puertas se abrieron con un susurro y me recibió la oscuridad.

Maldije para mis adentros. Otra vez aquellos despreciables con sus jueguecitos. Aunque la oscuridad no me daba miedo, el hecho de que en esa habitación hubiera veinte vampiros que podían convertirse en sombras nocturnas, me hacía desconfiar. Ni siquiera con mi visión de vampiro podía verlos a todos, y las cámaras de seguridad no funcionaban muy bien a oscuras.

—Si no encendéis las luces, cabronazos, os vais a quedar con hambre.

Las luces se encendieron y la silueta salvaje de Gautier dio unos pasos hacia mí.

—¿Tienes miedo de la oscuridad?

Resoplé y presioné el botón de encendido del carrito, que hizo un ruido de máquina electrónica y echó a rodar hacia delante hasta el comedor.

—¿Por qué no vas a ducharte, Gautier? Hueles que das asco.

—Sonrió mostrando sus dientes ensangrentados. Había comido antes de llegar y me preguntaba de quién. ¿Era de procedencia oficial o había empezado a cazar sus propios alimentos?

—Solo es sangre y el olor es de un borracho que me encontré en la calle.

—Créeme, reconozco la sangre en cuanto la huelo y lo que yo huelo no es sangre.

Seguí al carrito hasta el comedor. Gautier me siguió sin que pudiera oírlo, pero sintiendo su presencia intimidatoria.

—Rhoan no ha vuelto —dijo—. ¿Sabes algo de él?

El vello de la nuca se me erizó. Estaba tan cerca que podía sentir el aliento de su respiración junto a la oreja. Pero hice como que no lo notaba y no alteré mi rumbo, porque eso era lo que él quería.

—Está en una misión.

—La luna ardiente os excita, a los lobos ¿no?

—Y a ti ¿qué?

—Bueno, ¿cómo vas a arreglártelas sin tu amante?

—Encontraré otro. Los licántropos en general no somos monógamos, ya lo sabes —dije, pensando que eso solo era hasta que topábamos con nuestra alma gemela y declarábamos nuestro amor a la luna.

—¿Alguna vez has pensado en tener a un vampiro como amante?

Me puso la mano en el hombro, presionando con sus dedos la herida apenas curada. El dolor se extendió como un fogonazo candente por todo mi cuerpo y no pude evitar que se me doblaran las rodillas. Tragándome la bilis que me subía a la boca, seguí bajando hasta quedar arrodillada en el suelo, luego, antes de que él pudiera reaccionar, alargué rápidamente la mano y le agarré los testículos.

Soltó un grito como de gárgaras y se quedó inmóvil. Muertos o no, los vampiros seguían siendo hombres y todavía estaban muy apegados a sus colgajos.

—Tócame otra vez y te encontrarás con esto —se los retorcí con más fuerza— junto a la garganta.

Sus ojos marrones estaban casi aguados por la furia y el dolor. Le apreté una vez más y puedo jurar que vi cómo le brotaba el sudor en la frente. Algo imposible, debido a la reputación de feroz que tenía Gautier. Quizás era solo un efecto de las luces.

—¿Me has entendido?

La inclinación de su cabeza fue casi imperceptible. A nuestras espaldas se oyó un aplauso.

—Bien hecho, Riley —la suave y sensual voz de Kelly llegaba de muy cerca, y mi tensión se aflojó un poco. Si ella estaba allí tenía las espaldas cubiertas.

—¿Por qué no le das a esas pelotas un apretón extra por mí? Ver sufrir al gran Gautier es una visión tan extraña como bien recibida.

Los ojos de Gautier miraron por encima de mí.

—Ve con cuidado, perra. Podrías tener problemas.

—Vaya, qué miedo —la voz de Kelly era seca.

No pude evitar sonreír, pero resistí la tentación de hacer lo que me pedía y lo solté. No era tan tonta; si le causaba demasiado daño tanto el Consejo como el propio Gautier me harían pagar por ello. A él no le importaría tenderme una emboscada y, a pesar de mis bravatas, yo no tenía ganas de enfrentarme cara a cara con aquel tipo. Me levanté y le di la espalda, lo que constituía el mayor insulto que podía hacerse a un vampiro de la clase de Gautier. Sentí su furia abrasándome la espalda, pero no me inmuté ni me volví. Seguí andando con naturalidad.

Kelly estaba apoyada contra la puerta en la zona del comedor, con una sonrisa que suavizaba sus angulosos rasgos.

—Estás un poquito enfadada, ¿no?

Hice una mueca y le lancé una ración de comida.

—Estoy harta de que me amenacen.

—Por eso te respaldé. Tendré que aprender ese movimiento tuyo. Inmoviliza muy bien a las presas masculinas.

Miré a Gautier. Decir siniestra ni siquiera empezaba a definir su expresión. Puede que estuviera loca pero eso me animaba muchísimo.

—¿Tienes algún plan para el jueves o miércoles por la noche? —Detuve el carrito y abrí los laterales para que los otros guardianes pudieran acceder a la comida.

Kelly negó con la cabeza, bajo aquella luz intensa su negra melena brillaba con reflejos azulados.

—Nada, ¿por qué?

—La luna llena está acercándose, así que si todavía quieres un poco de acción con hombres lobo... —dejé la frase en suspenso y sonreí.

—¡Ay sí!, por favor —exclamó y la idea iluminó sus verdes ojos—. Seguro que los machos de tu especie pueden hacerle pasar un buen rato a una mujer.

No era cierto.

—Te llamaré el martes para quedar.

Inclinó la cabeza y se echó un poco hacia adelante.

—Por cierto, no he oído ningún comentario por aquí sobre la misión de Rhoan. Jack me ha enviado a patrullar esta noche, así que trataré de descubrir algo. Te llamaré.

—Gracias. Pero ten cuidado.

Sonrió y me apretó el brazo con suavidad.

—El gran Gautier no me preocupa.

A mí sí me preocupaba. Y no me gustaba cómo nos estaba mirando.

—He pensado más en las desapariciones que el propio Gautier. No quiero que te sumes a la lista de esfumados.

—No es lo que quiero, créeme, —su tono lacónico era risueño— tendré cuidado.

—Bien.

En cuanto se vació el carrito, las dos nos salimos fuera a tomar el café. En todo ese tiempo no había dejado de sentir la mirada enfurecida de Gautier. Su expresión me recordó al hombre que me había disparado y decidí preguntarle a Jack sobre el pasado de Gautier cuando volviera arriba.

Tan pronto terminamos de servir, devolví el carrito a la cocina. Jack me dedicó una agradable sonrisa cuando volví a la oficina.

—Me gusta la manera en que manejas a Gautier.

Hice una mueca.

—Espero que a nuestros jefes no les importe que le dé una paliza a su guardián estrella.

—Les has demostrado a los guardianes que eres más que capaz de protegerte sola ahí abajo y que la puedes armar.

Asentí con la cabeza. Los guardianes parecían tener unos valores diferentes al resto de la población. Si mostrabas cualquier signo de debilidad creían que les pertenecías y que podían manejarte a su antojo. Los de arriba toleraban esa conducta, y se limitaban a hacer la vista gorda, siempre que los guardianes no mataran a sus «juguetes».

A menudo me preguntaba qué pasaría si la gente o la prensa descubrieran alguna de las siniestras costumbres de aquellos a quienes pagaban para protegerlos. Eso sin mencionar que el verdadero propósito de las fuerzas de guardianes era matar sin recurrir a los tribunales o a la justicia. ¿Sería considerado un ultraje? ¿O simplemente la humanidad lo aceptaría como el precio a pagar por su seguridad?

Considerando el irracional —casi instintivo— miedo que muchas comunidades tenían a los no humanos que vivían entre ellos, casi me imaginaba que sería lo último, o puede que pidieran que nos mataran a todos sin más. Si desaparecían los no humanos, no habría problemas.

Me senté en el borde de la mesa de Jack balanceando una pierna.

—¿Alguna vez has investigado a Gautier?

—Investigué a todo el personal cuando llegué a este puesto. —Jack se reclinó hacia atrás en la silla.

—¿Por qué lo preguntas?

—Porque soy una entrometida.

—Todos los lobos lo son, pero eso no explica tu repentino interés por Gautier y tus preguntas sobre él.

Sus labios esbozaron una sonrisa, pero la frialdad de sus ojos me sugirió que él no solo sabía a dónde quería llegar yo sino lo que esperaba de él. Y en aquel momento entendí que esa era la razón por la que antes había tratado de hacerme hablar.

Aunque no sabía por qué no hablaba claro y preguntaba.

—¿Qué quieres saber? —me preguntó.

—¿Gautier tiene un hermano?

—Ninguno registrado. De hecho toda su familia aparece en la lista de muertos.

—Pues el tipo que me disparó la otra noche, era muy parecido a él. Solo que en lugar de un vampiro era un hombre lobo.

—¿Una casualidad?

—Tú no crees en las casualidades.

—No —dijo vacilando —. Conseguí lo que quedaba de su cuerpo y he pedido que le hagan una autopsia y un análisis celular. Así sabremos si son familia o algo más.

Hice un gesto de extrañeza.

—Pero si sabías que me habían disparado, ¿por qué no dijiste nada cuando yo te lo conté?

—Porque quería ver si tú lo mencionabas o preferías investigarlo por tu cuenta —respondió sonriendo—. Los buenos guardianes siempre acaban lo que empiezan.

—Y también los buenos enlaces —repliqué levantándome y rozando la curtida mejilla de Jack con un beso—. Gracias por investigar.

Se sonrojó.

—De nada. ¿No sería mejor que te fueras ahora? Hoy solo te toca media jornada y ya sabes cómo les sientan a los de arriba las horas extra.

—Sí, si no me las aprueban de antemano, no me las pagarán —repetí imitando a Jack con mi mejor estilo.

Soltó un resoplido.

—Vete a buscar a ese compañero tuyo que tanto te preocupa antes de que encuentre un motivo para que te quedes.

Regresé a mi escritorio sonriendo. Después de cerrar mi sesión en el ordenador, recogí el bolso y le dije adiós con la mano dirigiéndome hacia la puerta.

Aunque apenas era la una, hacía un día gris porque el sol estaba oculto tras unas densas nubes. Me abroché el abrigo;

por suerte lo había elegido en lugar de la cazadora de cuero, más moderna pero más corta, que era de las prendas que me ponía cuando me iba de clubes.

Tomé el tranvía a la calle Lygon, y al bajarme vacilé al olfatear el aire que traía los apetitosos olores de carne, especias y pan que flotaban desde el restaurante más famoso del distrito. Me sonaron las tripas recordándome que casi no había comido. En ese momento tenía apetitos más profundos que satisfacer.

El club Blue Moon estaba situado a un lado, justo en la esquina de la calle Lygon. Aunque era mi local favorito, su nombre siempre me hacía sonreír. Ese nombre era una elección tan obvia para un licántropo, que había cientos —si no miles— de Lunas Azules por todo el mundo. La humanidad en general pensaría que nos faltaba imaginación, pero cualquiera que hubiera pisado alguna vez el club sabía que ese no era el caso.

Este Blue Moon era el más pequeño de los cinco clubes para licántropos de Melbourne y el único que permitía la entrada a humanos, aunque restringida algunos días, pues les estaba vetada durante la fase de luna llena. Los demás clubes tenían como política estricta permitir solo el acceso a los no humanos, ley que los estúpidos del Gobierno estaban intentando cambiar. Algo en verdad chocante, si se piensa que hace veinte años, los clubes ni siquiera eran legales y solían estar sometidos a continuas redadas policiales.

Las puertas susurraron al abrirse y Jimmy, un empleado de seguridad del tamaño de una montaña, medio humano y medio león metamorfo, me sonrió mostrándome una boca a la que le faltaba la mitad de los dientes. Los había perdido allí, en una pelea que hubo hacía un par de semanas, y parecía considerar un distintivo honorable su ausencia. Teniendo en cuenta que se había peleado con tres lobos, el grandullón tenía motivos para estar orgulloso.

—¡Hola, Riley! —vociferó—. No pensaba que te veríamos por aquí hasta el final de la semana.

—Estoy buscando a Rhoan, ¿sabes si ha venido?

Jimmy hizo un gesto negativo con su pesada cabeza cubierta por una melena leonada.

—Acabo de empezar mi turno. Puede que haya entrado antes.

—¿Y a Davern o a Liander? —le preguntaba por los novios de mi hermano, con los que salía hacía más de dos años. Tenía otros amantes casuales, pero si alguien sabía dónde estaba Rhoan eran esos dos.

—Davern lleva aquí desde esta mañana, según las cámaras de seguridad. Liander se suele pasar por el Rocher los domingos.

—Gracias —dije pagando mi entrada y agarrando una llave para la taquilla—. ¿Qué tipo de gente hay esta noche?

Se encogió de hombros.

—La normal.

Quería decir que todos eran licántropos y solo unos cuantos vampiros y metamorfos. Abrió la puerta.

—Espero que tengas la intención de cambiarte de ropa. Ya sabes cuáles son las normas de la casa.

Le choqué la mano.

—Iré primero al vestidor.

Hizo un gesto de aprobación con la cabeza y cerró la puerta tras de mí. Me detuve arriba de las escaleras y dejé que los ojos se adaptaran a aquella densa oscuridad. El techo pintado de medianoche estaba lleno de hologramas de estrellas, que justo en ese momento comenzaban a atenuarse ante la luminosidad de una emergente luna azul. Muchas de las mesas y sillas que rodeaban la pista de baile estaban ocupadas por lobos ligando o mirando a los ligues de otros. Al fondo de la sala, había unos reservados con cortinas para los que preferían tener algo de privacidad, y también estaban ocupados. Al final de esa semana, cuando la fuerza de la luna se propagara por nuestra sangre, habría cola delante de ellos.

Aunque la mayoría de los que bailaban en la pista estaban desnudos, había otros que preferían vestir algo más exótico. Unos llevaban conjuntos de cuero tan ceñidos al cuerpo como la piel, otros se habían hecho unos trajes más estrafalarios, que brillaban y destellaban bajo el holograma de la luna llena.

El pinchadiscos estaba en la esquina más alejada, y su música inundaba el ambiente con unas melodías sensuales y eróticas especiales para seducir los sentidos. La atmósfera, cargada de un rico aroma de lujuria y sexo, hacía que el deseo corriera por mis venas. Solo confiaba en poderlo controlar hasta encontrar a Rhoan.

Pero dada la intensidad de aquella fiebre, sabía que solo podría hacerlo satisfaciéndola en parte.

Era una desgracia que Quinn no estuviera allí conmigo.

Fruncí el ceño y aparté aquel pensamiento de mi mente. Hasta que no supiera algo más de aquel misterioso Quinn y de sus motivos para querer ver a mi hermano, no podía hacer otra cosa que desearlo a distancia.

Bajé las escaleras y me dirigí a los vestidores. Después de darme una ducha rápida para quitarme de la piel el olor a oficina y a vampiro, me puse la ropa que llevaba para el club y me maquillé. Luego me recogí la melena en una coleta, metí el bolso en la taquilla, y la tarjeta de crédito y la llave de la taquilla en un bolsillito de la falda. Luego me mezclé entre la gente.

Cerca de la pista de baile, el suave ritmo de la música iba acompañado por los gruñidos de placer y los choques de carne contra carne. La fiebre me subió varios grados en la sangre y el deseo puro que había empezado con Quinn aquella mañana se agudizó al máximo.

Pero por más que deseara unirme a aquella multitud lujuriosa y sudorosa, todavía tenía el suficiente control como para anteponer el trabajo al placer. Davern debía de estar por allí y tenía que encontrarlo.

Bordeé la pista de baile, barriendo con la mirada las mesas que se alineaban junto a la pared. Davern estaba en una mesa cerca de la parte de atrás de la sala, junto a los reservados. Pero no estaba solo, y no pensaba interrumpirlo. Los lobos, en especial los machos, solían ser violentos en extremo si lo hacías.

Le quité una bebida a un camarero que pasaba, todos eran ciegos psíquicos y no humanos, lo que no significaba que fueran incapaces de defenderse si las cosas se ponían feas, sino que el aura de un licántropo durante la fiebre no tenía ningún efecto sobre ellos. Eran hombres y mujeres normales, y también se excitaban, por eso les pagaban muy bien por no hacer caso de sus hormonas. Por esta razón los trabajos en los bares de licántropos estaban tan buscados.

Respiré con fuerza, inhalando los olores que se arremolinaban a mi alrededor y dejando que el ambiente penetrara por mis poros con una intensidad teñida de placer, satisfacción y fantasías sexuales.

A quién podía sorprender que los humanos se mataran por entrar en los clubes para licántropos. Frente a la rigidez moralista que en la actualidad se imponía a la raza humana en general, la libertad sexual de estos locales los debía de hacer sentir como a un niño en una tienda de chucherías.

Claro que el que hubiera humanos por ahí durante la fase de luna llena podía ser peligroso, sobre todo considerando que a algunas manadas les gustaba un sexo duro en extremo. Los humanos no estaban hechos para relacionarse sexualmente como lo hacían los licántropos, por ese motivo los clubes de toda Australia se habían unido por primera vez en la historia para luchar contra los planes del Gobierno. Lo último que nadie quería era a un humano herido durante la luna creciente, porque la culpa siempre recaería sobre los licántropos y sus clubes antes que sobre esos idiotas que presionaban para cambiar las reglas del juego.

Cuando volví a mirar hacia las escaleras, estaba entrando un hombre. Era alto y de complexión fuerte, con unos rasgos muy marcados y el pelo rubio oscuro. Incluso desde donde yo estaba pude sentir la pura fuerza sexual que transmitía. Había conocido —y ligado— con muchos lobos durante mis veintinueve años, pero ninguno de ellos tenía un aura tan poderosa y dominante como la de este lobo.

Nuestras miradas se encontraron. Desde la profundidad de sus ojos dorados se reflejaba una pasión tan manifiesta que retumbó en todo mi ser. Talon y yo habíamos estado casi dos años juntos, lo que es un récord para quienes no son almas gemelas. Nos conocíamos muy bien en cuanto al sexo se refiere, pero fuera de los clubes éramos dos extraños.

Mientras bajaba las escaleras, se desprendió de la camisa y la lanzó con aire despreocupado sobre una mesa vacía. Su piel dorada relucía contra la luz plagada de estrellas, y sus pantalones de cuero exhibían no solo sus fuertes piernas sino el tamaño de su erección.

La fuerza de su aura avanzaba arrollando a las mujeres más próximas como una ola gigantesca. Suspiros y miradas perdidas seguían su estela, pero no se detuvo, su mirada se posó en la mía mientras se acercaba a grandes zancadas.

A dos metros resultaba un hombre alto. Incluso aunque yo llevara unos tacones de quince centímetros, me hacía quedar unos doce más abajo que él. Pero cuando se movió lo hizo con la ligereza y la gracia de un vampiro. Mi parte egoísta deseó que no encontrara a su alma gemela antes que yo, porque hacíamos buena pareja. Su estilo de sexo salvaje era algo que deseaba seguir disfrutando un poco más.

Se detuvo a menos de un metro, pasó sus ojos con displicencia por todo mi cuerpo. El deseo que surgió entre los dos me acarició la piel hasta que sentí que el calor me quemaba.

—No esperaba encontrarte aquí esta tarde, lobita.

Aunque su voz retumbaba, su timbre desbordaba mis sentidos con la sensualidad de una brisa de verano.

—Estoy buscando a Rhoan, y confiaba poder preguntarle a Davern dónde está.

Miró un instante por encima de mí.

—Por lo que parece, Davern no se quedará mucho más.

—No, creo que no —contesté, consciente del ritmo creciente de los gemidos de placer que procedían de la mesa de Davern, aunque una parte de mí deseara esperar un rato más y beber de la fuerza que irradiaba este hombre.

Talon avanzó un paso hacia mí y contuve la respiración. El ardor de la bala de plata no era nada comparado con el fuego que me estaba devorando en ese momento.

Me acarició las mejillas con los dedos, que se deslizaron por mi cuello y mi pecho. Era la suave caricia de una pluma pero yo la sentía con la fuerza de un mazo de hierro.

Con un gesto rápido me soltó el primer botón de la blusa y continuó hacia el siguiente.

—La fiebre te abrasa, lobita, puedo olerlo.

Yo también, y estaba empezando a dolerme.

—Es algo que tendrá que esperar hasta que hable con Davern.

—¿Ah sí? —soltó otro botón—. ¿Y qué es eso tan importante que tienes que hablar precisamente ahora, en medio de esta fiesta?

—La madre de Rhoan me llamó —respondí sabiendo que su madre era la mía, aunque Talon no lo supiera—. Como te decía, tengo que encontrarle.

Desabrochó el último botón y me abrió la blusa. Me rozó el estómago con los dedos, enviándome vibraciones que anticipaban el placer y se expandían en ondas por todo mi cuerpo. Con una lentitud deliberada trazó un círculo sobre mi pecho con el dedo, sin dejar de mirarme, haciendo que me ahogara en las llamas de su deseo mientras su caricia iba adentrándose cada vez más, rozando pero sin tocar lo bastante el centro sensible del deseo.

Estaba empapada de sudor. Pasó aquella suave caricia al otro pecho como en un susurro y cuando acabó de trazar el círculo en su centro, casi grité de frustración.

—¿Puedo bailar contigo, lobita?

—Después de que hable con Davern, puedes hacer conmigo lo que quieras.

—Una afirmación peligrosa estando los dos en celo.

Una sonrisa separó mis labios. Pasé mi dedo por los duros desniveles de su pecho y jugueteé con el botón de sus pantalones.

—¿Y eso es todo lo que tienes intención de hacerme?

Se aproximó más. Solo podía oler y respirar el almizcle, ese olor de lobo apasionado. Me rozó los labios con un beso.

—Tengo la intención de follarte hasta que pierdas el sentido —dijo, con una voz algo más fuerte que un gruñido.

Mi corazón se aceleró al máximo. Tanto la intensidad de sus palabras como la de su aura sugerían que él sentía la luna con tanta intensidad como yo, y con mi hermano perdido o sin él, estaba muy contenta de haber ido allí esa noche.

Misha, el segundo de mis amantes habituales, era amable y cariñoso, pero Talon era la fogosidad, el peligro, la excitación y la fuerza. Cuando la luna me poseía del todo, era a Talon a quien quería.

Puse cara de sorpresa.

—¿No es lo que siempre haces?

Su sonrisa era lobuna. Pasó su brazo por mi cintura y me apretó hacia sí, hasta que sentí como si estuviera intentando penetrarme.

—Esta vez te lo haré hasta que grites mi nombre a la luna —susurró, acariciándome con su aliento la boca, devorándome con su mirada y abrasando con su deseo cada una de las fibras de mi alma—. Luego seguiré montándote hasta que me ruegues que me detenga.

—Eso podría tomar su tiempo —bromeé, respirando con un ronroneo fuerte—. ¿Estás seguro de que estás preparado?

—No desearás a otro amante más esta noche, lobita, te lo aseguro.

Le agarré el cuello por detrás envolviéndolo con mi mano y lo atraje hacia mí para besarlo.

—Davern ha acabado —dijo Talon después de un rato—. Iré a reservar una habitación para nosotros.

Sonreí. El Blue Moon era el único club que tenía habitaciones para alquilar. No eran muchas —cuatro en total—, pero tenían los últimos adelantos para satisfacer los gustos de los más atrevidos.

Si Talon iba a alquilar una, era debido a que en realidad lo impulsaba su apetito, sus intenciones y su ansiedad por tenerme ya que casi siempre lo hacíamos en las mesas o en la pista de baile, y no estaba nada mal. Mientras no me ocupara el resto del día, una hora o dos de sexo duro y fuerte me curaría con toda seguridad de más de un par de molestias.

Con un gesto rápido separé el botón desabrochado de sus pantalones y le bajé la cremallera. Su miembro erecto saltó hacia mí como si estuviera ansioso por ser acariciado.

—Deja los pantalones colgados en la puerta y así sabré qué habitación es.

Tomó mi boca con tanta ferocidad como sin duda tenía la intención de hacer después con mi cuerpo, besándome intensa y largamente. Se dio la vuelta, se marchó y dejó cada centímetro de mi ser vibrando con ansia. Respiré hondo, pero no me calmó mucho el deseo.

Me anudé la blusa y me dirigí hacia Davern. Estaba solo, acariciando un trago, y miró hacia arriba cuando me acerqué. Se veía que llevaba mucho rato bebiendo porque tenía los ojos más rojos que azules.

—¡Eh, Riley! ¿Cómo estás?

Me deslicé en el asiento que había frente a él. Olía a sexo, sudor y alcohol y contraje la nariz.

—Pensaba que habías dejado la bebida.

—Me han plantado esta noche —dijo apesadumbrado.

Era obvio que no se trataba de una relación muy profunda porque no había parado de tener parejas ese día.

—¿Y qué?

—Sabía hacérmelo y lo echaré de menos.

Sonreí y le palmeé la mano con simpatía.

—Si bebes más no podrás levantarte para encontrar más sustitutos esta noche.

—En una hora puedo estar sobrio y además, ahora tengo ganas de regodearme en la autocompasión —dijo mientras las luces del holograma iluminaban su pelo negro, que mostró reflejos de color vino cuando se echó hacia atrás—. ¿En qué te puedo ayudar?

—Necesito saber dónde está Rhoan.

Se sorprendió.

—¿Por qué?

—Porque mi instinto visceral me dice que tiene problemas.

La ausencia de reacción en sus ojos enrojecidos me indicó lo poco que le importaba mi hermano, y solo por eso me dieron ganas de darle una patada en su culo de borracho.

—¿Algún problema grave?

Respiré profundamente y solté el aire. Más para controlar el impulso de pegarle un puñetazo que por otra razón.

—No, no es un problema grave. Siento que necesita ayuda, eso es todo. Está metido en algo de lo que no puede salir solo.

Davern resopló.

—Siempre hace eso y tarde o temprano sale solo.

—Sí, pero esta vez no es por una cuestión de sexo —incluso cuando lo estaba diciendo, sentí la pequeña mentira. Sí era sexual, o algo que se le parecía.

Solo el sexo le daba sentido a que Rhoan mantuviera una relación tan larga con un tipo tan idiota y poco compasivo como Davern. Debía de tener un buen polvo porque en realidad no parecía tener mucho más.

—¿Cuándo viste a Rhoan por última vez?

—La semana pasada. Creo que estuvo hasta el domingo con Liander.

Estaba claro que tenía que ir a buscar al amante de mi hermano.

—Me imagino que no te diría a dónde se iba después de estar con Liander.

Pasó su mirada inyectada en sangre por encima de mí y sentí que todavía le agitaba el deseo. Quizá no estuviera tan borracho como yo pensaba.

—Mencionó algo sobre una investigación que le estaban haciendo a Evensong Air.

La aerolínea de Quinn. Genial. Agarré la mano de Davern forzándole a prestarme atención de nuevo.

—Es muy importante que yo sepa con exactitud lo que dijo de Evensong Air.

Parpadeó.

—¡Por Dios, eso fue hace una semana!

—Lo sé, pero intenta retroceder poco a poco en tu mente pasando por encima de tus neuronas borrachas y recuerda.

Arrugó la frente y con la mano que le quedaba libre tomó su vaso.

—Dijo que había problemas en Evensong y que él tenía que infiltrarse. Eso es todo. Lo juro.

Le solté y me dejé caer en la silla. Rhoan estaba investigando a Evensong y yo tenía al vampiro dueño de la empresa acampado en mi puerta.

¿Una coincidencia? Era muy probable que no.

Quizá no podía preguntarle al mismo Quinn sin levantar sospechas, pero sí que podía dar un rodeo siguiendo esa línea de investigación. Talon se movía en los mismos ambientes de Quinn y si alguien podía encontrar algún trapo sucio, ese era él.

Pero antes de pedirle que me hiciera un favor, tenía que cederle paso al sexo.

Capítulo 4

Los pantalones de Talon colgaban de la tercera puerta que había al fondo de un estrecho pasillo. Solo con verlos la excitación se me adelantó agarrándome por los bajos. Al acercarme, la puerta se abrió y allí estaba él, con su pelaje dorado, magnífico y duro; no le faltaba nada.

Su aura latió de golpe, y me hizo sentir como si entrara en un infierno de lujuria. Si me hubiera penetrado allí mismo, en la puerta, no me hubiera importado nada. Sin embargo, su aura no reflejaba esa intención. Pero no podía evitarlo, yo era un licántropo y el exhibicionismo estaba en mi naturaleza.

Me tomó la mano y me besó los dedos mientras me hacía entrar en la habitación. La luz de unas velas parpadeaba desde unos candelabros de pared situados junto a la cama, iluminando con su luz amarillenta las sábanas de satén rojo y la pared negra. Aparte de unos taburetes de distintas alturas y tamaños, había poco más en aquella habitación. En comparación con las otras del club, esta era bastante sencilla, quizá la había elegido por eso. Quería tener sexo duro, vicioso y prolongado, un sexo sin distracciones. Solo él y yo.

Cerró la puerta. Luego presionó el panel que había a la izquierda del marco.

—La pantalla de seguridad psíquica está puesta —dijo—. Nadie podrá oírnos ni percibirnos. Cuando te haga gritar mi nombre a la luna, nadie se dará cuenta.

Se aproximó a mí. La luz hizo brillar la cadena de oro trenzada que llevaba alrededor del cuello, la única joya que le había conocido y lo único que resaltaba el poder de los músculos que entrelazaban su cuello y sus hombros. Puse la mano contra su pecho liso resistiéndome por un instante a la intensidad de su aura. Su calor fluyó a mi alrededor, se introdujo en mí, como si me arrancara la piel a tiras, lo que azuzó mi deseo en una danza frenética. Solo eso fue ya una advertencia de que hiciera mis preguntas en ese momento, porque después de varias horas de sexo con él no me quedaría ni energía ni claridad mental suficiente.

—Tienes que responderme a una pregunta primero.

—Lo siento, no me gusta el sexo con preguntas.

Sonreí.

—Bueno, pues esa es la única manera de que lo consigas en esta ocasión.

—¿Ah sí? —exclamó y me sujetó la mano; podía haberme resistido a la fuerza de su empujón, pero no lo hice. Deseaba cada palmo de su cuerpo tanto como él el mío.

Me golpeé los muslos contra uno de los dos taburetes pequeños, me subí y le miré hasta lo más profundo de sus ojos. Fue un error porque la fuerza de su aura me impactó como una ola gigantesca y me dejó húmeda y preparada para ser suya. Solo por un instante, me resistí a esa ola y lo besé con la misma furia con que lo deseaba.

Me costó mucho despegarme de él para hacerle la pregunta que tenía que hacer. Sobre todo resultó más difícil cuando tiró del nudo que sujetaba mi blusa y me tocó jugueteando y excitándome.

Respiré a fondo e intenté concentrarme.

—Necesito información sobre Evensong Air.

—¿Por qué? —dijo, y ya que el nudo no se deshacía, acabó rasgando la blusa y la lanzó al suelo.

—Era una blusa nueva.

—Pásame la factura —refunfuñó, aunque tratando ahora con menos rudeza la falda y el tanga —. Y responde a la pregunta.

Me costó unos instantes rebobinar y recordar de qué pregunta me hablaba.

—Davern me dijo que Rhoan los estaba investigando y si quiero encontrarlo necesito saber por qué.

—Esa llamada de su madre debe de ser bastante urgente si llegas a estos extremos para dar con él.

Mi «sí» se perdió en un suave calor que se extendía por mi cuerpo mientras él me besaba el cuello. Al atraparme el pezón con la boca y chuparlo con fuerza, jadeé y casi me derrumbo de placer. De alguna manera, a pesar del aturdimiento provocado por ese deseo que me nublaba el pensamiento, encontré fuerzas para añadir algo.

—Un muerto en su familia —dije.

—¡Ah! —respondió, mientras sus dedos resbalaban hasta mi ombligo, pasaban por mi vello púbico y los introducía con destreza en mi cuerpo.

Durante muchos minutos todo lo que pude hacer fue gemir de placer.

—Tú te mueves en los mismos ambientes que Quinn O'Connor —le dije, cuando por fin conseguí juntar las suficientes neuronas—. Necesito que busques todos los trapos sucios sobre él que puedas.

Sus dientes me rozaban, me provocaban, y su aura me bañaba en calor y deseo. En otro momento me hubiera entregado y me habría dejado ir, pero necesitaba cualquier ayuda que él pudiera prestarme.

Avanzó hacia mi boca.

—Prométeme que te vas a concentrar en lo que estamos —dijo mordisqueándome el labio con tanta fuerza que me lastimó. Pero fue un dolor dulce, sobre todo porque su lengua acarició enseguida el lugar del escozor—, y te prometo descubrir lo que pueda sobre Evensong y su dueño.

—Es urgente —continué, mientras mis dedos se perdían en los límites de su espalda y mis actos contradecían mis palabras abriendo mis piernas y atrayéndole más cerca.

—También lo es esto.

Se encajó entre mis piernas dejando que su dardo se deslizara adelante y atrás, rozando pero sin entrar.

—Si fuera tan urgente, no estarías aquí coqueteando conmigo, sino haciendo algo más.

Del fondo de su garganta salió una especie de gruñido y luego con un fuerte empujón me penetró. Gemí de placer. Talon me llenaba, me satisfacía de una manera como ningún otro lobo lo hacía, y yo quería sentir en ese momento cada palmo duro de su cuerpo. Le rodeé el cuello con los brazos, puse las piernas alrededor de sus caderas, y le empujé aún más adentro. Sujetó mis nalgas con ambas manos, sosteniéndome mientras él empujaba, empujaba y empujaba hasta que sentí como si la rigidez de su presión intentara llevárseme entera.

No había ternura entre nosotros. No era posible mientras el calor de la luna nos abrasara a los dos de forma tan salvaje. Me puse sobre él cabalgándolo con fuerza, sentía la necesidad de hacerlo rápido y con furia, y Talon estaba más que feliz de someterse. La espiral de placer subió rápidamente y alcancé el clímax, las convulsiones me cortaron la respiración y arrancaron un grito desgarrado a mi garganta. Él se corrió un instante después y su cuerpo chocó contra el mío, con una fuerza tal que hizo eco en cada fibra de mi ser, y la pared que yo tenía detrás se estremeció.

En cuanto nuestros temblores se calmaron, sonreí.

—El principio ha sido prometedor, pero demasiado rápido como para llamarlo con seriedad «hacérmelo hasta dejarme sin sentido».

Hizo una mueca feroz.

—Eso no ha sido más que matar el hambre. Te hice una promesa, lobita, y trataré de cumplirla.

Si había algo que yo admiraba de Talon, aparte de su psique, era su capacidad para mantener las promesas.

Pero por mucho que hubiéramos disfrutado, no me había hecho gritar su nombre a la luna. Ese era un placer que me reservaba para el hombre que sería mi alma gemela, dondequiera que estuviese.

❋❋❋

Después de dos horas de sexo sudoroso y salvaje, Talon se marchó en busca de otra compañera y yo me di una ducha larga y caliente. Me vestí, saqué mi bolsa de la taquilla y subí las escaleras.

—Aquí viene una loba muy satisfecha—comentó Jimmy mientras me abría la puerta.

Hice una mueca.

—Eso es porque esta loba ha pasado un buen rato.

Asintió con la cabeza.

—Antes ha venido un caballero buscándote.

—¿De verdad? —dije sorprendida—. ¿Quién?

—Un vampiro. Echó un vistazo y me preguntó si te había visto.

Mierda. Tenía que ser Quinn. Seguro que había intentado leer a Jimmy, pero apostaría a que sin mucho éxito. Jimmy era ciego psíquico, como los camareros.

Fuera lo que fuese en lo que andaba metido Quinn, estaba decidido a vigilarme.

—¿Hace cuánto?

—Cerca de una hora.

Sentí alivio. El sistema de seguridad ya había sido conectado a esa hora. No pudo detectarme.

—¿Y qué le dijiste?

—Que habías estado antes, pero que te habías marchado al bar Harbor.

Atravesar la ciudad hasta el bar Harbor suponía una hora larga, eso me daría tiempo para escapar en el caso de que él decidiera volver. Me puse de puntillas y besé a Jimmy en su peluda mejilla.

—Eres un ángel. ¿Te importa si uso la otra entrada?

—Adelante.

Me puse el abrigo y me dirigí a la parte de atrás. La ráfaga de viento invernal que me recibió cuando empujé la puerta me hizo tiritar. Casi deseé llevar algo más abrigado que una falda. De todas formas, en la semana del celo los *jeans* no eran muy prácticos.

Me puse el bolso en el hombro y me fui caminando con grandes pasos hasta el Rocker. Oí el bullicio del club antes de verlo. No había muchos sitios en la ciudad donde todavía se pudiera escuchar el clásico *Blue Suede Shoes* de Presley o el *Baby Did a Bad Bad Thing*, de Chris Isaak. A veces sentía curiosidad por saber cómo conseguían esa música, porque muchas de esas canciones solo se habían editado en vinilo o en CD y ambas tecnologías hacía tiempo que habían quedado obsoletas.

Como el Blue Moon, el Rocker estaba muy iluminado por las luces de neón. Su entrada principal era una cristalera a través de la cual los transeúntes podían observar a los de dentro. En la sala principal solo se comía, se bebía y se bailaba al estilo humano; los que querían tener relaciones íntimas lo hacían en la privacidad de la sala de baile superior, lejos de las miradas curiosas.

Entré y dejé el bolso y el abrigo en el ropero, luego me encaminé al bar para pedir un cóctel y me dieron algo rosa y pastoso. Con ello en la mano comencé a buscar a Liander. Primero me encontré con Misha, que estaba bajando las escaleras cuando yo me disponía a subirlas.

—¡Hola, preciosa! —dijo, surgiendo de entre las sombras como un fantasma—. Con esa blusa casi vas vestida.

Sonreí y le besé en sus pálidas mejillas.

—Talon me hizo otro de sus numeritos cavernícolas.

—Estoy celoso —sonrió abiertamente, su pelo y sus ojos plateados relucían bajo la luz de neón—. Siempre consigue arrancarte las blusas.

—Juega bien tus cartas y podría dejarte que me arrancaras la falda —dije sabiendo que después de dos horas de sexo frenético, eso no iba a pasar en el futuro inmediato—. ¿Has visto a Liander por alguna parte? Tengo que hablar con él sobre Rhoan.

—¿Por qué? ¿Tiene algún problema?

Le conté lo mismo que a Talon y él se dio la vuelta ofreciéndome el brazo.

—Entonces te acompañaré adonde está ahora mismo zampándose una hamburguesa.

Sonreí y enlazamos nuestros brazos. Talon podía ser un amante fabuloso pero con quien yo me sentía a gusto más allá del sexo era con Misha. Me gustaba Misha. No estaba del todo segura de poder decir lo mismo de Talon.

Misha subió conmigo las escaleras y entramos en un espacio que parecía una cuadra, aunque era la sala privada de baile. Solo estaban ocupados la mitad de los asientos y de los pufs, algo raro considerando que el Blue Moon estaba hasta los topes y que la luna pronto sería llena. Liander estaba sentado en un sofá al fondo, solo, algo que también resultaba sorprendente.

Me senté en el sofá que tenía enfrente y Misha se deslizó junto a mí. Su muslo presionó el mío y me estremecí, una reacción que me indicaba que, sin importar lo que yo pensara, la luna todavía no había terminado conmigo.

—Bonita bebida —dijo Liander como saludo.

Miré hacia aquella cosa espesa.

—No tengo ni idea de qué es, pedí algo dulce y me prepararon esto.

—Un consejo; nunca pidas nada dulce en un bar roquero.

Se echó hacia atrás y la luz destacó sus prominentes pómulos, mostrándolos de un dorado brillante, a juego con los reflejos de su pelo plateado. No pude evitar sonreír. La semana anterior eran azules. Estaban tan bien hechos porque él era uno de los mejores artistas de efectos especiales del país, de lo contrario nunca habría conseguido esa apariencia cambiante.

Me preguntaba cómo demonios había sobrevivido a las estrictas reglas militares durante diez años. Ese no era un ambiente donde gustara el individualismo y no me lo imaginaba haciendo reverencias. Por lo que yo tenía entendido, ni siquiera Rhoan conocía los detalles de su vida militar.

Era un misterio. Pero si él continuaba siendo alguien importante en la vida de mi hermano, yo me encargaría de escarbar. No porque sea curiosa, que lo soy, sino porque Rhoan era mi gemelo y de mi manada. Si había algo en la vida de Liander que pudiera perjudicar a Rhoan, quería saberlo.

—¿Qué puedo hacer por ti, Riley?

—¿Has visto a Rhoan hace poco?

Se sorprendió.

—¿Por qué? ¿Pasa algo?

Vacilé sobre todo porque sabía que Liander quería de verdad a mi hermano, aunque él no le correspondiera. Liander se merecía la verdad, o al menos algo parecido. Pero como Misha estaba ahí sentado, tenía que contarle la misma historia.

—Tengo que verle. ¿Tienes idea de dónde podría estar?

—Creía que estaba en una misión.

—Davern me dijo que le habían ordenado investigar a Evensong Air.

Liander arrugó la frente.

—Ese borracho. En estos días no se entera de nada.

Sonreí.

—¿Qué quieres decir?

—Quiero decir que Rhoan estaba investigando al dueño, Quinn O'Connor, no a su compañía Evensong Air.

Se me encogió el estómago. Sería mejor que empezara a escuchar a mis instintos antes que a mis hormonas.

—Tenía la impresión de que los dos eran amigos.

—Lo son, por eso Rhoan estaba tan cabreado por tener que infiltrarse para investigarlo.

Por lo menos Quinn no me había mentido en eso.

—¿Tienes idea de qué estaba investigando?

Liander negó con la cabeza.

—Ya sabes que nunca revela ese tipo de cosas.

Suspiré y me recosté en el asiento.

—Entonces, ¿no tienes ni idea de dónde puede haber ido?

—Solo sé que antes de marcharse estaba mirando la guía de calles.

Lo miré sorprendida.

—¿Sabes qué dirección buscaba?

—No. Pero estaba sentado junto a él y vi que tenía la guía abierta por la página sesenta y nueve.

Sonreí.

—Ni te pregunto por qué te acuerdas. Estabas soñando, ¿verdad?

Un gesto risueño se dibujó en sus ojos grises.

—Al final, no fue un sueño.

—Tienes suerte.

—Es verdad.

—Si quieres verificar qué hay en esa página, guardo una guía de calles en mi casa —dijo Misha.

Me incliné hacia él y le besé de nuevo en la mejilla.

—Gracias.

Sonrió mirándome a los ojos.

—Se me ocurren mejores maneras de agradecérmelo.

Las brasas de la pasión se encendieron de nuevo. No con la intensidad de antes, pero desde luego eran un aviso de que esta sería una mala fase de la luna. Y por primera vez, me pregunté si Talon y Misha serían suficientes para satisfacerme.

Me despedí de Liander y dejé que Misha me acompañara abajo para recuperar el bolso y el abrigo. Cuando estuvimos fuera me puso contra la pared y me besó. Era una posesión lenta y agradable, muy diferente a la furia de Talon, pero tanto o más excitante. Por eso me gustaba estar con los dos. Con los dos tenía a mi hombre ideal.

—Voy por mi automóvil —dijo al cabo de un rato.

—Te espero.

Me sonrió y se marchó silbando. Cinco minutos después estábamos en medio del tráfico en dirección a la ciudad a velocidad de curvatura[1] en su pequeño Ferrari, que él llamaba «su amuleto para el sexo». Aunque no tenía ningu-

---

1 N. de la T.: velocidad superior a la de la luz que alcanzaban las naves del universo cinematográfico de *Star Trek*.

na lógica que un licántropo cuya aura podía sortear todos los obstáculos sin mucho esfuerzo, necesitara un «amuleto para el sexo».

Misha vivía en el lujoso ático de una torre de apartamentos que había comprado no hacía mucho tiempo. Estaba cerca del complejo de ocio del casino y el Banco del Sur, y por lo que me había dicho, el alquiler le costaba un montón de dinero. Su apartamento, al igual que él, era de color gris plata, una frialdad compensada por las increíbles vistas que ofrecían sus ventanales de suelo a techo y por los colores vivos esparcidos por las esquinas. Yo nunca me acercaba demasiado a las ventanas. Aunque me encantaba la vista, sentía un miedo atroz, casi supersticioso, a apartamentos situados por encima de la planta veinte, cuyas ventanas podían romperse a patadas. Y el piso quince ya estaba lo bastante cerca del veinte como para ser prudente.

Dejé el bolso y el abrigo en la silla más próxima y miré alrededor.

—¿Dónde tienes la guía?

—En la cocina.

Me dirigí allí extrañada.

—Un sitio un poco raro para guardar una guía de calles.

Me sonrió mientras rodeaba el banco de la mesa de la cocina y tomaba unas tazas del aparador.

—No, si tienes que asistir a reuniones de negocios y buscar dónde demonios hay un sitio cerca de allí para desayunar.

Abrí el callejero y fui directa a la página sesenta y nueve. No me reveló nada de manera inmediata.

—¿Sabes si hay algo interesante por aquí? —empujé hacia él la guía, que se deslizó por el banco.

—El Centro de Investigación Moneisha está ahí —dijo señalando un sitio destacado en verde.

Fruncí el ceño.

—¿De qué me suena ese nombre?

Sus labios dibujaron una sonrisa.

—Porque salió en las noticias la semana pasada.

No era por eso. Había visto ese nombre en otra parte, hacía poco, pero no podía recordar dónde. Agité la mano rechazando la idea.

—Sabes que nunca leo los periódicos.

—Bueno, te pierdes cosas interesantes —dijo, mientras apretaba el botón de la máquina de café, llenaba las dos tazas, me pasaba una y se sentaba enfrente.

—Supuestamente Moneisha está dedicada a la investigación genética.

—¿Y? La mitad de los laboratorios del mundo están metidos en investigaciones genéticas.

—Sí, pero Moneisha al parecer ha triunfado donde otros han fracasado.

—Triunfado en qué.

—En identificar con precisión el grupo de genes que hacen que un vampiro sea un vampiro. La noticia es que quieren intentar implantar ADN de un vampiro en óvulos de otras razas.

Me quedé mirándole atónita.

—¿Estás de broma?

Negó con la cabeza.

—Por eso había gente protestando a la puerta de los laboratorios la semana pasada y por eso Moneisha ha salido en las noticias más de lo que les conviene.

—¿Pero...?

Las palabras no me salían y me limité a negar con la cabeza y a tomar un sorbo de café.

—¿... por qué querría alguien hacer algo así? —acabó la frase por mí—. Imagínate el supersoldado que puedes crear con todas las habilidades de los vampiros y ninguna de sus limitaciones, como la sed de sangre o su incapacidad para estar bajo la luz del sol.

—Creo que no quiero imaginarme una cosa así —respondí; me resultaba demasiado aterrador. Los vampiros ya eran bastante perversos, pero ¿soldados con todos los poderes de estos y ninguna de sus limitaciones? Me daba escalofríos—. ¿Está el Gobierno tras lo de Moneisha?

—No, es de capital privado.

—¿De quién?

Se encogió de hombros.

—Lo último que supe es que pertenecía a una empresa llamada Konane.

Otro nombre que me resultaba familiar.

—¿Y quiénes son?

—Una empresa de investigación. Puedo tratar de descubrir algo más, si quieres.

—Sí que quiero.

Atraje de nuevo el directorio de calles hacia mí y lo estudié unos minutos más. No sabía de qué manera podían estar conectados Moneisha y Rhoan, o ni siquiera si la cosa iba por ahí. Lo peor era que no había nada más en ese plano que pareciera un objetivo probable, así que solo me cabía intentarlo. Si seguía sus pasos, más pronto o más tarde, encontraría alguna información.

Comprobé en el plano el transporte de la zona y vi que había una estación de tren desde la que se podía ir andando a los laboratorios. Cerré el callejero y lo empujé hacia Misha.

—Gracias por todo.

Sus ojos plateados sonrieron mientras lo tomaba de la mesa y sostenía mis manos entre las suyas. Tenía los dedos calientes en comparación con los míos y su piel era pálida. Me acarició la muñeca con el pulgar, activando las fibras del placer de mi brazo.

—¿Cómo vas a llegar hasta Moneisha?

—En tren, ¿por qué?

—¿Quieres que te preste uno de mis vehículos?

Lo miré sorprendida. Misha era un coleccionista no solo de «amuletos para el sexo», sino de automóviles de época. Según el último recuento, poseía casi cincuenta de los antiguos y cinco clásicos más nuevos, aparcados en un garaje situado debajo de aquella torre.

—¿Te fías de mí como para prestarme una de tus joyas? —dije sin poder evitar el tono de sorpresa en mi voz.

Su sonrisa se amplió.

—Solo te dejaré uno de los que no me importa que estrelles. Recuerda que te he visto conducir.

—Lo sé, por eso me sorprende.

—Hay otro motivo, por supuesto.

Su tono de voz había descendido varias octavas y se metió en mi organismo con tanta facilidad como el chocolate caliente. Talon podía ser la excitación y la fuerza salvaje, pero Misha era realmente pasión.

—¿Y cuál es?

—Tienes que venir a devolvérmelo junto con las llaves, por lo tanto, preferiría que te quedarás conmigo esta noche en lugar de con Talon.

Me incliné sobre la mesa y lo besé.

—Un automóvil será mucho más práctico que el transporte público, así que me veo forzada a aceptar la proposición —respondí y el brillo de sus ojos resonó en mi interior, avivando el calor de la luna hasta despertarlo—. Pero ¿por qué no te doy un anticipo ahora?

—¿Por qué no? —convino, agarrándome con el dorso de su mano por detrás del cuello y sujetándome mientras su boca buscaba la mía.

Allí faltaba un sitio adecuado para hacer el amor, así que el banco de la cocina no fue una mala alternativa.

❋❋❋

Consulté el plano por enésima vez, no quería equivocarme de dirección. A pie puedo encontrar cualquier sitio, pero cuando estoy al volante me pierdo en la primera rotonda.

Encima de mí, el semáforo cambió de verde a rojo. El teléfono móvil eligió justo ese momento para sonar y me coloqué enseguida el audífono mientras detenía el Mercedes que me había prestado Misha.

—Soy Riley.

—¿Cómo te sientes, lobita?

El ronco tono de voz de Talon no perdía su impacto a través del teléfono, y un temblor cálido me recorrió toda la espalda. Ni siquiera me había tocado y ya estaba excitada.

—He estado con Misha y me siento bien.

Talon hizo una pausa. Puede que no le hubiera gustado la idea de que necesitara a otro después del revolcón que me había dado.

—Él no puede hacerte lo que yo te hago.

En sus palabras noté una crispación que me hizo fruncir el ceño. ¿Talon estaba celoso? No era probable.

—No, y a veces es mejor así.

El semáforo cambió. Puse el intermitente y me aparté a un lado de la calzada. Teniendo en cuenta mi expediente de tráfico, hablar con Talon mientras giraba el volante no era muy buena idea.

Su risa pareció chocar contra mi piel y lo deseé. Sin embargo, reflejaba una crudeza que me desasosegó. El sexo con Talon era estupendo, pero si estaba empezando a pensar que podía haber algo más entre nosotros, estaba muy equivocado. Como amante a tiempo parcial era fantástico, pero estaba muy segura de que no podría soportarlo a todas horas. Y no solo por lo que se refería al sexo. La arrogancia y su sentimiento de superioridad estaban bien en la cama, pero fuera de ahí me crispaban los nervios.

—¿Puedo verte pronto? —me preguntó.

—Esta noche he quedado con Misha.

—Entonces ven ahora.

Esta vez no disimuló el fastidio, y fruncí el ceño.

—¿Por qué de repente te sienta mal que esté con Misha?

En los dos años que llevávamos juntos había llegado a tener hasta cuatro amantes. Solo hacía poco que me había asentado con Misha y con él.

—No me fastidia. Bueno, sí, cuando quiero que estés conmigo y te tiene él, pero no es por celos, si es lo que quieres decir —hizo una pausa—. ¿Qué tal un soborno? Tengo la información que querías.

—¿Has investigado a Evensong?

—Y al propietario. He encontrado un par de chismorreos interesantes. Puedes pasarte por mi casa y recogerlos.

Se me aceleró el corazón. Nunca antes me había pedido que fuera a su casa, de hecho nunca me había contado nada de su vida, y eso despertó mi curiosidad.

—Cuándo y dónde.

Soltó una risita ahogada.

—¿Qué estás haciendo ahora mismo?

—Conducir en dirección a los laboratorios Moneisha.

—Tú no tienes vehículo propio.

—Misha me ha dejado uno de los suyos.

—No es posible. Él sabe cómo conduces y adora sus juguetes de cuatro ruedas.

Sonreí.

—Es un Mercedes y posee varios de esa marca. Dice que puede permitirse perder uno.

Talón se rió resoplando por la nariz.

—Espero que tenga un color llamativo, así los otros conductores te verán llegar.

—Es rojo.

—El rojo es el color del peligro.

—Tampoco soy tan mala.

—Sí, sí que lo eres. Espero que no estés conduciendo mientras hablas conmigo.

—Practico la multitarea.

—Bueno, de acuerdo. ¿En qué calle estás ahora?

Miré hacia arriba a la señal que tenía más cerca.

—En Burwood, cerca de la avenida Oaklands. ¿Por qué?

—Porque voy a enviar un aviso a todo el mundo para que se larguen de esa zona.

—Desgraciado.

Soltó una risita.

—¿Por qué vas a Moneisha?

—Puede que sea una búsqueda inútil, pero Rhoan podría haber ido allí.

—¿Por qué iba a ir allí?

—Es un guardián, quién sabe. Voy a acercarme a ver si puedo sentir algo.

—¿Cuánto te falta para llegar?

—Unos diez minutos, ¿por qué?

—Estaba intentando calcular cuánto tardarías en llegar aquí. Me siento hambriento, lobita.

Mi pulso se aceleró y el deseo que yo pensaba que Misha había saciado se hizo intenso de nuevo. Dios, ¡cómo iba a sentirme cuando faltara un día para la luna llena!

—Bueno, dame tu dirección y llegaré lo antes que pueda.

No me sorprendió que viviera en Toorak, un barrio elegante lleno de gente muy rica. Apunté la dirección en la agenda y colgué prometiéndole estar allí en hora y media.

Continué mi camino y, a pesar de todas las calumnias sobre mi manera de conducir, llegué a Moneisha sin incidentes. Después de aparcar me puse el abrigo, y me dirigí paseando hacia los edificios blancos de tejado rojo que se veían a través de una garita de seguridad, situada en la puerta de acceso. Estaban protegidos por un muro blanco de cemento de más de dos metros de altura, y una alambrada en el interior. Incluso desde el otro lado de la calle se podía oír el sonido de la electricidad corriendo por la valla. Estaba segura de que en la zona de césped que rodeaba al edificio habría otros sistemas de seguridad.

Un guarda con uniforme gris se movió en el cubículo para mirarme, mientras me acercaba. Saqué mis defensas y conseguí tocar su mente con la telepatía, pero parecía como si estuviera golpeando contra un muro de ladrillo. O llevaba algún tipo de defensa psíquica electrónica o era inmune al tacto telepático. Le dediqué una sonrisa despreocupada y seguí caminando a lo largo de aquel muro blanco. No estaba segura de lo que pensaba encontrar allí, pero tenía que echar un vistazo.

Ya había recorrido más de la mitad del perímetro cuando mi alerta sensorial se disparó. Salté de alegría, es lo único que podía hacer para no ponerme a bailar. Lo había encontrado. Y aunque no tenía ni idea de por qué estaba aquí, me proponía descubrirlo. Me detuve y oí el movimiento de la cámara de seguridad mientras me seguía.

Eso me obligó a salir de allí y cambiar de acera. Luego saqué el teléfono haciendo como si contestara a una llamada mientras me asomaba desde detrás de la valla de la casa de enfrente para estudiar los tejados que había tras el muro. Vi dos edificios y no parecían estar comunicados con el principal. Ambos se encontraban también rodeados con las vallas a menos de dos metros. Si conseguía atravesar los sistemas de seguridad, bastaría con un salto para pasarlas con facilidad.

Por primera vez en mi vida deseé poder comunicarme por telepatía con mi hermano. Pero esa era la única habilidad que él no había heredado de nuestra genética híbrida.

Ambos poseíamos visión de infrarrojos y podíamos diferenciar a las razas no humanas y seguir su rastro, pero él era ciego psíquico. Lo que era bueno considerando que trabajaba con algunos de los vampiros más peligrosos.

La cámara me siguió otra vez. No podía quedarme allí. Pero tenía toda la intención de volver por la noche, cuando la oscuridad me amparara y me permitiera usar mi habilidad de vampiro para desvanecerme en las sombras.

Volví al vehículo y sonó el videófono antes de que pudiera ponerlo en marcha.

—Riley, soy Jack.

Sonreí.

—Hola, jefe, no hace falta que envíes a Kelly esta noche. He encontrado a nuestro hombre perdido.

—¿De verdad? —respondió con una mueca de regocijo en los labios—. ¿Dónde ha sido eso?

—En Moneisha.

Su sonrisa se desvaneció.

—¿Por qué demonios estará allí?

—Teniendo en cuenta que no quieres decirme cuál era su misión, no puedo responderte a esa pregunta.

Se rió.

—¿Quieres que Kelly te ayude a liberarlo?

—¿Esa ayuda tiene condiciones?

—Alguna, por supuesto.

—Entonces no.

—No puedes entrar allí sin ayuda del Consejo. Moneisha cuenta con algo más que infrarrojos y vallas eléctricas de protección.

—¿Por qué? ¿A qué se dedican?

—Oficialmente se trata de un centro de investigación farmaceútica.

—¿Y extra oficialmente?

—No tengo ni idea.

—¿Eso es lo que Rhoan investigaba?

—No era de esperar que estuviera cerca de allí.

Porque se suponía que tenía que estar investigando a Quinn. La cuestión era ¿por qué? Volví a mirar aquel muro blanco. Si había algo más que infrarrojos, ¿cómo iba a traspasarlo? No me dedico a esto. Puedo defenderme sola pero no estoy entrenada ni tengo los conocimientos para burlar mecanismos de seguridad sofisticados. Lo que significaba que solo me quedaban dos soluciones: o permitir que Jack lo sacara de allí o llegar a alguna clase de acuerdo.

La primera opción me parecía la más sensata, pero sentía una profunda inquietud que me decía que no era la mejor elección. No tenía ni idea de por qué no lo era, pero me pasaba la mayor parte de mi vida escuchando a mis instintos. Y aunque eso ya me había creado problemas, no pensaba dejar ahora esa costumbre.

Contesté con evasivas.

—¿Por qué me dejas incluso intentar sacarlo?

La sonrisa se detuvo antes de llegar a sus ojos, lo que me recordó con claridad que no importaba lo bien que me cayera este vampiro, él era por encima de todo un hombre del Consejo. Y en ese momento supe la respuesta a mi pregunta, antes incluso de que dijera una palabra.

—Quiero que seas un guardián, Riley. Tienes el potencial de ser si no mejor, igual de buena que tu compañero de manada.

—Eso no responde con exactitud a mi pregunta —contesté, pero sí lo había hecho, y por desgracia con toda claridad.

—Es una prueba, o una demostración, si lo prefieres. He conocido a muchos licántropos en mi vida y me he dado cuenta de una cosa, y es que todos tenéis el mismo fallo. Aunque para los propósitos del Consejo es una especie de plus.

—¿Y qué es?

—Sois adictos a la adrenalina.

—Ni siquiera se puede comparar con eso —sin embargo, mientras lo decía, la imagen de Talon vino a mi mente. ¿Parte de la excitación de estar con él no podría deberse a esa sensación de encontrarme sobre el filo de una navaja, de que su desenfreno podía ser total de un momento a otro y convertirse en peligroso?—. Así que esta es la prueba que me harás si me niego a volver a presentarme a los exámenes.

—Exacto.

—No puedes obligarme a ser guardián.

—No lo haré. Es inevitable, Riley. Tú y Rhoan os parecéis como dos gotas de agua, y los dos habéis nacido para este trabajo.

Cuando pronunció estas palabras me quedé helada. No las había dicho por casualidad. Tratándose de Jack nada era casual. Sabía que Rhoan y yo éramos gemelos.

—No soy una asesina.

—Todos los licántropos lo son. Lo que pasa es que en la sociedad de hoy ese impulso está controlado.

—Eso es como decir que todos los vampiros también son asesinos.

—Todos lo son. Solo que algunos consiguen canalizarlo de otra manera.

Sí, claro, convirtiéndose en guardianes y matando con la aprobación del Estado. Tuve un escalofrío.

—Así que lo que me quieres decir es que intentas integrarme poco a poco.

—Sí.

—Y la oferta de ayuda para esta noche qué compromiso implica.

—Que prometas presentarte a las pruebas alguna vez.

—¿Alguna vez? ¿No pones un límite de tiempo?

Esbozó una sonrisa.

—No será necesario. Tú sola vendrás a pedírmelo al final.

—No me conoces bien, si es eso lo que crees.

—Te conozco mejor de lo que te conoces a ti misma —me dijo, con una mirada tan fría que quemaba y helaba el alma al mismo tiempo.

«Sabe lo que somos», pensé. Me mordí el labio y deseé con todas mis fuerzas que aquella intuición no fuera cierta.

—De acuerdo, trato hecho.

—Bien. Pásate por la oficina y te daré bastante información sobre Moneisha.

—Tengo que hacer algo primero, puede que me mantenga ocupada unas horas.

—Estaré aquí.

—Sorpresa, sorpresa —murmuré.

Se rió entre dientes y colgó.

Puse el Mercedes en marcha y volví a cruzar la ciudad hacia casa de Talon, mientras el atardecer iba convirtiéndose en noche.

Su casa —aunque llamarla así era inapropiado porque era tan condenadamente grande que por encima de la valla de casi cinco metros sobresalían varias plantas— se encontraba en un área frondosa justo en medio de Toorak. Llegué hasta unas puertas de hierro forjado, dije mi nombre ante el portero automático y estas se abrieron sin emitir ningún ruido.

El camino que conducía a la casa serpenteaba entre unos imponentes olmos y pasaba junto a un parterre muy cuidado para desembocar al final en una magnífica mansión antigua de estilo inglés. Era una casa preciosa de verdad, pero costaba creer que solo viviera en ella un hombre. No había ninguna duda de que Talon no sabía qué hacer con tanto dinero.

Aparqué delante y subí las escaleras. Con la falda y el jersey del trabajo me sentía fuera de lugar. La puerta se abrió en silencio en cuanto acabé de subir y el rayo rojo de un escáner de pistola me hizo un barrido al entrar por la puerta.

Luego oí el sonido de una cámara de seguridad moviéndose que me sorprendió.

—¿Por qué tantos dispositivos? —dije, segura de que en alguna parte habría también micrófonos.

—Un millonario debe extremar las precauciones.

La voz ronca de Talon parecía provenir del aire.

—Sube por las escaleras, primera puerta a la izquierda.

Lo hice como me dijo. En cuanto me acerqué, la puerta se abrió. La habitación en la que entré era una oficina tan grande que se podía jugar al fútbol en ella. Las paredes eran de un bonito azul oscuro y los muebles de cromo. Talon se encontraba sentado al fondo, en su escritorio. No llevaba camiseta y sospechaba que tampoco pantalones. A su derecha había dos vasos y una botella de champán.

—Detente —me ordenó con suavidad.

Su aura chocó contra mí arrebatándome el aliento y haciendo que las piernas me flaquearan. Estaba acalorado, ansioso y necesitado, y yo nunca había sentido nada tan fuerte en mi vida. En un instante ya me tenía lista para él. A pesar de eso, la inquietud que había sentido en el antes aumentó. Lo que estaba proyectando podía no ser natural.

—Desvístete —dijo en el mismo tono rotundo.

Me quité los zapatos dando un puntapié al aire. Sentía el fuego de su pasión en la piel y bailé en broma mientras me quitaba el jersey, la falda y la ropa interior. Para cuando terminé no era solo su aura la que me provocaba el anhelo sino mi propio deseo.

Soltó un profundo suspiro y se estremeció; luego alcanzó el champán y llenó las dos copas.

—Camina hasta el escritorio.

Fui dando pasos lentos hacia él, exagerando el balanceo de las caderas de la forma más provocativa que pude. Cuanto más me acercaba más le quemaba su apetito, hasta que aquel ardor inundó mis sentidos como una bofetada y la cabeza empezó a darme vueltas.

Arrastró una copa por la superficie de cromo.

—Hasta el fondo.

—No tienes que emborracharme para ser malo conmigo.

—Este es el mejor champán que has probado jamás y nos animará para lo que he planeado esta noche.

No había nada seductor en sus palabras, las dijo como dando por sentado algo que yo no podía evitar. Aunque en cierto sentido eso me excitaba aún más, surgió en mí una sensación de profunda inquietud.

—Tengo que estar en el trabajo a las nueve.

—Entonces eres mía hasta las ocho y media.

No pude evitar sonreír. Con el ardor que mostraba, la siguiente hora y media iba a ser un viaje salvaje. Tomé la copa, la levanté en un gesto de brindis y la apuré hasta el fondo mientras él también bebía. Puede que fuera el mejor champán del mundo, pero me cayó tan mal como el peor, haciendo que la cabeza me zumbara todavía más.

Me ofreció otra copa y la rechacé con un gesto, porque sabía que si tomaba una segunda vomitaría.

Pulsó un botoncito de su escritorio. Al hacerlo se abrió una ranura ante mí y apareció una carpeta.

—Tu información sobre Evensong y su dueño. Puedes mirarla después. Ahora mismo te necesito para mí. Ven aquí, lobita.

En ese momento me sentí como un cordero frente a un lobo grande y hambriento, y por primera vez en mi vida, no estaba segura de si me gustaba esa sensación. O si quería estar allí, con él.

¿O quizá los efectos del champán en mi cabeza me habían afectado más de lo que pensaba?

Tragué saliva para calmar el ardor de la garganta y di la vuelta al escritorio con pasos vacilantes. Acariciado por la luz, su cuerpo dorado destellaba y el deseo se deslizó dentro de mí, hasta confundirse de manera incómoda con una cierta sensación de renuencia. En su rostro no había emociones, en sus ojos solo se veía la lascivia y su erección era verdaderamente enorme. Enorme y borrosa. Parpadeé, pero la confusión no desapareció. Me sujetó la mano y me puso de espaldas contra el escritorio. Cuando mis nalgas tocaron el metal, me abrió las piernas con los codos y me penetró más profundo y con más fuerza que nunca. Al empezar con sus embestidas, gemí, atrapada entre el placer y el dolor. Su calor y su olor flotaban a mi alrededor, me atravesaban, y el sudor se me escurría por la frente. El champán me bailaba en el estómago y sabía que él no iba a bajar el ritmo, tenía que vomitar.

—Talon, para.

Me agarró las caderas, clavándome los dedos en la carne mientras me mantenía derecha y seguía frotándose contra mí. Incluso al lobo que había en mi interior comenzaba a desagradarle aquella sensación. Le sujeté las manos intentando empujarlo hacia atrás, pero lo hice sin fuerza y sentí un extraño zumbido en la cabeza que me hacía difícil concentrarme. La luz y la oficina parecían estar desvaneciéndose.

Se corrió y eso fue lo último que recuerdo con claridad.

Capítulo 5

Mi consciencia iba y venía como si estuviera atrapada en un sueño fragmentado. Las voces flotaban alrededor. Una luz tan intensa como la del sol me cegaba los ojos. Algo me lastimaba el brazo y un profundo dolor me penetró. Más abajo algo frío rozó mi abdomen, deslizándose como si fuera hielo. Después durante un rato todo fue oscuridad.

Cuando los fragmentos volvieron a recomponerse formaron poco a poco una imagen de creciente placer. Envuelta en seda, me retorcía y gemía, la piel me abrasaba y cada uno de mis músculos se desgarraba de placer. Unas manos me acariciaban. Sentí un calor que me llenaba por dentro. Cada milímetro de mi cuerpo temblaba bajo aquellas incesantes embestidas, hasta que ni siquiera pude respirar porque la necesidad de liberarme era más fuerte.

Me desperté y descubrí que no era un sueño. Tenía a Talon encima, adentro, y tuve la extraña sensación de que había abusado de mí sin ningún reparo. Pero esa idea desapareció con rapidez de mi mente cuando comenzaron las convulsiones, arrollándome como una gran ola que me arrastró al éxtasis. Se corrió a la vez que yo, pero aún seguía moviéndose dentro de mí, como si estuviera decidido a derramar hasta la última gota de su semen en mi interior.

Por fin, se desplomó y rodó a mi lado.

—Eres asombrosa, lobita.

Yo no me sentía asombrosa. Me sentía confundida. Al mirar a mi alrededor descubrí que las paredes eran rojas en lugar de azules. Que había muebles de dormitorio y no de oficina. ¿Cuándo habíamos ido allí? Miré el reloj de la mesita de noche y vi que eran casi las ocho y media. Había pasado una hora y media y yo no podía recordar nada.

—¿Estamos en tu dormitorio?

Talon se apoyó en un costado y descansó la mano sobre mi estómago.

—También hemos estado en el salón, en la sala de juegos y lo hemos intentado en la cocina porque dijiste que tenías hambre.

Los ojos me dolían y sentí un sabor amargo en la boca. Puse un gesto de extrañeza y me froté la frente.

—Te va a sonar raro, pero no puedo recordar nada.

Su sonrisa era burlona.

—Creo que el champán se te ha subido a la cabeza. Te has puesto muy violenta hace un rato.

Frotaba mi estómago con un gesto más posesivo que sexual, y por alguna razón eso me molestó.

Agarré su mano y la aparté, e incluso ese mínimo movimiento me provocó una reacción dolorosa en los músculos. Estaba claro que no mentía sobre la cantidad de veces que lo habíamos hecho. Pero me estaba mintiendo sobre algo, estaba convencida.

Aparté las sábanas a un lado, de golpe.

—Necesito una ducha, tengo que irme.

—En el baño de la derecha —hizo una pausa hasta que encontré la puerta y añadió—: Vuelve esta noche.

Abrí los grifos y cuando salió el vapor del agua caliente me metí adentro.

—Como te he dicho antes, le prometí a Misha que estaría con él esta noche.

—Entonces ven después.

No tenía ninguna intención de volver a esa casa. Podía estar decorada con colores cálidos pero resultaba fría. Y tenía la molesta sensación de que había habido algo más que sexo, algo que debía recordar.

—Le prometí a Misha que me quedaría con él.

—Entonces rogaré para que algo lo distraiga, porque te quiero para mí, y solo para mí, en esta fase de la luna.

—¿En exclusiva? —dije, y esa idea hizo que el cuerpo me doliera todavía más de lo que ya lo hacía—. Me parece que no.

—Únicamente durante una fase, no para siempre. Solo puedo satisfacer mi deseo contigo.

Resoplé entre dientes mientras me frotaba con el jabón.

—Conmigo y con tus otras siete amantes.

Cuando cerré la ducha entró en el baño. Me alcanzó una toalla, luego se apoyó en el dintel de la puerta con los brazos cruzados.

—Las otras no tienen tu maravilloso color de pelo. Ni tampoco tu fuerza.

—Por eso me imagino que tienes siete.

Sonrió con sarcasmo.

—Tampoco tienen tu cuerpo. Lo quiero. Quiero... —se detuvo y sonrió de pronto con una expresión distante.

Nunca había tenido una sensación más extraña que entonces, era como si no estuviera conmigo, como si estuviera perdido imaginando algo de nefastas consecuencias para mi integridad. Sé que era una locura. Talon solía ser brutal, pero no creo que llegara a hacerme daño.

—Lo que quiero, lo consigo, lobita.

Desde luego no conseguiría nada más de mí. Al menos por esa tarde. Arrojé la toalla húmeda a un cesto.

—¿Mi ropa está todavía en tu oficina? —pregunté.

—Sí.

—¿Y dónde?

—Abajo en el vestíbulo.

Tenía una expresión risueña y su mirada era calculadora. Ninguna de las dos cosas me gustaba y no estaba segura de por qué. Las había visto con demasiada frecuencia en los últimos dos años. Talon era un hombre de negocios de éxito y la arrogancia siempre formaba parte de su disfraz. Pero hasta hacía muy poco, eso no me había molestado.

Me siguió hasta el vestíbulo, podía sentir el calor de su presencia pero no oírla. Encontré la ropa con la carpeta al lado, y antes de que comenzara a vestirme se puso detrás de mí, pasándome los brazos por las caderas y atrayéndome hacia sí. La tenía dura otra vez. Puede que fuera un lobo pero su deseo y su capacidad de recuperarse eran del todo anormales.

—Deja que me vaya, Talon.

—Dime por qué no quieres quedarte conmigo —al decirlo su respiración acarició mi nuca y un segundo después, mordisqueó el lóbulo de mi oreja. Esta vez no fue el placer el que me hizo estremecer sino la irritación.

—Porque no quiero —respondí dándole un codazo tan fuerte que gimió, se apartó y pude vestirme—. Y porque de vez en cuando está bien acariciarse antes del sexo.

Cruzó sus fornidos brazos con una expresión mezcla de divertida tolerancia y dureza.

—Pensaba que te gustada duro y rápido.

—Y me gusta. A veces. Pero también me gustaría hacerlo despacio.

—Entonces ven a verme para desayunar. Comeremos, coquetearemos, haremos un poco el tonto y luego tendremos un sexo duro y apasionado.

Dudé, pero la verdad era que la luna me poseía y cuando eso me pasaba, lo mejor era estar con tipos que conocía, mejor que empezar de nuevo con extraños. Y aunque disfrutaba igual con Misha, Talon no estaba mal. Misha no me hacía lo que Talon. No podía complacerme de la misma forma. De acuerdo, era una adicción, pero era un tipo de peligro muy diferente al que Jack quería forzarme.

—No lo sé.

—Bueno, pues quedemos para desayunar y luego vemos.

Dudé otra vez, pero solo un instante. Fuera o no una adicción no podía alejarme de Talon, no con la luna poseyéndome de esa manera.

—¿Dónde?

—En el Kingfisher, en la calle Collins.

El Kingfisher era uno de los hoteles *boutique* de Melbourne y según decían, espectacular. No era demasiado alto, alcanzaba los nueve pisos.

—También tengo que trabajar y no sé seguro cuánto tiempo tardaré. No puedo precisar una hora concreta —dije no tanto por el trabajo ni por Rhoan, sino porque necesitaba recuperarme.

—Entonces llámame —respondió mientras me acompañaba a la puerta.

Antes de que pudiera escaparme, me atrajo hacia sí y me besó. Su gesto no tenía nada de delicado, era de posesión, la afirmación de un derecho que me dejó temblando.

Sin embargo, me sentí aliviada al atravesar las puertas de la entrada. Cuando las oí cerrarse con aquel suave sonido me dije que nunca volvería a esa casa. Quizá, solo quizá, esa era la señal para que después de aquella fase de la luna Talon y yo rompiéramos.

Miré el reloj, eran cerca de las nueve. Revolví en mi bolso hasta encontrar el teléfono móvil. Quería llamar a Misha y decirle que iba a pararme en la oficina. Tenía varios mensajes.

Le di al botón de reproducción y la voz intensa de Misha llenó el aire.

—Siento hacer esto, Riley, pero parece que no podremos vernos esta noche. Mi hermana ha tenido un accidente de tráfico y me han llamado de casa. Tengo que ausentarme durante una semana. Quédate con el Mercedes hasta que vuelva. Te llamaré.

El mensaje me había llegado sobre las seis, lo que no era mucho después de que el estupendo champán de Talon me hubiera dejado la mente en blanco. Esperaba que Misha estuviera bien. Confiaba en que su hermana también lo estuviera. Me hubiera gustado que me dejara un número para ponerme en contacto con él.

Odio borrar mensajes, así que pasé al siguiente.

—Riley, soy Quinn —el cálido y *sexy* ritmo de sus palabras acarició mi piel con tanta sensualidad que parecía como si me tocara. Me preguntaba qué tenía este vampiro que me afectaba tanto. Ni siquiera lo conocía y ya lo deseaba incluso antes de que estuviera en celo, lo que era extraño porque nunca me había sentido atraída tanto por alguien que no fuera un lobo.

—No sé por qué huyes de mí pero, de verdad, soy amigo de Rhoan y creo que los dos estáis en peligro. Tenemos que hablar —tras decir esto hizo una pausa y oí una música de fondo. Sonaba la canción de Presley *A Little Less Conversation*, y eso significaba que debía estar en el Rocker cuando me llamó—. Nos vemos en las escaleras del Casino a las once —y vaciló antes de añadir—: Hay más de lo que crees detrás de todo esto. Ven, por favor.

La llamada me intrigaba mucho. Pero hasta que no hablara con Jack, por nada del mundo pensaba arriesgarme a ir a ningún sitio donde estuviera Quinn cerca.

Conduje hasta la oficina. Jack levantó la mirada de su ordenador y abrió exageradamente los ojos.

—Preciosa, estás hecha un asco.

—Gracias, jefe. Tú tampoco estás mal —contesté con ironía.

Se levantó, me sujetó del brazo y me empujó hasta la silla.

—No me refiero a eso —dijo, mientras sostenía mi cara entre sus grandes manos y me miraba—. Tus iris tienen el tamaño de un campo de fútbol ¿Te has tomado algo?

—Un champán que no me sentó nada bien.

—Es algo más que eso —continuó y pidió por teléfono que viniera un equipo médico a nuestra planta con urgencia—. Les llamo para que te tomen una muestra de sangre, creo que te han drogado.

Solo una persona había podido hacerlo y la verdad ¿por qué me iba a importar? Ya tenía lo que deseaba. Recordaba que había perdido memoria y pensaba en ello más de lo que quería.

—Ha sido una mala reacción al champán —dije sin saber a quién quería engañar, si a mí o a Jack—, ya me ha pasado otras veces.

De hecho esta era la segunda vez en muchos meses. Aunque en aquella ocasión no había tenido una reacción tan rápida, también había borrado de mi mente varias horas, por lo menos. Tenía que dejar de beber el champán de Talon, porque estaba claro que no me sentaba nada bien.

Los sanitarios vinieron y me sacaron la cantidad de sangre suficiente para alimentar a los guardianes del apartamento de abajo durante varios días, dijeron que la analizarían de inmediato y se marcharon.

Jack estaba sentado en el borde de mi escritorio.

—Me preguntaste antes si había investigado a Gautier. ¿Era solo para saber si tenía un hermano o buscabas más información?

Me eché hacia atrás en la silla y le estudié unos instantes.

—¿Esta es otra de tus trampas, no?

Sonrió confirmando lo que me temía.

—Un bocadito aquí y otro allá y estarás enganchada sin darte cuenta.

Negué con la cabeza.

—Eso no va a pasar. No soy una asesina.

Puso cara de extrañeza.

—¿Entonces no quieres saber nada más de Gautier?

Suspiré y me froté la cabeza, me dolía.

—Por supuesto que sí.

—¿Sabías que entró en el Consejo hace ocho años?

Asentí. Por lo que sabía había llegado un año antes que Jack y dos antes que yo.

—¿Y?

—Parece que hasta hace nueve años y medio Gautier ni siquiera existía.

Me quedé mirándolo fijamente.

—Imposible. He visto su *dossier*. Había certificado de nacimiento, pasaporte, tarjeta de residencia, todo, y se comprobó.

—Falsificaciones, todas y cada una.

Su ordenador emitió un pitido. Se levantó y se dirigió hacia él.

—¿Cómo puedes estar tan seguro? —le pregunté.

—Porque ahora tenemos un sistema muy sofisticado, y puedes llegar adonde quieras si tienes acceso.

Y por supuesto Jack lo tenía. Interesante. Como jefe del cuerpo de guardianes podía investigar más *dossieres* que la mayoría, pero lo que estaba sugiriendo es que no había lugar al que no pudiera llegar. Esto a su vez significaba que también sabía cómo burlar el sistema de control, o que tenía carta blanca de la misma directora para acceder.

Y la pregunta ahora era: ¿por qué Jack sí y no los otros directores? Pues yo sabía que los demás debían acudir a Jack cuando necesitaban información sobre cosas concretas referidas al cuerpo de guardianes.

Lo observé durante un minuto más.

—Pero ese mismo sistema podía haber comprobado sus credenciales cuando llegó —dije.

—En realidad, no. Su admisión se propuso desde las más altas esferas y luego se nos pasó para aprobarlo sin más.

—¿De qué altura vino?

—De Alan Brown.

Era el segundo de a bordo de la directora de Cazadores, y también otro de los vampiros que no me caían nada bien.

—¿Crees que pudieron presionarle para que aceptara a Gautier?

Jack miró otra vez la pantalla.

—No han encontrado en los análisis correspondencias con drogas de placer —me dijo y luego siguió—. Ahora mismo no sé qué pensar.

Por alguna razón, lo dudaba. Estaba segura de que tenía muchas ideas sobre lo que pasaba, pero no tenía intención de compartirlas conmigo todavía. Tamborileé con los dedos en su escritorio.

—¿Qué sacaría alguien haciendo que aceptaran aquí a Gautier? Es un cabrón total, pero es el mejor guardián que tenemos y casi no ha cometido ningún error en lo que a trabajo se refiere.

—Todo el mundo sabe que Gautier quiere mi puesto, y con el tiempo la dirección. Puede que ese sea el plan —estaba diciendo eso cuando el ordenador volvió a sonar—. No hay reacción a drogas legales.

Vaya, los muchachos del laboratorio no bromeaban cuando dijeron que tendrían los resultados en muy poco tiempo. No sé si porque habían dejado libres todas las máquinas de análisis solo para eso, o porque no tenían nada más que hacer.

—Te dije que solo era una reacción al champán.

—Puede ser —dijo sin sonar convincente—. Todavía tienen que repasar toda la lista de fármacos experimentales. Pero tardarán un rato.

Me encogí de hombros.

—Dudo que Gautier consiga la dirección —dije, y luego añadí—: Me parece que la vieja vaca tiene planes para quedarse en su silla varios siglos.

Sus ojos sonrieron divertidos.

—De hecho sé que es así. Por lo tanto, solo queda mi puesto.

—Pero, en la práctica, tú solo supervisas el cuerpo de guardianes. El poder de verdad no lo tienes tú sino ella.

—Es cierto, pero controlo las misiones y eso podría ser lo que Gautier quiere; poder de ir tras quien le apetezca.

Esa idea me provocó un escalofrío.

—Ni se te ocurra marcharte, Jack.

—Te aseguro que no había pensado hacerlo.

—Bien —vacilé otra vez, al pensar que si le hacía más preguntas a Jack me estaría metiendo demasiado en sus asuntos—. ¿Has investigado alguna vez si tiene familia?

—No, por lo que parece procede de Perth, pero allí nadie lo recuerda.

—¿Y aquí a nadie le parece eso raro?

—En apariencia no.

Pero a Jack se lo parecía, y no había hecho otra cosa que observar y esperar. Me preguntaba a quién más estaría observando.

—¿Qué sabes del que me disparó?

—Parece que no tiene pasado anterior a los últimos cinco años.

Eso me sorprendió. Porque ¿qué probabilidad hay de que dos personas idénticas coincidan también en la falta de antecedentes?

—¿Qué ha dicho la policía? Ellos analizan por rutina el ADN cuando alguien queda irreconocible, ¿no?

—Lo hacen, pero no han dicho nada porque he dado la orden de silenciar el caso.

—¿Por qué? De acuerdo, se parece a Gautier y me disparó, pero, a los licántropos siempre nos dispara algún loco.

—Como te dije antes, no creo en coincidencias. Sobre todo porque Gautier estaba enterado de tu herida de bala. ¿Por qué te tocó sino el hombro de esa manera? En todo el tiempo que llevas aquí, lo único que él ha hecho, como mucho, es intercambiar insultos contigo.

Parpadeé recordando la mirada vigilante de Gautier. Estaba buscando algo. A pesar de que era un vampiro y podía oler la sangre hasta en mi aliento, al haberme transformado para curarme la herida, además de la ducha que me había dado, había desaparecido el olor a sangre, fresca o de cualquier tipo. Y los infrarrojos no detectaban las heridas que ya estaban casi curadas.

—Tuvo que ser una casualidad tonta.

—La casualidad tonta no tiene nada que ver con lo que hace Gautier. Así que las siguientes preguntas son: ¿por qué el que te atacó se parecía a Gautier, de qué manera están los dos relacionados y por qué te dispararon?

Me encogí de hombros.

—Quizá solo sea que odia a los licántropos.

De todos modos, aquel lobo me había llamado por mi nombre, ¿y cómo sabía dónde vivía? Como Rhoan y yo trabajábamos para el Consejo nuestro apartamento no aparecía en las guías de teléfonos. Y no tenía sentido que Gautier le hubiera dado esa información. Si Gautier me quería ver muerta, podía eliminarme él mismo, y disfrutándolo con sadismo.

—Eso no explica la semejanza entre los dos —dijo Jack.

No, no la explicaba.

—Entonces, ¿crees que están relacionados a pesar de que no hemos encontrado nada de ellos?

—No emparentados por nacimiento, pero sí conectados de alguna manera.

—¿Conectados cómo?

—Me parece bastante probable que el que te disparó era un clon.

Me quedé mirándolo atónita.

—No pueden hacer clones, o al menos no ejemplares que lleguen a adultos.

—Puede que llegue alguno, porque quien te atacó no es la única persona muerta en las últimas semanas que se parece a Gautier. Incluso el propio Gautier se parece a un hombre que murió hace algunos años. Además, hemos descubierto muchos aceleradores del crecimiento en los restos de tu atacante.

—¿Y qué hay del ADN?

—Todavía no lo hemos comparado con el de Gautier.

—¿Por qué no?

—Porque no queremos que sospeche. Hemos pensado obtener algunas muestras cuando haga su reconocimiento médico habitual.

Si recordaba bien, eso sería al día siguiente más o menos.

—Me imagino que todavía no habéis hablado con él.

—Por ahora no, solo estábamos vigilándole. Confiamos en que nos conduzca al que está detrás de todo esto.

—¿No es arriesgarse mucho? ¿Qué pasaría si sospecha y escapa? —pregunté. Lo último que necesitábamos era a Gautier suelto por ahí. Solo con pensarlo me daba escalofríos.

—Si escapa, lo matarán.

Fuera como fuese, yo no lo veía tan sencillo.

—¿Por qué la presencia de acelerante implica clonación?

—El acelerante, al menos en las pruebas que hoy en día se están llevando a cabo con animales, se usa para que el crecimiento sea más rápido, así los científicos pueden observar qué problemas presentará el clon cuando sea adulto.

—¿Dónde se meten los activistas de los derechos de los animales que lo permiten? —murmuré—. ¿Hay alguna evidencia de acelerante en la sangre de Gautier?

—Ninguna, la han debido de retirar en los reconocimientos médicos semestrales.

En ese caso o él era quien decía ser y los clones una mera coincidencia, o de alguna manera él se encontraba en el origen de los clones. Porque si el muerto que se parecía a Gautier era un muerto auténtico en lugar de un vampiro, entonces con seguridad no era el origen de Gautier y de los demás.

—¿Crees que Moneisha está detrás de los clones?

—Lo dudamos. Por lo que sabemos no dispone de los medios suficientes.

—Pero ¿Rhoan lo estaba investigando?

—No, comprobaba una denuncia sobre las prostitutas que no dejan de desaparecer del distrito de St. Kilda y reaparecen una semana después, totalmente desorientadas y sin tener ni idea de dónde han estado.

—¿Prostitutas humanas o no humanas?

—No humanas.

—Si hay alguien clonando, puede que necesite muestras de ADN para ello.

—Muy probable.

Su expresión se asemejaba a la del profesor complacido con los progresos de una alumna difícil, y eso me molestó. Esa era la cara que me iba a poner hasta que no sacara a Rhoan de allí. Al final, el tiempo diría quién de los dos iba a ganar esta batalla tan particular. Aun así sentí un impulso insensato de fastidiarle.

—Hay algo sobre el ataque que tengo que contarte. Yo no maté al que me disparó, lo hizo Quinn O'Connor.

—Me preguntaba cuándo pensabas decírmelo.

Lo miré sorprendida.

—¿Sabías lo de Quinn?

Asintió con la cabeza.

—Vi las grabaciones de seguridad.

—Los vampiros envueltos en las sombras no se ven en las grabaciones de seguridad normales.

Sonrió.

—No, pero el sistema de seguridad de los ferrocarriles está probando una nueva actualización, que incluye un sistema de infrarrojos y que funciona paralelamente a los sistemas normales. Eso ayuda a detener a bastantes delincuentes.

—Se mantiene muy en secreto, ¿no?

—A veces es mejor que la gente no lo sepa.

—Diles eso a los civiles libertarios —dije levantándome de la silla y dirigiéndome por un café a la máquina—. ¿Por qué Rhoan investigaba a Quinn O'Connor?

En sus labios se dibujó una sonrisa.

—Caramba, eres buena.

—¿Era por el vampiro que encontraron muerto en su avión de carga?

—Muy buena —murmuró y luego asintió—. Resultó ser un cruce —dijo, y al mirarme supe que la lotería me había tocado antes. —Pero uno nacido en el laboratorio, no natural como tú y tu gemelo. —Él había sabido todo el tiempo lo que Rhoan y yo éramos—.

Tragué saliva sin lograr quitarme la sequedad de la boca.

—¿Cuánto tiempo hace que lo sabes?

—Como quien dice, desde que te uniste a nosotros.

Y nosotros que creíamos que éramos tan cuidadosos.

Sonrió con ternura.

—Riley, tengo cerca de ochocientos años, y he visto muchas cosas terribles en mi vida. Conozco a los de vuestro género de hace siglos, incluso tenéis un nombre ¿no te das cuenta?

El único nombre que yo sabía era el de monstruo, e incluso hasta que el hombre que me disparó lo dijera solo se lo había oído en voz baja a gente de la manada, cuando murmuraban pensando que yo era demasiado pequeña para entender.

—Dhampiros —continuó diciendo—. La descendencia de los recién convertidos en vampiros, en la gran mayoría de los casos, nace de una mujer que es violada y atacada en la primera hora que pasa ese vampiro fuera de la tumba; son mujeres que por alguna razón sobreviven. Una entre un millón.

—Nuestra madre era una loba.

—Y supongo que ella estaría con el celo de la luna, porque es cuando un licántropo puede vencer con toda certeza a un vampiro recién convertido.

Ella lo había vencido, pero cuando todo terminó, sus últimas semillas ya habían creado vida de alguna forma.

—¿Por qué nunca has dicho nada? —le pregunté, y vaciló al contestarme.

—Porque respeto vuestro derecho a la intimidad —vaciló un instante—. Aunque debo admitir que tus derechos naturales son parte de la razón por la que te quiero a ti en el equipo con Rhoan. No creo que ninguno de los dos haya explotado todo su potencial.

—Yo lo que quiero es una casa con un valla de madera y un montón de niños, Jack, no largas noches llenas de derramamiento de sangre.

—De hecho quiero que Rhoan y tú forméis un cuerpo de guardianes de día. Ahora mismo nuestra capacidad de cazar solo de noche está siendo un obstáculo —afirmó, mientras yo empezaba a dar unos pasos tratando de no derramar aquella porquería tibia de color marrón, que el Consejo tenía la desvergüenza de llamar café. No me hacía falta mirar a la luna para saber que estaba creciendo. Su energía me quemaba las venas.

—¿Cómo es que un medio vampiro te llevó a investigar a Quinn? No hay nada de raro en que alguna vez se muera un vampiro en un avión de carga.

—Este murió asfixiado.

Me cambié de sitio para poder mirarlo.

—Los vampiros no necesitan aire para sobrevivir, así que ¿cómo se asfixió?

—Recuerda que solo era medio vampiro.

—¿Es que fue tan idiota que no se le ocurrió hacer unos agujeros en su féretro?

Jack sonrió.

—En realidad tenía demasiado aire.

Eso me sorprendió.

—¿Cómo es posible que alguien tenga demasiado aire?

—Porque era medio tritón, por eso.

—¿Un vampiro tritón? —exclamé, sin poder evitar un tono de incredulidad—. ¿Quién demonios quiere un cruce como ese?

—Me parece que el demonio tiene algo que ver con eso. Un demonio que posee a los fanáticos que quieren engendrar a una perfecta máquina de matar.

—No me imagino a un tritón siendo parte de una investigación como esa por voluntad propia. Si ni siquiera van al médico, por Dios.

Entonces ¿por qué investigabais a Quinn?

—Por pura rutina. Posee varias empresas farmacéuticas en Australia y Estados Unidos. De las de aquí, la más grande está en Sidney. Allí es donde iba ese vampiro.

—Eso no quiere decir que se dirigiera a los laboratorios de O'Connor —dije tomándome un sorbo de café cuyo amargo sabor me hizo contraer la nariz. De todas formas, como la cabeza todavía me pesaba y el estómago comenzaba a quejarse por falta de comida, aquel café amargo era mejor que nada.

—Así parece, pero todavía tenemos que hacer unas comprobaciones. Sobre todo porque la directora de Cazadores es quien pidió que se investigara a Quinn.

Me moví para mirarlo.
—¿Qué?
Jack sonrió.
—La comunidad de los vampiros más antiguos no es tan grande. Quizá sean cincuenta en todo el mundo los que han sobrevivido hasta alcanzar el milenio, y para llegar a esta edad o son muy poderosos o astutos en extremo. Quinn es ambas cosas.
Pues para ser un vampiro de mil años de edad, se conservaba muy bien.
—¿Por qué querría la directora que lo investigaran?
—Porque él ya estaba buscando los orígenes de los dhampiros de laboratorio y de los clones de Gautier. Y es muchísimo mejor si ponemos los recursos en común y trabajamos juntos.
—¿Cuántos clones hay por ahí? —pregunté, si bien ya solo con que pudiera haber más de dos me parecía espeluznante. Esperaba que no todos desearan matarme con plata—. ¿Y cómo los investigaba él? Es un hombre de negocios no un policía ni un guardián.
Jack sonrió de nuevo.
—O'Connor ha sido muchas cosas durante todos estos años de vida. La de hombre de negocios es solo su última encarnación.
—Eso no responde a mi pregunta, Jack.
Asintió con un gesto.
—La verdad es que no puedo impedirle que investigue esto, así que es mejor tenerle trabajando con nosotros.
Fruncí el ceño.
—Si metes su trasero en una de las celdas de arriba, verás cómo lo detienes.

—Si las celdas no me retienen a mí, mucho menos a Quinn. No con el tipo de poder psíquico que él tiene.

Un escalofrió me recorrió la espalda.

—El Consejo está protegido con una defensa. Se supone que nadie puede usar sus habilidades psíquicas ente estas paredes.

—La mayoría no puede, y las celdas las neutralizarían todas, excepto unas pocas —me respondió. Es obvio que ni las suyas ni las de Quinn. Era una idea horripilante que los dos vampiros con los que me sentía más a gusto fueran mucho más peligrosos, con diferencia, de lo que Gautier nunca podría llegar a ser—. ¿Por qué está Quinn investigando a los clones?

—Vio —se detuvo— a uno en Sidney. Por lo que parece, el clon era la viva imagen de un amigo que él consideraba muerto hacía tiempo.

Eso significaba que aquel amigo tenía la misma imagen que Gautier, si es que ese amigo era el fallecido a que se refería Jack antes. No pude evitar preguntarme si el pobre hombre estaba tan deprimido por su aspecto que se había suicidado.

—Un amigo vampiro, según veo.

Jack asintió.

—Quinn también es un viejo amigo de la directora de Cazadores. Hace poco se puso en contacto con ella para hablarle del asunto, por cortesía profesional, ya que mientras él hacía averiguaciones había surgido el nombre de Moneisha y quería venir a Melbourne para indagar. Por eso me pidió que lo investigáramos.

—El que ella estuviera de acuerdo no convierte en legal la implicación de un civil en un caso del Consejo.

—En cuestiones de seguridad ciudadana, el Consejo puede reclutar cualquier ayuda que juzgue necesaria. Y tenemos la posibilidad de intervenir antes de que él haga algo que sea ilegal.

De todos modos, no creía que a Quinn le preocuparan demasiado los legalismos.

—Me dejó un mensaje en el teléfono móvil. Quiere que nos veamos esta noche.

Jack asintió.

—Se puso en contacto conmigo en cuanto recuperó por completo la memoria. Por el momento quiero que trabajes a su lado.

—¿Crees que es prudente? Quiero decir, si es tan poderoso como dices, ¿no podría estar usando sus habilidades para doblegar tu voluntad?

—La directora de Cazadores confía en él de manera incondicional, así que yo debo hacerlo también.

—La directora no es infalible, como demuestra el que no tuviera ni idea de que su vicepresidente autorizara la entrada de Gautier en el Consejo sin que nadie lo cuestionara.

Jack sonrió. Últimamente lo hacía mucho y empezaba a ser inquietante, si es que significaba lo que yo sospechaba. Es decir, que lo hacía del todo feliz ver cómo iban desarrollándose las cosas en cuanto a sus planes para conmigo.

—Ya sabes que la sospecha es un hábito excelente para un guardián.

También lo era saber cuándo retirarse, y eso era lo que yo intentaba hacer en ese momento. Además casi eran las once, eso significaba que tenía que empezar a moverme si quería encontrarme con Quinn.

—Háblame de Moneisha.

Parpadeó ante la pantalla y dijo: «Información de Moneisha» y un segundo después apareció un diminuto chip plastificado. Lo recogió y me lo pasó.

—Esa es toda la información que tenemos en la actualidad. En cuanto tú y Quinn la hayáis leído, destruye el chip.

Me lo metí en el bolsillo.

—Lo haré.

—Mantenme informado.

Asentí y me marché. Cuando subí al automóvil, vi la carpeta que me había dado Talon. Con un solo vistazo pude comprobar que no contenía nada que yo ya no supiese. Ni siquiera había intentado investigar a Quinn y eso me molestó. No les pedía mucho a mis amantes, pero si lo hacía, esperaba que se esforzaran.

Sacudí la cabeza, tiré la carpeta sobre el asiento y me dirigí hacia el estacionamiento del Casino. Ya eran casi las once y media y fui dando grandes pasos hasta dentro. En cuanto entré por la puerta principal de aquel gran edificio, busqué entre la gente que se arremolinaba por allí. Humanos, lobos, metamorfos y vampiros, pero ninguno era el hombre al que buscaba. Me di la vuelta para examinar los alrededores.

Lo encontré no muy lejos de allí, sentado en los escalones que llevaban al muelle. Fui hasta él y me senté a su lado, estaba lo bastante cerca como para sentir su calor, pero no tanto como para que nos tocáramos.

—Pensé que no vendrías —dijo en un tono familiar.

Se había duchado y vestido. Su cabello era muy negro, tan espeso y sedoso que me dieron ganas de pasarle los dedos. El abrigo que le había prestado había desaparecido y llevaba puesto un jersey granate, que ceñía su cuerpo delgado y enmarcaba sus rasgos angelicales, con unos pantalones negros que destacaban sus muslos. Lleno de barro resultaba *sexy*, pero la versión vestida... ¡Caramba!

—¿Qué le ha pasado al abrigo? —dije esa banalidad porque mi mente estaba tan ocupada aplacando a mis hormonas que no podía pensar en nada más inteligente.

Me miró, sus ojos eran más oscuros que la misma noche, y no se podía leer nada en ellos.

—Lo dejé en mi casa para que lo limpiaran. Se había empapado con la sangre de tu herida.

Puse cara de extrañeza.

—¿Tienes una casa aquí?

Asintió.

—En Brighton.

Era de imaginar. Toorak era solo para los aspirantes a ser multimillonarios, como Talon.

—Hablé con Jack antes de venir.

—Entonces ya sabes que no quiero hacerte daño.

—Bueno, no. Sé que ahora estás ayudando en las investigaciones del Consejo pero mucho me temo que si te conviene, irás por tu cuenta.

Sonrió de manera seductora y mis hormonas se revolvieron inquietas.

—Lees bien a la gente.

—Quieres decir, por supuesto, que hago bien en no confiar en ti del todo.

—Yo no he dicho eso.

Tampoco lo negó.

—Jack quiere que trabaje contigo esta noche.

—¿O sea que has encontrado a Rhoan?

—Está en Moneisha.

—¿Moneisha? ¡Qué raro!

Me cerré el abrigo. El frío que ascendía del río me calaba los huesos y el calor que fluía de Quinn no era suficiente para combatirlo. La carne de gallina me erizaba la piel en picos que amenazaban con convertirse en montañas.

—¿Por qué? Pensaba que tú personalmente estabas investigando Moneisha.

Sus ojos oscuros me miraron con determinación.

—¿Te lo dijo Jack?

—Sí. Y me molestó mucho que no me hubieras comentado que estabas colaborando con el Consejo. Si eso es así, hemos de rescatar a Rhoan ahora mismo.

—No podía acordarme; al principio solo veía imágenes fragmentarias, y cuando lo recordé todo, tú ya habías salido corriendo.

—Los vampiros desnudos que acampan en mi entrada y me siguen a casa suelen hacerme sospechar.

—No estaba seguro de que tú fueras quien decías que eras porque, como te dije, Rhoan nunca te mencionó —dijo mirándome con curiosidad por unos instantes—. Vosotros no podéis ser amantes.

—No, no podemos —respondí y, aunque no me hubiera importado contárselo, el hecho de que fuéramos gemelos era algo que no tenía por qué saber. Con todo, si Jack lo había averiguado, seguro que Quinn también lo haría—. Dime lo que sabes sobre Moneisha.

Tenía el chip que me había facilitado Jack, pero estaba interesada en saber cuánta información estaba dispuesto a compartir Quinn conmigo. Jack confiaba en este vampiro de manera incondicional, pero yo no estaba tan dispuesta a hacerlo.

—Lo que he averiguado me lleva a creer que hay dos ramas de investigación, una dedicada a los clones y otra a los cruces. En principio, no parecen estar conectadas entre sí. Dudo que Moneisha esté detrás de ellas, pero sí creo que es parte de la cadena. No hay duda de que detrás de esas paredes hay algo más de lo que se hace público.

—Voy a ir allí esta noche para sacar a Rhoan.

Me miró con extrañeza.

—¿Sola?

—Jack sugirió que vinieras conmigo.

—Que alguien te cubra las espaldas siempre es una buena idea.

Tener a este vampiro cubriéndome las mías no me parecía tan buena idea. No con la luna apoderándose de mí de esa manera. Miré el reloj y vi que casi eran las doce.

—Vaya, ¿te importaría si seguimos esta conversación adentro?

—¿Tienes frío?

—Me muero de hambre más que de frío. No he comido nada desde el desayuno.

Al levantarse me ofreció su mano para ayudarme. Sus dedos se notaban cálidos, agradables y fuertes. Era demasiado fácil el imaginarse aquellas manos sobre mi cuerpo, acariciándolo y jugueteando con él.

Su expresión no reflejó nada, pero me invadió una oleada de deseo como una tormenta de verano. Puede que tuviera sus defensas blindadas para protegerse de mi aura, pero eso no impedía que notáramos que nos gustábamos.

—¿Qué te gustaría comer? —me preguntó con dulzura.

«A ti», pensé. Carraspeé y me aparté un poco. La noche era más fría sin su contacto.

—Con una hamburguesa tendré suficiente.

Asintió y, no haciendo caso del pequeño espacio que yo había dejado entre los dos, me puso la mano en la espalda mientras guiaba mis pasos hacia delante. Justo donde descansaban sus dedos, sentí una llamarada que se extendió en ondas por mi cuerpo.

—Hay un restaurante bonito ahí, cerca de donde acaba la calle Swanstond —dijo con una voz que era como una caricia musical que me impulsaba a suspirar.

—¿En los restaurantes bonitos venden hamburguesas con patatas fritas?

—En este sí. Cuéntame lo que has descubierto tú sobre Moneisha.

—La seguridad es alta y por lo que parece tienen cámaras de infrarrojos.

—Eso va a ser un problema.

Saqué el microchip del bolsillo.

—Información y planos de las distintas plantas.

Sonrió.

—Entonces mejor que lo pidas para llevar y vayamos a mi oficina.

—¿Tienes una oficina por aquí cerca?

—Señaló el edificio blanco que dominaba el horizonte, un bloque más allá.

—Mi oficina está en el último piso.

Miré arriba... y arriba.

—¿Y no tienes vértigo?

Yo lo tenía, pero eso no estaba relacionado con mi doble herencia. Era el resultado de haber sido arrojada montaña abajo cuando era una cachorrita. No tenía ni idea de porqué aquel miedo se me manifestaba en los edificios altos, ya que, por el contrario, podía escalar montañas sin problemas, siempre que no estuvieran cerca de ningún acantilado.

Me miró sorprendido.

—¿Tú lo tienes?

—A veces.

—Entonces mejor que nos quedemos en uno de los pisos inferiores.

—Esa es una buena idea, a menos que quieras verme vomitar sobre una de tus sin duda bonitas alfombras.

Asintió. Entramos en el restaurante, me pidió una hamburguesa, patatas fritas y un refresco de cola, pero no me dejó pagar. Yo iba sorbiendo la bebida mientras nos dirigíamos a su edificio. La seguridad lo dejó pasar tras escanearle un ojo y subimos en el ascensor hasta el décimo piso. Cuando el escáner comprobó el otro ojo, entramos en una oficina que consistía en infinitas filas de escritorios. Me condujo a través de ellas hasta un despacho que se encontraba al final de todo.

—¿Una patata?

Estuve a punto de pasarle una con la mano, pero en ese momento no me pareció que estuviera de humor. Así que le entregué el microchip y me senté en el borde del escritorio columpiando una pierna mientras comía. La pantalla se abrió de repente después de que un nuevo control de seguridad verificara su identidad. Un segundo después aparecieron los planos.

—¿Por dónde sentiste la presencia de Rhoan?

Con mi dedo grasiento señalé la pared correspondiente y la pantalla tembló un poco.

—Hay unos dos metros entre las paredes y el tejado, pero hay una cámara cerca y me imagino que es de infrarrojos.

—Existe otra entrada por aquí —dijo señalando un punto más allá de donde yo había encontrado a Rhoan— y una pequeña garita.

—Ese podría ser un buen sitio para entrar, si conseguimos distraer a los guardas.

Asintió.

—Tienen sensores láser aquí y allí —continuó, señalando dos puntos—. Y parece como si tuvieran sensores con rayos instalados treinta centímetros por encima del muro exterior.

—Mierda.

—Ordinario, pero apropiado —dijo, mientras una sonrisa jugueteaba en sus labios, y se echaba hacia atrás en la silla estudiando los planos—. Sin embargo, treinta centímetros son un espacio suficiente para ocultarse si descubrieran tu presencia. Si Rhoan todavía está allí, vamos a tener que planear el modo de sacarlo.

—¿Qué quieres decir con «si»?

—Tienen cámaras. Pueden haberte visto merodeando por el perímetro.

—¿Y qué? No me conocen de nada.

—Si Moneisha está involucrada en la clonación o en la creación de cruces, podría no ser así —dijo estudiándome unos instantes con una mirada vacía y escalofriante. Sacó algo del bolsillo de sus pantalones—. Encontré esto en ese licántropo que te disparó.

Dejó caer un botón pequeño en la palma de mi mano. Lo miré sin saber qué hacer con él. Mi confusión debía de resultar evidente porque añadió:

—Es una cámara. Una cámara muy potente y experimental.

—¿Me estaban viendo mientras me disparaba? —exclamé sin poder creerme que alguien pudiera ser tan... detuve ese pensamiento. Trabajo con guardianes, así que sí, era posible que alguno tuviera tanta sed de sangre como para disfrutar con algo así.

—No quería darte en el corazón, solo dejarte malherida, no matarte.

Di un largo sorbo al refresco de cola y lo lamenté en el minuto en que me llegó al estómago, pues todavía lo tenía revuelto.

—No podían saber que estabas allí y si tú no hubieras estado, podría haber muerto.

—Es cierto. Pero él llevaba un pequeño botiquín, lo que significa que el tipo también podría haber intentado sacarte la bala.

—Entonces ¿por qué dispararme y luego curarme? ¿Para qué hacer algo así?

—Quizá querían observar tus reacciones.

Me quedé helada.

—Eso quiere decir...

—Si tienen a Rhoan por lo que es —dijo con delicadeza—, entonces es indudable que sospechan que tú también lo eres.

—Pero nadie... —no podía terminar la frase. Si Jack lo había adivinado, entonces otros también—. No aparece en nuestros certificados de nacimiento y no se lo hemos contado a nadie —dije mirándolo a los ojos—. No me puedo creer que Rhoan te lo haya dicho.

—No lo hizo, lo adiviné yo. Los licántropos no son buenos guardianes porque no pueden percibir a los muertos. Él incluso tiene sentidos tan agudos como los míos —hizo una pausa—. Y tú llegaste a quedarte entre las sombras para evitar que aquella bala te alcanzara. Algo que tampoco pueden hacer los licántropos.

Me bajé del escritorio y empecé a andar arriba y abajo.

—Lo que no entiendo es el porqué. Están creando sus propios monstruos. ¿Para qué nos necesitan a Rhoan o a mí?

Me agarró de la mano cuando pasaba por su lado, deteniendo mis pasos.

—Tú no eres un monstruo.

Sus ojos transmitían rabia, como si la mera idea de que yo pudiera pensar una cosa así lo ofendiera en gran manera. Me descubrí a mí misma sonriendo.

—Es fácil para ti decirlo. Tú eres un vampiro normal.

—Y tú eres un milagro de la vida. Nunca pienses otra cosa.

Sonrió más abiertamente.

—¿Sabes?, me acabarás gustando.

Su repentina sonrisa era traviesa.

—¿Quiere eso decir que podré bailar pronto contigo?

—Podría ser —respondí. Una vez que hubiera liberado a Rhoan. Una vez que supiera con certeza a qué jugaba Quinn.

—Bien —dijo dirigiendo su mirada de nuevo a los planos—. Puedo pensar en dos razones por las que os quieran a ti y a Rhoan. Primero porque parece que ambos habéis integrado vuestra doble genética muy bien.

Volví a caminar por la oficina. Era mejor que quedarme sentada. O mejor que sentarme cerca de un capricho que no estaba dispuesta a probar todavía.

— ¿Y la segunda?

Me miró.

—Sois casi idénticos.

Eso hizo que me detuviera.

—¿Qué?

—Hasta ahora todos los clones han sido hechos con la imagen de un guardián conocido como Henri Gautier.

—Eso parece.

—Quiero decir que provienen del mismo origen.

—El amigo al que tú creías muerto.

Asintió.

—El dhampiro que se halló en mi avión no se parecía en nada a Gautier, o sea, que procedía de un origen del todo diferente.

—Sí ¿y entonces?

—Entonces, ¿qué ocurriría si ellos ignoran o no creen que esos dhampiros pueden nacer de manera natural? ¿Qué pasaría si creyesen que tú y Rhoan sois creaciones de laboratorio? Unas maravillosas criaturas de laboratorio que ellos no han creado.

Lo miré con fijeza mientras asimilaba las implicaciones de aquello.

Si eso fuera verdad, mi hermano y yo estábamos con la mierda hasta el cuello.

Capítulo 6

—Eso tiene tanto sentido como que ellos estén clonando al mismo adefesio una y otra vez —me detuve en cuanto abrí la boca, al recordar que esa imagen de adefesio procedía de su amigo. Es decir, presumiendo que su amigo muerto era el origen de los clones y no otro clon. Para disimular mi metedura de pata, añadí rápidamente—: Y seguro que si la gente que ordenó atacarme ya tenían a Rhoan en su poder, yo hubiera percibido más sensación de peligro de no haber estado preocupada por él.

—No necesariamente. No, si Moneisha es solo un lugar de recolección. Quizá la gente que hay detrás solo está recogiendo muestras y todavía no saben con qué finalidad.

Lo miré un instante.

—¿Entonces sabías que Rhoan estaba en St. Kilda investigando las desapariciones de las prostitutas?

Asintió.

—Estuve con él casi toda la noche.

—¿Por qué te marchaste? El amanecer no es algo de lo que debas salir corriendo.

Hizo una mueca.

—No, pero el hambre sí.

Lo miré con extrañeza.

—¿Y no podías haber tomado tu sangre de las prostitutas?

—Podría, pero prefiero no hacerlo —sus ojos sonrieron y las rodillas casi se me doblaron—. Solo muerdo mientras hago el amor y prefiero a mujeres que no estén en el negocio del sexo.

La imagen de él mordiéndome el cuello mientras me penetraba despacio bien adentro me puso la piel de gallina y me excitó.

Dios, de verdad que iba a tener que hacerle una puesta a punto a este vampiro antes de que se esfumara de mi vida.

—¿Así que Rhoan desapareció después de que te marcharas?

Asintió.

— Rhoan iba vestido de puta con el fin de obtener información y no llamar la atención en la calle. Yo me quedaba en las sombras observando y escuchando pensamientos.

Eso quiere decir que debían de sospechar que Rhoan tenía un apoyo, porque solo lo secuestraron cuando Quinn se marchó. O también pudieron pensar que Quinn era un chulo que vigilaba a sus putas. Me acerqué a los ventanales y me quedé mirando. Estábamos solo a diez pisos de altura, así que no se veía mucho excepto más edificios. Dejé vagar la vista en dirección al sureste. La razón de la captura de Rhoan no era importante. Pero sí lo era sacarlo de allí antes de que se dieran cuenta de que era algo más que un lobo.

Me di la vuelta en redondo.

—Tenemos que irnos.

Quinn no intentó detenerme, e hizo bien, porque en ese momento lo más probable hubiera sido que hubiera intentado tumbarlo de un golpe. He dicho intentado, porque sospechaba que yo no tenía nivel para este vampiro. Había algo en él, bajo su calma y su físico *sexy* que sugerían una profundidad mayor que la de los otros vampiros con los que trabajaba. Incluido Jack.

Y si Jack desconfiaba de él, estoy del todo segura de que tenía sus razones.

—Primero tenemos que prepararnos —fue todo lo que Quinn dijo.

—Puedo envolverme en las sombras, no me verán.

—Tienen infrarrojos. Tú misma lo dijiste.

Me detuve en la puerta y respiré a fondo. Tenía razón. Pero eso no aplacó la repentina ansiedad que me atenazaba el estómago.

Miré por encima del hombro.

—¿Qué sugieres?

Tomó el chip del escritorio, se levantó y vino hacia mí, gracia y belleza, todo en el mismo paquete delicado y fuerte.

—Jugar a los disfraces.

Se me ocurrían muchos juegos que jugaría con él y disfrazarme era uno de ellos. Pero dudaba mucho de que él estuviera hablando del mismo tipo de disfraces en que yo estaba pensando, ¡qué le vamos a hacer!

—¿Qué quieres decir?

—Quiero decir que si Moneisha está buscando prostitutas, ¿por qué no les damos una que sea fácil de atrapar?

—¿No sospecharán un poco de una prostituta que aparece de pronto por un tranquilo barrio de las afueras?

Me dio el chip, luego me puso otra vez la mano en la espalda conduciéndome a los ascensores.

—Quizá no. En la calle de abajo de Moneisha hay un burdel. Esperemos que piensen que vas a trabajar.

Le lancé una mirada de soslayo.

—¿Y cómo sabes que hay un burdel una calle más allá?

—Un buen investigador descubre todo lo que puede sobre la zona objetivo.

—Sin embargo, has dicho hace un momento que preferías evitar a las prostitutas.

—Así es —dijo mirándome con una de sus sonrisas burlonas—. Soy millonario y las mujeres se echan en mis brazos todo el tiempo. No necesito pagar por ello.

Eso no contestaba mi pregunta.

—¿Y tú sueles no-pagar-por-ello-a-menudo?

—Bastante a menudo. Tengo mis necesidades como cualquier otro hombre.

Esperaba que él aplacara alguna de esas necesidades conmigo, tan pronto como mi hermano estuviera libre.

Las puertas se cerraron y el ascensor bajó. El estómago amenazó con provocarme el vómito, pero luego se tranquilizó.

—¿A dónde vamos?

—A comprar tu equipo de camuflaje.

—Su mirada recorrió mi cuerpo.

—La falda es bonita pero no se amolda lo bastante al estilo burdel.

Bien, todo lo que tenía que hacer era quitarme el abrigo y el jersey, dejar al descubierto la camiseta rasgada y ya tenía material para ven-y-házmelo aquí mismo.

—Es casi medianoche. No habrá ninguna tienda abierta.

—Cuando tienes dinero, las tiendas siempre están abiertas.

Las puertas de cristal se abrieron al aproximarnos y el viento frío se arremolinó en la entrada. Era un aire espeso que olía al humo del tráfico y a humanos. A almizcle, menta y hombre. La misma combinación que desprendía el tipo que me disparó. .

Me detuve y oí algo más. Un grito en el aire, como si algo veloz y mortal estuviera atravesando la noche hacia nosotros.

Me eché a un lado y aparté a Quinn. Maldijo, me envolvió con sus brazos e instintivamente protegió mi cuerpo con el suyo mientras caíamos al suelo. Se quejó cuando nos golpeamos y abrió los ojos. El aire silbó y yo me volví para mirar. Algo cortó la oscuridad justo encima de nosotros, algo que parecía más de madera que de metal, con una punta mortífera.

Una flecha.

El que fuera de madera sugería que iba dirigida a Quinn, pero la realidad era que una flecha en el corazón no significaba nada bueno para ninguno de los dos.

Dio contra el cristal que teníamos detrás y rebotó sin hacernos daño. Se oyeron unas pisadas entre los sonidos de la noche. Nuestro atacante se daba a la fuga. Me libré del abrazo de Quinn, arrojé el bolso, el abrigo y el jersey y me transformé. Salté en forma de lobo tras aquel desgraciado.

—¡Riley, espera!

Era una orden, no le hice caso. El aspirante a asesino corría hacia el South Bank, trataba de darme esquinazo mezclándose entre el gentío que se arremolinaba cerca del Casino. Lo que significaba que, o bien no se había dado cuenta de lo que yo era, o que no tenía ni idea de lo finos que son los sentidos de un lobo cuando caza.

Siguió corriendo, de vez en cuando miraba por encima del hombro mientras se abría paso entre la gente y la apartaba de su camino. Yo iba detrás dando grandes zancadas, evitando con agilidad a los humanos idiotas que gritaban o se me ponían delante en lugar de apartarse. El hombre al que seguía era otro Gautier completo, igual hasta en la coleta grasienta y larga. Era consciente de que le perseguían, pero miraba por encima del hombro equivocado y yo estaba cada vez más y más cerca. Su olor era empalagoso, la menta apenas disimulaba su intenso olor a muerto y a putrefacción. Encogí la nariz para resistir la tentación de estornudar.

No se dirigió al puente como yo esperaba sino que corrió a meterse dentro del local de máquinas tragaperras. Me transformé, até mi blusa y lo seguí dando largos pasos.

Él iba sorteando las máquinas, sin correr demasiado. Yo iba tras él sin que me viera. Su olor permanecía en el aire, dejando un rastro imposible de perder, incluso en un local en el que se superponían olores tan opuestos.

Otro aroma vino a sumarse a aquel tropel de olores, el de sándalo. Sonreí y miré hacia atrás. Quinn iba a un metro de distancia detrás de mí y llevaba mi bolso colgado del hombro de manera despreocupada.

Su oscura mirada era de furia cuando se cruzó con la mía.

—Podías haberte metido en líos corriendo así —me pasó el jersey y me lo puse mientras decía—: podría haber sido una trampa.

Todavía cabía esa posibilidad. ¿Quién sabe a dónde nos conducía el doble de Gautier?

—Esa flecha se dirigía a ti, no a mí. Y podría haberme dado a mí también.

Me alcanzó, tomó mi mano y se la llevó a la boca mientras seguía andando. Aquella breve caricia de sus labios en mis dedos no se parecía a nada que hubiera sentido antes. Dulce y al mismo tiempo, erótica.

—Gracias —añadió con suavidad.

Respiré tratando de controlar mi pulso que ahora, de repente se había vuelto irregular.

Delante, nuestro aprendiz de asesino se metió tras una puerta y desapareció. Miré el letrero que había sobre el dintel y sonreí. Había entrado en el baño. Perfecto.

—Ocúpate de la puerta —dijo Quinn mientras me pasaba de nuevo el bolso y el abrigo—. Voy a tener una pequeña charla con nuestro amigo. ¿Hay alguien más ahí dentro?

Entrecerró un poco los párpados y supe que estaba usando su visión de infrarrojos para comprobarlo.

—No.

—Bien.

Lo seguí al interior pero me quedé contra la puerta cuando esta se cerró. Tengo que decir que el olor de los servicios de hombres nunca es agradable, no importa la cantidad de ambientador que les pongan. No es que yo hubiera estado en muchos, pero qué le vamos a hacer, a veces es una manera de evitar las colas que se forman en los aseos de las mujeres en los intermedios del teatro o de los conciertos.

Los inodoros estaban todos libres excepto uno. Tenía que ser nuestro hombre. ¿Por qué pensó que estaría a salvo detrás de la puerta de un retrete? Quién sabe. Quizá no frecuentaba mucho a vampiros y licántropos.

Quinn levantó un pie y le dio una patada a la puerta, luego se desvaneció tan rápido que en un segundo ya no estaba allí. Sentí una ligera ráfaga de aire, oí el sonido de carne golpeando contra carne, luego un grito, más de dolor que de temor. No era de Quinn.

Se hizo el silencio. Ninguna conversación, nada. Pero yo sabía lo que estaba pasando. Quinn estaba asaltando la mente de aquel hombre.

La puerta se movió detrás de mí, luego llamaron.

—Lo siento —respondí—. Está cerrado por limpieza. Alguien ha vomitado.

Al otro lado de la puerta quien fuera que hubiese llamado maldijo y se oyeron unos pasos que se alejaban.

—Date prisa, Quinn. Los de seguridad nos habrán visto entrar aquí. No nos queda mucho tiempo antes de que se pongan a indagar.

Volvió al cabo de cinco segundos y cerró la puerta del váter antes de ir a lavarse las manos. Lo observé un momento, luego miré hacia la puerta cerrada del retrete y sentí un frío repentino.

—Está muerto, ¿verdad?

—Sí —al decirlo ni me miró, se limitó unicamente a acabar de lavarse las manos y luego arrancó un trozo del rollo de papel y se las secó.

—¿Cómo? —le pregunté. No había oído ningún chasquido de huesos, así que no había roto el cuello de aquel hombre.

—Un ataque al corazón —dijo mirándome con esos ojos negros cuya frialdad me helaba las venas—. Es algo sencillo si puedes leer las mentes para conocer sus mayores miedos, y cuando tienes habilidades empáticas para hacerles creer que sus temores se hacen realidad.

Así que además de telepático era empático. Desde luego eso explicaba por qué se prendía de mi aura con tanta fuerza, a pesar de mis defensas y las suyas.

—¿Se ha muerto de miedo?

—Me temo que sí.

Echó el papel en la papelera y vino hacia mí. Quise retroceder pero no tenía espacio suficiente. Y aunque reconozco que fue una reacción ridícula, no pude evitarlo. Por mucho que yo estuviera segura de que podía cuidarme sola, tenía la rara sensación de ser incapaz de defenderme de este vampiro.

—Será mejor que salgamos de aquí —continuó en el mismo tono directo y suave—. Vienen los de seguridad.

Abrí la puerta y di unos pasos hacia afuera. Dos hombres con el uniforme negro de seguridad venían hacia nosotros con decisión. No nos miraban, ni siquiera parecieron percatarse de nuestra presencia; me di cuenta de que Quinn había tocado sus mentes desviando su atención de nosotros.

Sus dedos me presionaron la espalda, pero esta vez me alejé de su cálido tacto y me puse a andar deprisa a través de la sala, para adentrarme luego en la noche. Me detuve en el bordillo de la acera, crucé los brazos e inhalé con fruición aquel delicioso aire.

Él se detuvo detrás de mí, lo supe más por sentir su calor que por haberlo oído.

—Te asusto.

—Sí.

—¿Por qué? Trabajas con los guardianes. Ellos hacen cosas mucho peores de las que yo he hecho aquí.

—Lo sé. De ellos no me extraña, pero no lo esperaba de ti.

—Soy un vampiro. Somos así.

—Sí, pero no sé por qué esperaba que fueras diferente —dije, pensando que aquella apariencia exterior era algo más que un espectáculo para admirar. Pero eso era problema mío, no suyo. ¡Dios, y no sería porque él no me hubiera avisado de que matar me resultaría tan fácil como beber sangre! Pero, la verdad, aquella demostración no había hecho desaparecer mi deseo por él—. ¿Has descubierto algo útil?

Se quedó callado un momento.

—Estaba medio bloqueado —contestó después—. Vi algunas imágenes. No es de Moneisha de dónde salen ellos.

Lo observé por encima del hombro. Ni siquiera me miraba, estaba inmóvil contemplando el cielo nublado con expresión pensativa.

—¿Qué imágenes?

—Es bajo tierra. Mucho cemento, luces fuertes, paredes blancas, ese tipo de cosas.

—Nada reconocible como escenario.

Negó con la cabeza y por fin me miró con los ojos entrecerrados.

—Podía ser cualquier sitio, cualquier país.

Genial.

—Entonces vamos a liberar a Rhoan.

—Disfrázate primero.

—¿Dónde? Es medianoche y no hay muchos comercios abiertos.

Aparte de restaurantes, clubes y el Casino, no había nada más por allí.

—Como te he dicho antes, eso no importa cuando tienes dinero.

Lo demostró enseguida, haciendo que nos abrieran las puertas de la mayor tienda de ropa de la ciudad.

—¿Sabes vestirte como una fulana? —me dijo mientras nos dirigíamos en el ascensor a la planta de mujeres.

Sonreí abiertamente.

—Soy una loba. Nos vestimos como fulanas mejor que ellas.

Sus ojos se animaron con una sonrisa.

—Ya me había dado cuenta. Te dejo a tu aire, yo voy a comprar lo que necesito —y mirando al dependiente dijo—: Cualquier cosa que le pida, cárguelo a mi cuenta —luego me miró a mí y añadió—: Nos vemos abajo dentro de media hora.

Media hora no es mucho tiempo cuando te dejan comprar con crédito ilimitado, pero ¡eh!, yo no iba a ser tan cabrona. Estuve diez minutos solo mirando hasta que al final me decidí por unas botas plateadas de piel de serpiente que llegaban hasta el muslo, solo porque siempre había querido tener unas. Elegí las de diez centímetros de tacón en lugar de las de quince, por si me tocaba correr. Las combiné con una falda de tejido de malla de color azul bastante decente, aunque demasiado corta para llamarla minifalda, y un *top* plateado muy ajustado que estaba perforado a la altura de los pezones. Para completar el efecto, elegí una peluca de color azul fuerte y un maquillaje en tonos azules. Luego me metí en el vestidor y me transformé.

Cuando me miré al espejo vi que había conseguido parecerme a una puta con total fidelidad. El color azul de la peluca y el maquillaje se reflejaban en mis ojos grises dándoles un tono azul fuerte; la blusa y la falda rayaban en la indecencia, pero me tapaban lo bastante como para impedir que los policías me detuvieran. Me puse el abrigo, metí las otras ropas en mi bolso y bajé a reunirme con Quinn.

Estaba esperándome con varias bolsas a sus pies. Me miró el pelo, luego bajó hasta mi cara y una mezcla de sorpresa y deseo revoloteó por sus ojos. Aquel deseo repentino casi me chamusca la piel.

—¿Te gusta mucho este azul, eh? —bromeé.

No lo negó. No podía, porque yo lo olía con facilidad.

—¿No puedo tener un anticipo y ver el resto?

Sus ojos se deslizaron por mi cuerpo deteniéndose en mis tobillos enfundados en piel.

—Tengo la sensación de que la sorpresa podría provocarme un ataque al corazón.

—¿No es ese el efecto que querías?

—Sí —dijo, inclinándose para agarrar las dos bolsas, lo que me permitió ver unas pistolas láser y una especie de sensor electrónico. Ni siquiera sabía que allí vendían ese tipo de cosas, y yo compraba con frecuencia en ese almacén. Quizá tenían una sección especial para millonarios.

Le dio al director una buena propina y me acompañó afuera.

—¿Has venido conduciendo?

Asentí.

—Está en el aparcamiento del casino.

—Lo dejaremos allí e iremos en el mío. Antes han debido de tomar nota de la matrícula.

Caminamos por la calle, dirigiéndonos de nuevo a su edificio. Mis tacones golpeaban el pavimento, un sonido tan rítmico como los latidos del deseo que me ardía en las venas. Me veía bien con la ropa azul, estaba más *sexy* que putón. A mí no me importaba parecerlo si la ocasión lo requería. Y de no haber sido porque tenía que liberar a mi hermano esa noche, me hubiera ofrecido a hacer una rápida prueba con el pulcro paquete de Quinn.

Su automóvil resultó ser un Ferrari negro, impecable, deportivo y cálido. Parecido a su dueño. Me abrió la puerta y entré.

—Bueno ¿cuál es el plan? —le pregunté, en cuanto estuvimos en marcha.

—Si se te ve desde lo alto tan bien como creo, todo lo que tienes que hacer es caminar calle arriba y todas las cámaras que hay cerca te enfocarán.

Sonreí.

—¿Y luego?

—Encuentra la manera de que las cámaras solo te enfoquen a ti, mientras yo salto el muro o entro por esa segunda entrada y trato de encontrar a Rhoan.

—Harán falta dos personas para sacar a Rhoan de ese lugar ¿no?

Se encogió de hombros.

—Quizá. Pero primero tenemos que averiguar si está dentro y luego ver qué vigilancia hay. Puede que no podamos hacerlo esta noche.

Eso es lo que él pensaba. Yo estaba muy segura de que, de una manera o de otra, Rhoan iba a salir de aquel sitio esa misma noche.

—Si pasamos primero por delante, podría decirte si todavía está allí.

Quinn asintió. Cruzábamos las calles a tal velocidad que la luz de las farolas se veía borrosa, eso sugería que superá-

bamos el límite de velocidad. Me imagino que cuando eres millonario una multa o dos no hacen mucha mella en tu cuenta corriente.

Llegamos a Moneisha en tiempo récord y desaceleró hasta velocidad de crucero. Estudié los muros blancos pero no sentí nada. Se lo dije a Quinn.

—Podría ser porque estás en un sitio cerrado. Quizá tengas que acercarte para percibirlo.

Quizá. Y quizá porque no estaba. Intenté no hacer caso de la incómoda pesadez de estómago que sentía estando sentada.

—Tendré que pasar andando —le dije.

Quinn se metió en una calle lateral y se detuvo fuera del alcance de las cámaras.

—Pasaré por ahí dentro de cinco minutos y me pararé. Tienes que fingir que soy un cliente potencial y acercarte a hablar conmigo. De esa manera, si no está ahí, nos vamos.

Lo miré con extrañeza.

—¿Por qué no bajamos nuestras defensas un poco, sin más, y usamos la telepatía?

Me lanzó una mirada que podía significar cualquier cosa.

—Creo que no.

—¿Por qué no?

—Porque eres una mujer licántropo muy sensible al calor de la luna, y tu aura es tan fuerte que puedo sentirlo incluso cuando tengo las defensas activadas.

—Y eso es malo porque...

—Porque cuando hago el amor con alguien, prefiero estar cómodo, no encerrado en un estrecho deportivo.

Sonreí.

—Nunca lo he hecho en los asientos delanteros de un Ferrari. Puede ser divertido.

—Puede resultar peligroso.

Me reí. No pude evitarlo.

—¿Sabes? Para ser un hombre que ha vivido mil años, tienes unas ideas bastante anticuadas.

—Y tú eres una lobezna que no ha tenido todavía tiempo para apreciar las mejores cosas de la vida, como hacer el amor rodeada de lujo.

—Eh, yo lo hago con millonarios, así que ya lo sé todo sobre el lujo. El peligro y la incomodidad pueden llegar a ser igual de apasionantes.

Sacudió la cabeza.

—Voy a tener que enseñarte mejor.

Sonreí.

—O puede que necesites sacudirte de encima todos esos remilgos.

—En los doce siglos que llevo en este mundo, lo he hecho todo. Créeme, sé lo que es mejor.

—Pero en todo ese tiempo, apuesto a que no has visto a nadie como yo —le dije con un sonrisa provocativa—. Voy a poner tu mundo patas arriba, vampiro.

Con su sonrisa casi me sacó las entrañas.

—Estás invitada a intentarlo.

Tenía todas las hormonas a favor de intentarlo allí mismo y en ese instante, pero primero debía rescatar a mi hermano. Abrí la puerta y empecé por salir. Quinn alargó la mano a través del asiento envolviéndome las rodillas con los dedos. El calor me abrasó traspasando la piel de serpiente y me caló en los huesos.

—Pero tengo que aclarar una cosa —dijo en un tono bajo que insinuaba un aviso.

Lo miré.

—¿Qué?

—Nunca habrá más que un baile informal entre nosotros. No tengo intención alguna de ir en serio con otra licántropo.

Lo miré sorprendida.

—¿Qué te hace pensar que quiero algo más formal? Soy una loba, y como todas nosotras mi ideal es tener un alma gemela e hijos. Tú no puedes ofrecerme eso.

—Solo te aviso.

—Bien, estoy avisada —le respondí, escabulléndome del asiento, luego tiré mi abrigo a la parte de atrás. Inspiró con tanta fuerza que mi sonrisa se hizo más grande—. Considera esta prenda como un aviso, mi querido vampiro.

Le lancé un beso en el aire y cerré la puerta antes de que pudiera replicarme nada sensato. Todavía con una amplia sonrisa me puse a pasear por la calle Acacia, crucé la calzada y empecé a caminar con pasos exageradamente provocativos, lo bastante lejos de los muros como para que las cámaras pudieran enfocarme. Un suave zumbido llenó el silencio cuando empezaron a seguirme.

Al cabo de unos minutos sentí a Rhoan. Todavía estaba allí, en las mismas salas en que yo lo había sentido antes, suspiré con alivio. Todo lo que tenía que hacer era liberarlo.

Las luces reducían la oscuridad a mis espaldas. Seguí andando y oí el ruido ronco de un motor, sabía que era Quinn porque podía sentirlo con la misma facilidad con que percibía a Rhoan.

Se detuvo junto a mí y bajó la ventanilla. Di unos pasos hacia él y me incliné, ofreciendo a las cámaras una buena visión de mi trasero.

—Está aquí.

—Ahora mismo, viéndote tal como vas, no estoy demasiado preocupado de si está ahí o no.

—¿Así que el asiento delantero del Ferrari de repente te parece un buen sitio? —bromeé.

Mi teléfono sonó antes de que él pudiera contestarme. Buscó en mi bolso, apretó el botón de video y sujetó el aparato en un ángulo en el que pudiera hablar sin estropear nuestra tapadera.

Jack apareció en la pantalla y no parecía contento.

—Riley, ¿dónde estás?

—Fuera de Moneisha —le contesté—, ¿por qué?

—Bueno cuando tengas a Rhoan no le traigas a la oficina, ha habido problemas.

—¿Qué tipo de problemas?

—Uno ha intentado matarme.

—Yo diría que uno bastante estúpido.

Jack torció el gesto en una sonrisa.

—Bueno, sí, porque no dio en el blanco y lo atraparon. Por desgracia para nosotros, se suicidó antes de que pudiéramos hacerle muchas preguntas.

Fruncí el ceño.

—¿Dónde pasó eso? —le pregunté sin poder imaginarme que un tirador entrara en la sede del Consejo y mucho menos que llegara a las plantas de los guardianes.

—Volvía a casa.

—Creí que el Consejo era tu casa.

—Solo la mayor parte del tiempo.

—Así que quien ordenó que te dispararan conocía muy bien tus movimientos.

—Exacto. Y si a eso le añadimos la desaparición de Rhoan y el atentado cometido contra ti, creo que lo mejor será empezar a reforzar la seguridad. En cuanto consigas rescatar a Rhoan no vayas a casa ni tampoco vengas aquí. Eso es lo que ellos esperan, así que vete a otro sitio y llámame cuando te encuentres a salvo.

—Lo haré.

Colgó. Quinn volvió a dejar el teléfono móvil en el bolso.

—¿Y adónde piensas llevarlo? —preguntó.

—Me preocuparé de eso en cuanto lo haya liberado.

Pareció sopesarlo unos segundos, el evidente deseo que había en sus ojos un instante antes había desaparecido por completo.

—Podría llevarlo en un avión hasta Sidney y hacer que lo examinaran allí. Seguro que no se esperan eso.

No, no lo harían. Pero no estaba dispuesta a dejar a Quinn solo con mi hermano, porque no sabía si podía confiar en él. Y menos después de que me atacaran a mí y ahora a Jack. De acuerdo, a él también lo habían atacado, pero eso todavía me parecía hasta demasiado conveniente. Solo porque Jack confiara en él yo no tenía por qué hacerlo. ¿Cómo podía estar siquiera segura de que Quinn le había quitado esa cámara al que me disparó?

Sin embargo, qué podría llevarlo a actuar así, si él me había dicho que de quererlo, ya me habría hecho daño de verdad.

Me mordí el labio superior con preocupación.

—No sé si eso es muy acertado —dije—. Después de todo, quienquiera que esté detrás de esto también intentó matarte.

—No sabemos si eso está relacionado.

Lancé un resoplido.

—Entonces ¿es solo coincidencia que quien me disparó y tus atacantes sean clones de ingeniería genética? Reconóceme el mérito por mi inteligencia.

Hizo una mueca.

—Lo siento. Pero Rhoan necesitará que lo examinen. No podemos llevarlo a ningún hospital de aquí porque no sabemos hasta dónde llega este asunto. Tú no puedes llevarlo al Consejo por la misma razón. Así que nuestra mejor opción sería trasladarlo en uno de mis aviones a mi laboratorio de Sidney y hacer que lo examinen allí. Además, Melbourne no es un sitio seguro para ti, si intentan deshacerse de cualquiera que esté involucrado en la investigación.

—No estoy involucrada. Solo estoy rescatando a Rhoan.

—Ese tirador te ha metido en esto, lo quieras o no.

A nuestra derecha se abrió una puerta con un chirrido. Miré a los lados. Apareció un hombre de piel morena, su deseo era sofocante e intenso. Era una clase de criatura de licántropo, aunque no parecía un lobo.

—Lleva un uniforme de guardia —comenté en voz baja mirando de nuevo a Quinn—. Puede ser la oportunidad que esperábamos.

—Tal vez —dijo, y sacó de la guantera cinta adhesiva fuerte. Estiró un trozo, lo partió en dos y me pasó los pedazos—. ¿Crees que podrías llevártelo por esa puerta y mantenerlo distraído lo suficiente como para que yo entre?

Me pegué la cinta en la palma de la mano.

—Lo intentaré. Asegúrate de salir disparado como un cliente rechazado.

Asintió.

—En cuanto tengamos a Rhoan lo llevaremos sin dilación al aeropuerto de Essendon. Tengo un avión allí que puede estar listo al cabo de una hora.

Se le había metido en la cabeza llevar a Rhoan a Sidney y eso solo me convencía aún más de hacer lo contrario. Quinn pisó el acelerador y salió quemando rueda.

Di unos pasos hacia el guarda de manera desenfadada. Era alto, de complexión ancha y musculoso, muy deseable hasta que lo mirabas a los ojos. Estos eran marrones y no reflejaban ninguna humanidad. Solo deseo y muerte.

Su aura caliente me impactó un instante después. El influjo de la luna me dejó sin respiración, caliente, y además preocupada. El guardia proyectaba brutalidad y me temía que el sexo con este hombre no sería agradable... y que incluso ni siquiera sobreviviría a él.

—¿Eres una licántropo? —la voz del guardia tenía la brusquedad del apetito urgente que sentía rugir dentro de él.

—Mi madre era una mujer lobo.

Su mirada se deslizó hacia abajo, parándose en seco donde mi trasero sobresalía bajo la blusa.

—Eso explica el calor que desprendes.

Me encogí de hombros.

—Si estás hambriento, hay un precio.

Sonrió con satisfacción.

—¿Qué tal si hacemos un trato?

Lo miré con extrañeza.

—¿Qué clase de trato?

—No informaré de tus actividades por aquí a la policía y, a cambio tú te aparearás con mi colega y conmigo.

Dios, había dos. Justo lo que necesitaba con la luna quemando en el cielo de aquella noche.

Fruncí los labios, fingiendo que consideraba la propuesta.

—Aquí no —dije pasados unos minutos—. ¿Hay algún sitio más... íntimo donde podamos ir?

Sonrió, levantó su dedo pulgar a la cámara, y me hizo una seña para que lo siguiera. Cuando pasé por la primera puerta, pegué un trozo de la cinta adhesiva en la cerradura magnética. Un segundo después el guarda me agarró la mano y me atrajo hacia sí con rudeza. El corazón me empezó a palpitar con fuerza y me costó contener la reacción instintiva de golpearlo. Pero solo porque vi que aquel acto estaba dictado por la urgencia de su deseo más que por la sospecha.

Me apretó contra él. Sentí que su cuerpo ardía y, como los clones de Gautier, olía vagamente a menta, almizcle y tierra recién removida. ¿Significaba eso que también era un clon? ¿O él era una cosa totalmente diferente? ¿Quizás uno de esos cruces de laboratorio?

Las ondas de su aura se estrellaban contra mí con un deseo ardiente, y yo endurecí mis nalgas hasta que casi me dolieron y mi pulso se aceleró, señales físicas todas ellas de una respuesta que no sentía. Pero no podía demostrar resistencia. Tenía que hacerle creer que estaba dispuesta o tendría problemas.

Me puso una mano en la espalda presionando mientras la bajaba por ella. Aunque su tacto era caliente me transmitía frío. Su respiración era rápida y me ventilaba las mejillas con su fetidez.

—Estás muy buena, loba.

Mostré una sonrisa forzada y presioné mi ingle contra su gran miembro erecto.

—Tú también —dije con suavidad. No era mentira. Era una loba, la luna estaba en su apogeo y la necesidad de aparearme iba en aumento. El calor de su cuerpo contra el mío me gustaba, aunque el resto me diera ganas de vomitar.

Puso su boca sobre la mía y fue como si estuviera besando a un muerto. Me metió una mano bajo la falda y empezó a sobarme por detrás. Me estremecí en parte de placer, en parte de dolor. Su contacto me estimulaba pero también me hacía daño.

Cuando sus gruesos dedos intentaron llegar más allá, lo aparté y le puse una mano sobre el pecho.

—Aquí no, adentro donde no haga frío.

Su sonrisa estaba llena de ansiedad. Me sujetó el brazo empujándome con brusquedad hacia dentro. Conseguí poner la cinta en la segunda puerta deseando que funcionara. Podía arreglármelas sin problemas con un hombre, pero me temía que no sería capaz de manejar la sacudida de dos auras hambrientas, no por mucho tiempo.

Nos acercamos a la garita de vigilancia, y el aura de la segunda criatura de licántropo me dio de lleno. Me estaba ahogando en un mar de lascivia que hizo que la sangre se me subiera, a pesar de que mi parte sensata se estremeció ante la idea de aparearse con esos dos psicópatas.

No es que intentara dejar que esta farsa siguiera adelante. A diferencia de mi hermano, yo era telepática, y podía usar ese poder para protegerme igual de bien que con los puños. En casos como este, la telepatía era sin duda la mejor arma.

El primer guarda abrió la puerta y me hizo pasar adentro. La sala era pequeña, apenas contenía unos monitores, unas sillas y un teléfono. El segundo guarda era un duplicado exacto del otro, de un horrible color marrón casi negro. Y lo mismo que el primero, proyectaba una energía que tenía algo de depravado.

Se levantó, con la ansiedad brillándole en los ojos mientras tiraba hacia arriba de la cintura del pantalón y me echaba un vistazo. Noté su aprobación porque su impaciencia calentó el aire.

El primer guarda me agarró, gesto que más que verlo, sentí. Acorté la distancia moviéndome con disimulo mientras le tomaba la mano y la ponía sobre uno de mis pechos. Agarró uno de mis pezones y lo estrujó con dureza.

Fingí no sentir el dolor y forcé una sonrisa.

—¿No sería mejor que te aseguraras primero de que no nos molesten?

El segundo guarda levantó el teléfono. Yo empujé al primero hacia atrás.

—Quítate la ropa.

Sonrío y obedeció enseguida. Miré hacia abajo y enrojecí. Su miembro no era solo grueso, tenía espinas, igual que el de los gatos. Si llegaba a penetrarme, me desgarraría.

Dio un paso hacia mí y puse otra vez mi mano entre los dos presionándole el pecho.

—Espera a tu amigo —mantuve la voz en un susurro—. Es más divertido cuando hay dos.

El segundo hombre emitió un sonido raro, como salido de la parte posterior de la garganta, y se apresuró a terminar la llamada, diciéndole a quienquiera que estuviera al otro lado de la línea que iban a salir a patrullar y que tardarían media hora en volver.

Cuando acabó de hablar, le ordené también a él que se quitara la ropa y bajé un poco mis defensas.

Su deseo sonaba como una porra dando golpes, y me encontré luchando contra una lascivia mucho más fuerte de lo que jamás había sentido. Pero detrás del deseo me llegó el excitado zumbido de sus pensamientos. Ninguno de ellos estaba protegido y eran una presa fácil. Respiré profundamente, luego bajé del todo mis defensas y me zambullí en sus mentes. Hice que cada uno viera al otro como si fuera yo.

Cayeron uno en brazos del otro y empezaron a copular. Cerré los ojos, para no verlos, me asqueaba lo que estaba haciendo, aunque fuera mucho mejor que dejar que ninguno de los dos me tocara.

La puerta se abrió con un estruendo. Me di la vuelta con los puños apretados preparada para enfrentarme con quien fuera. Solo era Quinn. Me miró y su expresión de alivio fue tan evidente que me alegró de una manera que nunca hubiera creído posible. Luego volvió su mirada hacia el suelo donde estaban aquellos dos.

—Una interesante manera de afrontar el problema —lo dijo en un tono neutro, pero pude ver cómo se movía su mandíbula mientras intentaba no reírse.

—Es mejor que dejar que me tocaran. Sus penes tienen espinas.

—Eso quiere decir que son hombres gato.

Asentí.

—Por lo mal que huelen, estos dos no son naturales, vienen de un laboratorio —dije cruzando los brazos mientras trataba de ignorar los ruidos que hacían al copular. Los temblores de deseo que me recorrían fueron aumentando. No estaba segura de cuánto tiempo más podría mantener a raya mi apetito.

—Ve a buscar a Rhoan —dije con brusquedad. Aunque tenía muchas ganas de encontrarlo yo misma, la verdad era que Quinn tenía mucha más experiencia en eso de esconderse por ahí. Después de todo era un vampiro de mil años.

—Me quedaré aquí con estos dos.

Vaciló.

—¿Seguro?

No hice caso de la preocupación de su voz.

—Vete.

Lo hizo. Me recosté en la pared mientras los embates de carne contra carne y los gemidos de placer resonaban en la habitación y comenzaban a ser tan altos que me pusieron nerviosa. Cuando se quedaron quietos, hice que se levantaran y se sentaran en sus sillas.

Para entonces el sudor me bajaba por las mejillas y la cabeza empezaba a dolerme. Nunca había utilizado mis habilidades hasta ese punto y no sabía que aquello consumiera tanta energía. Era peor que estar ocho horas con Talon.

Consulté mi reloj. Hacía quince minutos que Quinn se había marchado. Disponíamos de otros quince antes de que alguien viniera a comprobar qué hacían estos dos.

Es decir, si tuviéramos, y al parecer la teníamos, la suerte de nuestro lado. Las alarmas comenzaron a sonar con un ruido ensordecedor. Un segundo más tarde, la puerta se vino abajo y apareció Quinn con Rhoan renqueando y apoyado en uno de sus hombros mientras con la otra mano sujetaba una pistola láser.

—Deprisa —fue todo lo que dijo, era lo único que necesitaba decir.

Miré a los dos hombres, borré de sus mentes todo lo que acababa de pasar y salí corriendo. Despegué la cinta de las puertas de entrada, y las cerré tras de mí, luego me introduje en las sombras de la noche y corrí detrás de Quinn.

Pasamos tres bloques de edificios hasta que llegamos al Porsche. Quinn cambió el arma por las llaves y abrió las puertas.

—Vamos directamente al aeropuerto —dijo mientras se inclinaba para meter a Rhoan en el interior—. Llamaré para que el avión esté preparado cuando lleguemos.

No lo haría. Había veces en que yo no me preocupaba mucho por mi seguridad, pero estaba segura de que no iba a arriesgar la vida de mi hermano más de lo debido. No era solo mi gemelo, era mi manada. Cada uno tenía que cuidar del otro sin otra razón que nuestro vínculo familiar, porque éramos lo único que teníamos desde que la manada de mi madre nos había expulsado. Y hasta que no hablara con Rhoan y oyera su parte de la historia, Quinn permanecería en mi lista de gente no fiable.

Lo que significaba que iba a dejar marchar a ese hombre otra vez. Solo confiaba en que si era inocente, me perdonara.

Como estaba erguido, le empujé la cabeza hacia delante con fuerza, golpeándole contra el techo del automóvil tan fuerte como pude. Y eso fue muy fuerte.

No pudo hacer nada, lo que venía a demostrar que incluso un vampiro de mil años se le podía sorprender. Lo sujeté mientras se caía, protestando por lo que pesaba, luego lo arrastré por la acera y lo dejé al otro lado de la valla de la casa más cercana. Quedó oculto entre varios arbustos espesos y a todos los efectos estaba fuera de la vista.

Volví corriendo al vehículo, me deslicé en el asiento del conductor y conduje tan rápido como pude.

Capítulo 7

Al cabo de diez minutos dejé de mirar al retrovisor para ver si nos perseguían y empecé a relajarme. Miré a mi hermano, que aún estaba desplomado en el asiento del pasajero, y le puse la mano sobre el cuello. El pulso era regular y también la respiración. Pero eso no me tranquilizó. No podría hasta que se despertara y supiera con seguridad que se encontraba bien.

Lo que me llevó al problema de adónde ir mientras eso ocurría. Si no podía ir a casa ni a la sede del Consejo, solo me quedaba una opción.

Liander.

Él protegería cada pelo de Rhoan con tanta fiereza como yo misma, por el simple hecho de que lo quería. Me estiré para alcanzar el teléfono y marqué con rapidez su número. No estaría en casa, no con la luna en su esplendor.

Respondió al tercer timbre.

—¡Riley! —dijo con sorpresa—. ¿Qué pasa?

—He encontrado a Rhoan.

—¿Está bien? —el tono de inquietud que volvía a tener su voz me relajó algo más.

—Está inconsciente, así que no lo sé con certeza. Necesitamos un lugar seguro donde refugiarnos.

—Mi oficina —dijo al instante—. Está muy protegida y dispone de un *loft* donde podrá dormir.

Miré la hora y vi que eran casi las tres.

—Estaré allí en veinte minutos.

—Nos vemos fuera, en la entrada.

Tardé quince minutos en llegar, pero daba igual porque Liander ya estaba esperando.

—¡Dios mío! —exclamó mientras sacaba a Rhoan a rastras del automóvil y se lo cargaba en el hombro.

—Parece que hubiera corrido un maratón.

—En cierta manera ha sido así —contesté, sospechando que había sido un maratón de extraerle semen.

—Vamos a salir de la calle, luego intentaré explicarte lo que ha pasado.

Asintió. En cuanto pasó las comprobaciones del escáner ocular y el de huella digital, se abrió una enorme puerta roja de metal que dominaba la fachada de aquel sombrío edificio de ladrillo, para mostrar el suave resplandor dorado del taller de Liander. Entré y me puse a examinar las piezas a medio acabar de figuras humanas y monstruos de látex.

—¿Te han contratado para otra película? —le pregunté mientras contemplaba una fila de ogros, trolls y brujas con verrugas en la nariz.

Asintió, mientras cerraba y volvía a bloquear las puertas.

—Un proyecto de fantasía. Voy a tener que contratar a dos ayudantes.

—Es estupendo.

—La verdad es que sí —respondió y se dirigió hacia las escaleras, subiéndolas de dos en dos como si el peso de Rhoan no fuera mayor que el de un bebé—. ¿Qué le ha pasado?

Vacilé, pero solo un minuto. Liander era un exmilitar y sabía guardar un secreto. Y aunque Jack se podría enfadar conmigo por contar los secretos del Consejo a personas de fuera, yo no creía que a Rhoan le fuera a molestar. No en este caso, al menos. Y su opinión era la única que en realidad me importaba.

—Estaba en St. Kilda tratando de averiguar por qué están secuestrando a las putas en la calle y le secuestraron a él.

Liander puso a Rhoan con cuidado sobre la cama, luego le tocó el cuello para comprobar el pulso antes de empezar a quitarle la ropa.

—¿Y dónde acabó?

—En el Centro de Investigación Moneisha. Creemos que es un centro de recolección de esperma y óvulos de no humanos.

Me lanzó una mirada de sorpresa.

—¿En serio?

—En serio —respondí dirigiéndome al pequeño cuarto de aseo que había allí para tomar una toalla y un bol. Luego abrí el grifo y esperé a que el agua saliera templada.

—Bueno, eso explica que tenga los genitales morados e hinchados —sacudió la cabeza—. No habrá baile de la luna para este lobezno, seguro.

—Eso va a cabrearlo.

Liander me sonrió.

—Me parece que sí—dijo mientras me repasaba con la mirada—. ¿Te puedo decir que se te ve maravillosa de putón?

—Gracias —respondí, añadí más jabón al agua y llevé el bol y la toalla donde estaba Liander—. No parece que sufra.

Más que otra cosa buscaba que me reconfortara y Liander me pasó el brazo por los hombros apretujándome contra él.

—Diría que está deshidratado y cansado. No se le ven más heridas que esas magulladuras, pero de todas formas voy a pedirle a un amigo que venga a examinarlo. Es médico.

—Buena idea.

Le pasé a Liander el bol y la toalla y comenzó a limpiar a Rhoan con mucho cuidado. Me quedé quieta un momento, luego fui hacia una pequeña ventana y me puse a mirar el cielo que estaba iluminado por la luz de la luna. La intensidad del calor hizo temblar mi cuerpo, un aviso de que era mejor que me fuera a un club más pronto que tarde.

—Vete —dijo Liander al leer no mis pensamientos, sino la explosión de deseo—. Estará bien conmigo.

Me di la vuelta.

—¿Me llamarás en cuanto se despierte?

—Sabes que lo haré.

Atravesé la habitación y le di un beso en la mejilla.

—Gracias.

Sonrió.

—Te abriré con el portero automático cuando estés cerca de la puerta.

Salí afuera. Cuando estuve de nuevo en la calle, llamé a Jack a través del teléfono móvil. Me respondió al primer timbrazo.

—¿Estás bien?

—Mejor que en casa. Aunque Rhoan está inconsciente, así que no he podido interrogarle.

—Entonces quizá no te importe decirme por qué decidiste dejar inconsciente a Quinn.

—Bueno, él insistía en llevarse a Rhoan a Sidney. Y, lo siento, pero no voy a confiar del todo en ese hombre aunque me lo pidas, al menos hasta que yo no hable con mi hermano.

Jack se rió.

—Cariño, vas a ser un guardián fantástico.

—En esta vida, no —vacilé y añadí—: ¿Qué tal está Quinn?

—Le duele un poco la cabeza y es lo que se merece por haber sido tan insensato de darle la espalda a alguien que casi no conoce.

—Entonces, ¿está ahí contigo? —hice una pausa—. ¿Por cierto, dónde estás ahora?

—De momento he vuelto al Consejo. Quinn ha reservado habitación en un hotel para vampiros, y dormirá hasta que se le pase el dolor de cabeza.

Por lo menos allí estaría a salvo, porque la mayoría de esos hoteles garantizaban la seguridad a sus clientes habituales.

—¿En cuál? Tengo que devolverle el vehículo —pregunté, no quería dejarlo donde Liander porque quienquiera que estuviera detrás de Moneisha podría haberlo reconocido y estar buscándolo. Por eso yo tampoco quería andar con él por ahí. Además, con mi expediente de tráfico no era muy buena idea ir conduciendo un automóvil que, en caso de accidente, nunca conseguiría pagar los daños.

—Está en el Gatehouse —respondió Jack.

Eso quedaba en la calle Little Collins, no muy lejos del Kingfisher. Me pregunté si Talon estaría ya allí.

—Le diré a Rhoan que te llame en cuanto se despierte.

—Hazlo. Y Riley… ten cuidado ahí fuera. Puede que Rhoan esté a salvo pero dudo de que el peligro haya pasado para ninguno de nosotros.

—Lo haré.

Colgué y me quedé mirando el Mercedes unos segundos, debatiéndome entre llamar a Talon o irme yo sola al club. Aunque Talon pudiera estar tramando algo, dudaba de que me fuera a hacer daño de verdad. Mientras que si me pasaba por los clubes y me enrollaba con extraños, no tenía esa seguridad.

Al final, ese razonamiento me persuadió. Talon era el único al que en ese momento podía considerar como seguro. Saqué el teléfono y le llamé.

—Lobita —dijo con un gruñido ronco—. Esta es una sorpresa muy agradable.

—¿Podemos vernos en el Kingfisher dentro de veinte minutos?

Se oyó una risita ahogada.

—Por el sonido de tu voz, la luna te está poseyendo con mucha fuerza.

—No tienes ni idea —murmuré—. Olvidémonos del desayuno.

—Bien. De todas formas las finuras nunca han sido mi estilo, ya lo sabes.

Por eso le llamaba a él en lugar de a Misha, aunque este estuviera disponible. En ese momento no necesitaba finuras. Solo me hacía falta que el dolor del deseo se mitigara lo antes posible, y si por algo contaba con Talon era por su rapidez.

—Ya he reservado la suite del ático. Estaré esperándote delante del hotel.

Colgué, salté dentro del Porsche y salí zumbando. Después de entregar las llaves al aparcacoches del Gatehouse y dejar instrucciones para que informaran a Quinn de que se lo había devuelto, me fui andando con grandes pasos al Kingfisher. Talon ya estaba allí, esperando arriba de las escalinatas.

Me desabroché el abrigo mientras subía hacia él. Su deseo ardiente, intenso y exigente me envolvió. Agradecí ese calor, que aspiré con ansia dejando que se mezclara con la urgencia que ya bullía en mis venas. El sudor me resbalaba por la frente, eso era lo único que podía hacer para contener las ganas de rasgarle la ropa y probar su buena disposición ahí mismo en las escaleras del hotel.

—Me gustan las botas —gruñó—. Esas sí que te las podrías dejar puestas un rato.

Me agarró de la mano y entramos deprisa al hotel, pasamos casi corriendo ante los ascensores del vestíbulo y fuimos a una zona más apartada.

—Es un ascensor privado —me dijo pasando la tarjeta por la ranura—. No se detiene en ninguna planta hasta el ático.

No podía esperar a llegar al ático. La sangre me hervía, el corazón me golpeaba como una locomotora de vapor y el deseo me consumía. Quería sexo y lo quería en ese momento.

Las puertas se abrieron con un susurro. Sin esperar a que él llevara el control, lo empujé adentro poniéndolo contra la pared, luego, con una mano, lo atraje hacia mí, reclamando su boca. Con la otra le desabroché los pantalones.

Del fondo de su garganta salió un gruñido y me alzó. Me afirmé a él rodeándole con las piernas, le empujé muy adentro y se me escapó un gemido de puro goce.

—Estás muy a tono, lobita. Eso me dice que la otra noche no tuviste ningún amante. Dime que soy el primero de esta mañana.

—Cállate —le dije susurrando— y fóllame.

Se rió entre dientes y se puso manos a la obra. El ascensor empezó a subir, y el chirrido de la maquinaria se mezcló con los gemidos de nuestra respiración, los manotazos sobre la carne del otro y los gruñidos de nuestro apetito. El deseo de la luna era violento y yo también. Lo poseía con dureza, desesperada por cobrarme cada centímetro de su rígido miembro para sentir cómo me llenaba. Empecé a notar una presión que nacía en la parte inferior de mi estómago y que avivaba el resto de mi cuerpo en lentas sacudidas. El aire era tan denso, caliente y escaso que apenas podía respirar. Entonces él encontró un lugar adentro, bien profundo, donde su dura carne golpeaba una vez y otra y otra. Aquellas sacudidas lentas se convirtieron en un líquido a presión que se derramó por mi piel haciéndome temblar, retorcerme y soltar palabras ininteligibles.

Aún lo tenía dentro de mí, cada vez más adentro y más adentro, mientras su respiración se hacía difícil y su ritmo más insistente. Una insistencia que me llevó a un lugar donde solo existe la sensación y luego me empujó más allá.

Se corrió a la vez que yo, su calor se derramó en mi interior mientras su cuerpo se ponía duro contra el mío.

El ascensor se detuvo. Durante un instante ninguno de los dos se movió. Su respiración acariciaba mi mejilla con jadeos entrecortados que yo imitaba. Todavía lo sentía duro dentro y me di cuenta de que el fogoso y urgente apetito que le ardía en la sangre no estaba satisfecho. Lo sabía porque yo sentía lo mismo.

La puerta se abrió. Me bajó, se subió la cremallera del pantalón y me empujó hacia el pasillo. Apenas habíamos entrado en la habitación cuando me tomó otra vez.

Esa fue la tónica del resto del día. Sexo duro y rápido. En cualquier sitio y por todas partes.

No fue hasta primera hora de la tarde cuando la fiebre comenzó a debilitarse y los dos pudimos descansar. Para entonces estábamos en un *spa* de esos donde se podía nadar y más grande que toda mi habitación. A ambos lados había unas cristaleras que nos hubieran permitido contemplar la ciudad y la bahía, si la lluvia no hubiera aparecido y vuelto gris el mundo.

Yo estaba flotando entre burbujas calientes, unos tenues aromas a limón y lima estimulaban mi olfato mientras con los dedos de los pies golpeaba el agua y contemplaba las gotas que brillaban en medio de la fría luz de aquella tarde.

—Pareces pensativa, lobita.

Lo miré. Se sentó en un escalón del otro extremo del *spa*, con sus dorados brazos extendidos a lo largo del borde, mientras su musculoso cuerpo era acariciado por el calor del agua.

—Solo estoy preocupada por Rhoan —dije, inquieta porque Liander no me había llamado todavía, y eso no podía ser buena señal. Si no me llamaba en media hora, lo haría yo.

—Lo has encontrado.

No fue una pregunta sino una afirmación, era extraño.

—No está bien, así que lo he dejado con un amigo en casa cuidándolo.

A Talon le confiaría mi cuerpo, pero no la seguridad de mi hermano.

—Es un lobo. Los lobos somos fuertes por naturaleza. Se pondrá bien.

Asentí otra vez. Lo sabía, pero mi preocupación era averiguar qué le habían estado haciendo en Moneisha. El hecho de que no hubiera cortes visibles o golpes no significaba que no los tuviera en otras partes. Ni tampoco quería decir que no sufriera daños internos.

—¿Champán? —me preguntó tomando la media botella vacía que estaba junto a los escalones.

Lo rechacé con la cabeza.

—No. No me sienta bien.

Se sirvió una copa y se la bebió de un trago. Parecía que disfrutaba de esa bebida con burbujas de la misma manera que del sexo. Yo me sentía físicamente satisfecha, pero una parte de mí empezaba a necesitar más. Aunque si era sincera no sabía decir qué era aquello que quería de más.

Mi mirada regresó al cielo gris y nublado. ¿Cómo sería hacer el amor con Quinn? Debía de ser muy bueno, después de todo, con mil años a la espalda habría tenido tiempo de afinar y mejorar su técnica. Dudaba que Talon hiciera eso alguna vez.

—¿Has pensado en el futuro, lobita? —me preguntó mientras se servía otra copa de champán y se apoyaba contra el cristal.

Lo miré de reojo con curiosidad, preguntándome adónde querría ir a parar con una pregunta como esa.

—No, la verdad es que no. ¿Por qué?

—Entonces, ¿no tienes idea de dónde quieres estar en los próximos diez o veinte años?

—No —respondí, en gran medida porque, de hecho, nadie parecía saber cuánto tiempo me quedaba. Los licántropos solían vivir entre ciento cincuenta y doscientos años, pero los vampiros eran eternos a menos que los mataran. Nadie sabía en cuál de los dos grupos estaba yo.

Hasta ahora mi desarrollo era más lento que el normal en otros lobos pero, por la misma razón, yo no aparentaba una edad inferior a la real.

Trataba de considerar el asunto de la longevidad de la misma manera que considero el de la fertilidad; no pensando en ello. Cuando se convirtiera en un problema, entonces ya me preocuparía.

—¿No desearías tener hijos, casarte o algo parecido? —me preguntó.

—Por supuesto que sí, pero todavía no ha llegado el momento.

Cuando me cambié de sitio, estiró el brazo, atrapó mi mano y tiró de mí acercándome a él.

—¿Y si lo fuera?

—Entonces sí, los hijos y el matrimonio serían parte de mis planes —dije sintiendo la creciente fuerza de su erección, aunque por el momento no intentó penetrarme—. ¿Y tú? ¿Todas estas preguntas quieren decir que el lobo solitario está pensando de verdad en asentarse en un futuro próximo?

Se rió.

—No. Pero quiero un hijo. Quiero que mi nombre perdure en otra generación.

Sonreí con descaro.

—Todos los machos quieren un hijo, pero a veces resulta que tienen hijas.

—Hay formas de asegurar el sexo.

—Prefiero dejárselo a la naturaleza —respondí, a pesar de que si yo se lo dejaba a la naturaleza nunca me quedaría embarazada.

—Entonces, ¿quieres tener hijos en el futuro?

Fruncí el ceño. ¿No le había respondido ya a esa pregunta?

—Como te he dicho, sí. Si encuentro al hombre adecuado.

—¿Y si no lo encuentras?

—No lo sé. Ya me preocuparé de eso cuando llegue el momento.

Deslizó sus manos por mis caderas, moviéndome y luego sujetándome mientras deslizaba su dardo bien adentro. Y aunque el persistente calor de la luna me tenía medio dispuesta a ser suya, el que continuara evitando cualquier caricia preliminar empezaba a molestarme.

Y así se lo dije.

Solo sonrió.

—Cuando la luna está creciendo, el sexo es lo que importa, no las caricias.

—Puede que a ti no te importe, pero a mí sí.

Le quité las manos de mis caderas y me aparté de él, echándole agua en la cara con un puntapié mientras me iba nadando hacia atrás hasta el centro del *spa*.

Sus ojos dorados parpadearon sorprendidos. No esperaba que se lo tomara tan en serio.

—No estabas tan preocupada por la falta de caricias preliminares esta mañana, lobita.

—Eso era esta mañana. Esto es ahora.

—No hay quien complazca a las mujeres ¿a que no? No importa lo que hagamos, nunca acertamos —aunque lo decía con una sonrisa, había un brillo de rabia en sus ojos. No le gustaba ser rechazado, ni siquiera por algo tan simple como el sexo.

—¿Cuánto te cuesta hacer unas caricias? ¿diez?, ¿quince minutos? No es mucho a fin de cuentas.

—¿Yo te satisfago lobita?

—Casi siempre.

—Entonces, ¿cuál es el problema?

Sacudí la cabeza. Me había dado contra esta misma pared antes y sabía por experiencia que nada cambiaría. Talon era quien era, o me aguantaba o lo dejaba.

Calma...

—El problema es que tú supones. Nunca te molestas en preguntar siquiera.

Me estudió por un momento con una expresión atenta y pensativa. Tenía el mal presentimiento de que nuestra relación estaba a punto de cambiar de una manera incomprensible.

—Tengo una pregunta que hacerte, lobita.

Aunque ese presentimiento iba en aumento esbocé una sonrisa.

—La respuesta es no, no puedes tener sexo conmigo todavía. Ahora mismo estoy disfrutando de estar entre burbujas.

—Esa no era la pregunta.

Como si no lo supiera.

—Entonces ¿cuál es?

—¿Querrías ser la madre de mi hijo?

La sorpresa me dejó como si me hubieran dado un golpe en la cabeza.

—¿Qué? —conseguí responder.

—Quiero que seas tú quien tenga a mi hijo.

—Pero... —balbuceé. ¿Estaba loco? Quizás el calor del *spa* le había cocido una o dos neuronas. Debía saber que no estaba dispuesta a arriesgarme a tener el hijo de un hombre al que no amaba—. No somos almas gemelas.

—¿Y qué? No quiero jurarle eternidad a la luna, lobita. Solo quiero un hijo.

—Pues espera a encontrar una alma gemela.

—No quiero una. Quiero tener placer cuando y donde quiera. Pero también deseo un hijo que lleve mi nombre y se haga cargo de mi imperio cuando yo muera.

¿Imperio? Por Dios, sus negocios no eran tan grandes... ¿o sí? Sacudí la cabeza; no podía creerme que estuviera hablando en serio.

—¿Y por qué yo?

—Porque no te pareces a ninguna de las mujeres que he conocido, y un hijo nuestro sería fuerte.

—Esto es una locura. No quiero tener un hijo tuyo —ni de nadie— en este momento. Y por si acaso no te lo he dicho, en mi familia hay problemas de fertilidad. Ese es el motivo de que las manadas de lobos de pelo rojo sean tan pequeñas.

Eso era cierto. Las manadas de pelo rojo eran reducidas justo por esa razón. Y por eso ninguno de los médicos que me había examinado primero pudo encontrar la verdadera razón de mis problemas de fertilidad. Todos habían partido de la premisa de que yo había heredado la infertilidad que se extendía entre nuestra manada y no habían verificado nada más.

—Vamos a examinar tu historial médico.

—¿Vamos? —le interrumpí enfadada—. ¿A qué viene el plural? ¿Y cómo demonios has conseguido ese documento?

—No hay nada que no se pueda comprar si se tiene dinero. Y además he consultado con especialistas. Ellos creen que todo lo que necesitas son unas cuantas inyecciones que te ayuden a ovular.

Si él y sus expertos creían eso, era obvio que tenían el primer expediente y no los más recientes, elaborados por mi médico oficial del Consejo y que estaban protegidos con gran cuidado. Nadie podía acceder a esos archivos sin alertar al Consejo. No era un procedimiento normal, y aunque esa precaución me había ayudado a confiar un poco en ese médico, siempre me había intrigado por qué Jack había implementado ese procedimiento para mí. Ahora sus razones habían quedado claras. Él había sabido todo este tiempo quién era yo y había guardado mi secreto e, incluso, estaba pendiente de cuanto le pasaba a mi cuerpo.

Esos archivos protegidos eran los únicos que mencionaban mi hibridez como la causa principal de mis problemas de fertilidad. Y por lo que me habían dicho, en la actualidad no había en el mercado un medicamento que pudiera ayudarme a ovular.

La sonrisa de engreído de Talon me hizo apretar el puño, pero me resistí a la tentación de darle un puñetazo.

—Talon, si tengo un hijo contigo, me quedaría encerrada bajo llave los próximos diez años o más. Hay pocos lobos que estén dispuestos a estar con el cachorro de otro.

—A ningún otro se lo permitiría. Lo que es mío, es mío.

—No voy a pasarme los próximos diez años sometida un acuerdo de exclusividad contigo. Disfruto de lo que tenemos, pero no lo quiero para siempre.

—Entonces yo criaré al niño.

Negué con la cabeza.

—Si crees que voy a pasar por el trago de intentar concebir solo para que al final otro se lleve a mi bebé, estás loco.

—No estoy loco, pero sí hablo en serio. Quiero que seas tú quien tenga a mi hijo.

¿Cómo podría creerse de verdad que yo iba a estar de acuerdo en algo así? Creo que en todo el tiempo que llevábamos juntos algo debería haber aprendido sobre mí. Sin embargo, cuando me quedé mirándolo, me di cuenta de que la respuesta era no. Talon no me veía como a una persona, solo era una pareja sexual con la que quería tener niños.

—La respuesta es no.

—Por lo menos piénsatelo un poco.

—No —dije saliendo fuera del agua.

Me miró con determinación.

—Siempre obtengo lo que quiero, lobita. Al final lo harás.

—No, no lo haré.

Me lanzó una sonrisa forzada que me hizo desconfiar. No me gustó. Desconfiaba de la prepotencia que escondía.

—Puede que no tengas opción.

Tomé una toalla de la silla y empecé a secarme.

—¿Qué quieres decir?

Su forzada sonrisa de seguridad hizo que mi desconfianza creciera. Estaba planeando algo, algo más importante de lo que yo quería reconocer.

—Quiero decir que he hecho correr la voz de que tú y yo hemos llegado a un acuerdo de exclusividad de dos meses. Durante el celo de esta luna solo podrás volver a mí y no te daré nada de lo que quieres hasta que no estés de acuerdo con mis exigencias.

Me enfurecí, era lo único que podía hacer para no lanzarme contra él y aplastarle esa cara de engreído y borrarle su fría sonrisa.

—Misha volverá pronto y le diré la verdad.

Me miró asombrado.

—Misha no peleará conmigo por ti.

La seguridad de su voz me dio escalofríos, porque sonaba como si conociera a Misha mejor que yo. Lo que era una tontería. Por lo que yo sabía solo se habían visto media docena de veces. Muy poco para haberse hecho amigos.

Dejé la toalla sobre la silla.

—Lo que tenemos está bien. Pero puedo vivir sin ello. Y si no dejas de decir estupideces me iré para siempre.

—Le he dado muchas vueltas a esto, lobita, durante mucho tiempo. No pienso ceder hasta conseguir lo que quiero.

—La respuesta es, y la mantengo, no —dije dándome la vuelta y yéndome hacia la puerta donde estaba mi ropa.

Sus risitas sofocadas me siguieron como si me pasaran hielo por la piel.

—Ya lo veremos, lobita. Ya lo veremos.

Ni me molesté en responder, solo me puse mi falda supercorta y el *top*. Y me largué de allí. Pero tenía la sensación de que las sorpresas de Talon no se habían acabado todavía.

El teléfono sonó cuando estaba saliendo del hotel. Revolví dentro del bolso hasta que lo encontré y me tranquilicé al ver que era Liander.

Apreté el botón.

—¿Está bien? —pregunté.

—Estoy bien, hermanita.

La sensación de alivio se apoderó de mí de tal manera que me brotaron las lágrimas. Parpadeé con fuerza para quitármelas.

—¿De verdad? —pregunté.

—Bueno, no voy a poder bailar mucho en un par de días, pero aparte de eso, sí.

—Entonces ¿te exprimieron?, ¿nada más?

—Por lo que yo sé, sí. Me tenían atado con una cadena de plata y por eso no podía escapar.

—¿Te ha examinado el médico amigo de Liander?

—Sí, estoy bien; como te he dicho solo estoy muy dolorido y tendré que andar un tiempo como si hubiera pasado muchas horas sobre una silla de montar.

—Eso no es nada nuevo, hermano.

Resopló con suavidad.

—No me importaría si me lo hubiera provocado yo.

—Bueno, entonces todo lo que tenemos que hacer es descubrir por qué Moneisha está metida en el comercio de esperma.

—Para saberlo tendremos que entrar allí otra vez, y eso no va a ser fácil.

Se oyó una campana, levanté la cabeza y vi un reluciente tranvía plateado que se aproximaba a la parada del hotel. Crucé corriendo la calzada.

—¿Has hablado ya con Jack?

—Sí. Me dijo que me quedara aquí esperando, que vendría a buscarnos.

—¿Te ha dicho que alguien trató de matarle?

—Sí —vaciló un instante—, también me contó que Kelly ha desaparecido.

Me quedé de piedra.

—Pero... pero se suponía que no tenía que ir a buscarte. Se suponía que iba exclusivamente a otra misión.

—Así era. Jack ha enviado a buscadores. La encontrarán.

La voz de Rhoan quería ser tranquilizadora, pero yo solo podía pensar en los otros guardianes desaparecidos no hacía mucho. No quería que eso le pasara a Kelly. No quería que le pasara a nadie que yo conociera, ni siquiera a nadie a quien odiara.

Con una excepción.

—Gautier la amenazó anoche. ¿Lo ha interrogado Jack sobre eso?

—Sí. Gautier es muchas cosas, hermana, pero no tonto. Dudo que se atreva a atacar a otro guardián.

—Gautier mataría a cualquiera que se interpusiera en su camino.

Sobre todo si pensaba que no lo iban a pillar.

—Kel es una superviviente. Ya lo verás.

Podía ser una superviviente, pero si Gautier había ido tras ella, estaba perdida. Aunque pensaba que tenía mayores posibilidades contra él, que contra quienquiera que estuviera tras las mutilaciones de los otros guardianes.

—Si le hace daño —no podía decir si la mata, ni siquiera quería pensar en ello—, acabaré con él.

Le volaré los sesos y le clavaré una estaca en ese corazón podrido.

—Si le ha hecho daño, no tendrás que hacerlo, Jack lo hará por ti.

Quizá sí. Quizá no. Después de todo Gautier era el mejor. Resoplé y cambié de asunto.

—Jack sabe lo nuestro.

—Lo ha sabido desde hace mucho. Puedes confiar en él, hermanita.

También pensaba que podía confiar en Talon, pero después de la discusión que habíamos tenido, ya no estaba tan segura.

—¿Dónde estás ahora mismo? —añadió—. O mejor dicho ¿cuánto tiempo tardarás en volver aquí?

—He estado con Talon en el Kingfisher —dije mirando al reloj—. Tardaré media hora en llegar porque tengo que ir al aparcamiento del Casino para recoger el Mercedes de Misha.

—¿Misha te dejó uno de sus queridos juguetes? —la voz de sorpresa de Rhoan sonó alta y clara.

—No soy tan mala conductora.

—Y eso lo dice una mujer que ha estrellado ¿cuántos en diez años?

—Ocho —mascullé—. Pero solo dos de esos accidentes fueron culpa mía.

—El tribunal todavía no ha dicho nada acerca de los otros seis.

—Te he sacado el trasero de una cárcel, hermano, así que sé un poco amable conmigo.

Se rió entre dientes.

—Si insistes.

—Lo hago —vacilé y añadí—: Jack intenta involucrarme en esta investigación. No quiero estar más metida de lo que ya estoy, Rhoan. Yo no quiero ser un guardián.

—Lo sé —el tono alegre de su voz desapareció—. Y haré lo que pueda para que te libres de serlo, pero no creo que te puedas escapar de este caso en concreto.

Eso no era lo que yo quería oir.

—Deberías llamar a Talon y a Misha para advertirles de que tu trabajo está creándote problemas que pueden afectar a tu vida privada —dijo, tras hacer una pausa, y añadió—: Diles que tengan cuidado.

—Misha ha vuelto a su manada, y no tengo ninguna intención de hablar con Talon hasta que hayan pasado un par de días. Es un miserable.

—Siempre lo ha sido. Pero tú no veías en él nada más allá del sexo.

—Es verdad. Pero entonces el sexo era muy bueno. —O al menos lo había sido hasta hacía poco. No estaba segura de qué había cambiado ni sabía por qué. Talon desde luego no lo había hecho.

—Solo ten cuidado, Riley.

No hacía falta que me lo dijera.

—Hasta pronto, hermano.

Colgué y tomé el tranvía en dirección al Casino.

Si no lo sacaba pronto del aparcamiento, me iba a costar más de lo que valía ese viejo Mercedes de Misha. Me metí en el ascensor para bajar al tercer nivel y me asomé para mirar hacia la explanada de cemento. A cierta distancia se oía gotear el agua y más allá vi escabullirse unas sombras.

Se oyó un susurro y unas débiles pisadas, seguidas de la suave caricia de olor a menta en el aire. Me detuve en seco, tensé los músculos mientras miraba alrededor. No se veía a nadie más ahí… sin embargo, lo había. Recorrí la penumbra con la mirada hasta llegar a las esquinas más distantes. Allí estaba escondido un vampiro, pero no era lo que yo percibía. Había algo más… algo desconocido.

Olfateé el aire y percibí una mezcla de humedad y humo de tubos de escape, pero por debajo de esos olores, olía a viejo. A algo podrido.

A algo casi muerto.

Se me revolvió el estómago. Apreté el puño y me forcé a seguir avanzando. El Mercedes se encontraba solo dos filas más adelante, más cerca que el ascensor. No podía pensar en retroceder aunque quisiera, porque fuera lo que fuese lo que desprendía aquel olor, se encontraba entre mí y el ascensor.

Un aire fétido acarició mi mejilla. El vampiro estaba avanzando. Extraje las llaves de mi bolso y apreté la del mando a distancia. Como respuesta se encendieron las luces traseras, que iluminaron por un instante a su alrededor con una intensa luz amarilla.

Abrí la puerta y lancé el bolso adentro. Sentí un hormigueo de alerta en el cuello y me di la vuelta. Algo brilló en el aire, un cordón de plata con una flecha venía hacia mí. Maldije y me agaché, pero estaba demasiado cerca e iba demasiado rápido para esquivarlo. Cortó el abrigo hasta llegar al brazo, incrustándose dentro de la carne. El dolor me invadió y con él una sensación de frío. Un frío helado que se extendía desde la herida hasta el hombro y bajaba hasta la

mano. Me arranqué aquello con un gran esfuerzo, sintiendo que la mitad de mi brazo se iba con el cordón y grité.

Cuando lo levanté, vi lo que estaba pegado en la punta de la flecha. Mi carne colgaba de ella.

Un calor latente me recorría el brazo cuando de las sombras surgió un chupador de sangre hambriento con una fuerza tan imponente que casi me tumbó. El sudor me empapaba la frente y temblaba, aterida.

Grité al aire. Parpadeé para activar mi visión de infrarrojos y vi una mancha de calor que se abalanzaba sobre mí. Me moví dándole una patada tan fuerte como pude. Pero mis movimientos parecían ir a cámara lenta, así que el vampiro esquivó el golpe con facilidad.

Me lanzó un puñetazo. Lo esquivé y mi pelo se levantó al pasar rozando mi cabeza, entonces me puse de pie con el puño cerrado golpeándolo de lado y hacia arriba. El puñetazo impactó bajo su mandíbula y lo tumbé. La fuerza del golpe me dejó los dedos entumecidos e intenté devolverles la sensibilidad otra vez.

El sudor hacía que los ojos me escocieran y me dificultaba la visión. Parpadeé pero no conseguí nada. El vampiro era apenas una mancha borrosa roja que se volvió para ponerse de pie y se me echó encima. Arremetió a golpes contra mí. Yo lo veía todo borroso y sentía como si mis pies estuvieran pegados al suelo. Un puñetazo me dio en la barbilla y me tiró hacia atrás. Solté un quejido al darme contra la puerta del automóvil y me caí de lado al suelo, expulsando el aire de mis pulmones con mucha fuerza. Unos puntitos de luces bailaban ante mis ojos y no estaba segura de si era porque me faltaba el aire o por algo más.

Entonces el vampiro me golpeó y se abalanzó sobre mí. Lo noté caliente y pesado. Aunque jadeaba y luchaba para que las tinieblas no me consumieran, pude oír su gruñido. Las sombras comenzaron a desvanecerse mostrándome unos rasgos demacrados y unos ojos marrones de muerto que eran idénticos a los de Gautier. Sus dientes se alargaban y la saliva goteaba de ellos ante la expectativa de comida.

Metí la mano entre los dos y traté de apartarlo. Era como intentar mover una montaña. La fuerza se me escapaba, y la oscuridad se cernía sobre mí y me acercaba a aquella cosa muerta.

Miraba y esperaba.

No sabía qué era. No me importaba. Solo sabía que no podía dejar que me poseyera.

Los dientes del vampiro se hundieron en mi carne y un súbito ardor atravesó todas las células de mi cuerpo. Solo se oía el ruido que hacía al succionarme con avidez, lo último que hubiera oído si no hubiera reaccionado enseguida.

Tomé tanto aire como me fue posible y reuní las últimas fuerzas, cada vez más debilitadas, que me quedaban. La energía me llegó a los brazos y sujeté la cabeza del vampiro, para luego apartarla de mi carne y retorcerle el cuello con violencia.

El hueso chasqueó. Rompiéndole el cuello no lo mataría, pero lo inmovilizaría y eso me permitiría escapar.

Rodé por el suelo, saqué las llaves del Mercedes y me levanté con dificultad. El aparcamiento parecía girar en torno a mí y, por unos segundos, me quedé de pie, quieta, tratando de respirar mientras el sudor me resbalaba por la cara y la sangre me salía del cuello y del brazo. Tenía un sabor amargo en la boca, la garganta más seca que el Sahara y el corazón me latía como si fuera a salírseme del pecho.

Había algo en la flecha que me había disparado. Algo para dejarme fuera de combate.

Enfrente, una criatura fría y azul avanzó hacia mí. Parecía flotar más que caminar, brillaba por unos instantes y se desvanecía enseguida.

Parpadeé dudando de lo que estaba viendo. Si es que en realidad estaba viendo algo.

Luego llegó el olor. Era una cosa muerta. Una cosa que no podía dejar que me poseyera.

Traté de subirme al vehículo, pero las piernas se me habían transformado en dos bloques de hielo insensibles y de pronto, me caí otra vez. Me di contra el suelo jadeando mientras la oscuridad me cubría.

Lo último que recuerdo haber visto fueron unas manos que venían hacia mí.

Aquellas manos eran azules y se pegaban como las de un lagarto.

Capítulo 8

Recuperé el conocimiento poco a poco. Llegaba con dolor, como un calor palpitante que me irradiaba desde varios sitios del brazo y el cuello con pequeños fogonazos que procedían de los tobillos y las muñecas.

Oía ruidos a mi alrededor y el corazón me latía al compás del dolor. Entre los ruidos predominaba uno bajo, cuyo ritmo resonaba en el metal que había debajo de mí, confundiéndose con el rugido más grave y gutural del motor. Una carcajada profunda, fuerte y masculina atravesó el aire. Con ella llegó un olor a almizcle, a menta y a podrido entremezclado con un olor metálico a sangre. La abundante sangre que se había quedado seca en la manga de mi abrigo.

Abrí los ojos de golpe. Lo único que podía ver era la oscuridad. Parpadeé, y me di cuenta de que se debía a algo que me tapaba. A través de la tela se filtraba la luz por diminutos agujeros, lo que indicaba que era de día. Me preguntaba si sería el mismo día u otro.

Una carcajada se superpuso otra vez al ruido y a través del intenso olor almizclado de la manta que me cubría noté un tufillo a alcohol. Prefería que se debiera a que mis captores estaban bebiendo, antes de que procediera de la manta. Las posibilidades de escapar aumentaban de forma exponencial si aquellos hombres estaban bebiendo.

Me moví un poco para mitigar el dolor de los brazos. Las cadenas sonaron raspando con dureza el suelo de metal sobre el que me hallaba. El ruido de fondo cesó y me quedé paralizada.

—¿Se ha despertado? —dijo una voz grave y gutural.

Por unos instantes hubo silencio.

—No, ya te dije que la exprimieron tanto como para tumbar a un elefante —oí que alguien comentaba—. No se despertará por lo menos en otras veinticuatro horas. La segunda voz era idéntica a la primera.

De nuevo el silencio. Oí el murmullo de las ruedas contra la carretera, y después de un rato, me quedé dormida. Un portazo me despertó un poco más tarde.

El ruido de la carretera había cesado, y también el del motor. El fuerte olor de los dos hombres era menos intenso y solo oía la respiración de uno de ellos.

Esa podía ser la única oportunidad para escapar. Bajé un poco mis defensas psíquicas y pude oír algunos de los pensamientos del hombre que todavía estaba en la furgoneta. A diferencia de los guardas de Moneisha, este hombre estaba protegido contra intrusión psíquica.

Maldije para mis adentros. Eso haría más difícil la huida. La única oportunidad que de verdad tendría ahora era llamar su atención para hacerle venir a la parte de atrás.

¿Y cuál era la mejor forma de llamar la atención de un hombre? Enseñarle los pechos, por supuesto.

Moví una mano. Otra vez el metal tintineó al rozar contra el metal. Estaba claro que me habían encadenado, y por cómo me ardían las muñecas y los tobillos aquellas cadenas eran de plata. No podría adquirir la forma de lobo hasta quitármelas.

El hombre se movió en el asiento delantero. Permanecí quieta, esperando hasta que el crujido del asiento me indicara que había acabado con lo que estaba haciendo. Despacio, con cuidado, desabroché los botones del abrigo y luego me subí el jersey. Una vez tuve los pechos fuera, tiré de aquella pestilente manta y me moví apoyándome sobre la espalda. Seguí con los ojos cerrados, respirando despacio y con regularidad, como si todavía estuviera sin sentido.

El asiento chirrió de nuevo, y luego se oyó una respiración que se cortaba de forma súbita y repentina. Percibí una oleada de deseo a mi alrededor, un apetito tan intenso como el de un lobo.

Durante unos segundos no ocurrió nada. Luego la furgoneta se tambaleó mientras el hombre pasaba a la parte de atrás junto a mí. El olor a almizcle y a muerto se hizo tan intenso que mi nariz se contrajo. Percibí la maldad en esos olores. Ese hombre no era humano, no era un lobo, tampoco era un metamorfo ni un vampiro. Era algo más, algo con lo que no me había topado antes.

Y fuera lo que fuese, se estaba muriendo.

Su calor me llegó a la piel. La respiración era entrecortada y brusca y el olor de su deseo resultaba tan fuerte que me avivó la fiebre de la luna.

Se detuvo. Entreabrí un poco los párpados y lo vi acercarse. Aquellos ojos de un marrón terroso le daban un aspecto voraz. Alrededor del cuello llevaba un alambre fino, la defensa psíquica. Si se lo quitaba, su mente sería mía.

Me recorrió los pechos con los dedos, su tacto era cálido y repugnante. La bilis me subió a la garganta, pero resistí el impulso de moverme. Me sonrió mostrando unos dientes que eran tan puntiagudos como los de cualquier vampiro, pero estaban negros y cariados.

Un poco después me di cuenta de que estaban alargándose. Iba a alimentarse... de mis pechos.

De una sacudida le encajé un golpe cortante y ascendente en la tráquea con tanta fuerza como pude. Sonó como si hiciera gárgaras y abrió mucho los ojos mientras luchaba por respirar.

No le di tiempo a pensar ni a reaccionar, le quité el alambre del cuello y casi le arranqué el pescuezo al hacerlo. Ya sin él, pude bajar mis defensas psíquicas y meterme en su mente, para así controlarlo con celeridad.

Lo empujé hacia atrás contra el panel de la furgoneta. El dolor me quemaba la herida del brazo y comencé a sudar por la frente. No tenía mucha fuerza para sujetarlo y me vi obligada a cambiar de mano. Las cadenas sonaron como un chirrido discordante frente a aquella extraña y estridente respiración.

Con la mano libre, sin hacer caso del dolor que iba en aumento, le sujeté la cara y lo forcé a mirarme.

—¿Dónde se ha ido el otro?

Su voz resultaba tan inexpresiva y falta de vida como sus extraños ojos.

—A cagar.

Así que tenía cinco minutos más en el mejor de los casos.

—¿Dónde están las llaves de la cadena?

—Las tiene él.

Maldije por lo bajo.

—¿Dónde estamos?

—En una parada de descanso cerca de Seymour.

Eso quedaba a unos setenta y dos kilómetros de Melbourne. Estaba claro que no habían sido los suficientes como para haberme sacado tanto del cuerpo, porque había dormido menos de una hora.

—¿Dónde están las llaves de la furgoneta?

—En el contacto.

—Ponte en el asiento del pasajero.

Me obedeció. Me enjugué el sudor que me resbalaba hasta los ojos y, por la intensidad del dolor que empezaba a sentir, supe que no podría mantener el control durante mucho tiempo.

Retiré la manta y miré las cadenas. Con toda seguridad eran de plata, no de metal y, por suerte, no estaban fijadas a la furgoneta. Querían restringir mis movimientos, pero no esperaban que me despertase hasta haber llegado a su destino. Me bajé el jersey, salté a la parte delantera de la furgoneta y encendí el motor.

—¿A dónde me lleváis?

—A Genoveve y luego a Libraska.

El primer nombre me sonaba a algo. Lo había oído antes. Pero por el momento no tenía tiempo de reflexionar sobre ello ni de seguir haciéndole preguntas. Debía escapar antes de que el segundo hombre llegara, porque dudaba de que tuviera la fuerza suficiente como para luchar con los dos.

—Si tienes un teléfono, dámelo.

Lo hizo.

—¿El hombre que está en el cuarto de baño tiene otro?

Asintió con la cabeza. Maldije entre dientes. En el mismo instante en que me llevara la furgoneta llamaría a sus superiores para informar de ello, y no había nada que pudiera hacer para evitarlo. Mi control mental tenía unos límites y no podía quedarme a esperar solo para destruir el segundo teléfono. No merecía la pena arriesgarse.

—Baja y vete al baño.

Obedeció de nuevo. Me incliné en el asiento de al lado para cerrar la puerta y salí marcha atrás. Las ruedas rechinaron contra el asfalto y por el rabillo del ojo vi a alguien que salía corriendo del servicio de caballeros con los pantalones moviéndose a la altura de sus rodillas.

Con una sonrisa forzada, metí la marcha atrás y arranqué a toda velocidad. El control que mantenía sobre aquel hombre se rompió y al hacerlo el dolor me estalló como un cristal. Miré por el retrovisor, y aunque las lágrimas me enturbiaban la vista, pude ver al segundo hombre corriendo tras de mí. Era veloz. Un vampiro veloz.

Pisé a fondo. Aquella vieja furgoneta vibró, empezó a aumentar su velocidad, y a echar humo en cuanto aceleré después del stop del área de descanso y me metí entre el tráfico fluido de la autopista de Hume.

Eché un vistazo al retrovisor y vi que el segundo guarda estaba tan cerca como para abrir las puertas de atrás. Dudaba de que la furgoneta pudiera alcanzar más velocidad, así que opté por la mejor opción, pasarme del carril central al de la izquierda poniéndome delante de otro vehículo. Unas ruedas chirriaron tras de mí. Levanté la vista y vi un Ford que tras derrapar de costado, chocaba contra la parte trasera de la furgoneta y me empujaba hacia delante. Mientras yo luchaba por controlarla, el Ford hizo un trompo en la misma trayectoria del guarda y lo lanzó hacia arriba por encima del capó. Aterrizó en una banda entre el carril central y el de la izquierda y se quedó allí inmóvil.

Seguí acelerando. Me había escapado. Ahora solo tenía que regresar con mi hermano. Una cosa era cierta, no podía hacerlo en la furgoneta, por el accidente y porque seguro que ya habían informado de mi fuga a quienes estaban detrás de mi intento de secuestro. Tomé la salida hacia Seymour y aminoré. Lo último que necesitaba era que la policía me detuviera. Crucé la ciudad y me metí en una callejuela cerca de las afueras. La seguí hasta llegar a un cruce. Después de mirar a ambos lados, crucé y me dirigí a la derecha, porque era un camino que desaparecía entre los árboles.

Después de adentrarme en aquella ruta arbolada, salí a la carretera y me detuve. Fue entonces cuando reaccioné. Me quedé quieta, sentada, aspirando el airc y tragándome la bilis, mientras todo mi cuerpo temblaba.

Al final, encontré fuerzas para moverme. Tomé el teléfono y abrí la puerta. Las cadenas de las piernas no eran muy largas, y me obligaban a dar saltos en lugar de caminar.

Estaba anocheciendo y a través de las eveas se veían pedazos de filamentos rojizos de cielo. El aire era frío y traía aromas de eucalipto y hierba. En la distancia mugían unas vacas y más allá susurraba el agua.

Saqué el teléfono del bolsillo y me dirigí hacia allí. Lo que yo necesitaba con urgencia era algo de beber. Además, tenía que alejarme de la furgoneta.

Pero andar entre matorrales no era fácil, en especial estando encadenada. Cuando llegué al río, tenía la boca reseca, la cabeza me estallaba, los músculos protestaban a cada paso y los árboles parecían bailar enloquecidos.

Me arrodillé en una orilla llena de lodo, y usé las manos para beber con avidez. El agua sabía a suciedad, pero estaba fría y eso era lo que importaba. Me salpiqué con ella la cara y el cuello, y luego me lavé la sangre de la mano izquierda.

En la distancia se oía la risa de las cucaburras. Me hubiera reído con ellas de haber tenido energía. Vaya desastre. Tanto que decía Jack que yo sería un buen guardián para esto.

Con un suspiro, me arranqué el abrigo y luego desgarré la manga del jersey para ver la herida. Era otro desastre, hinchada, roja y con un agujero más grande que mi puño. Estaba cubierta de una costra y ya no sangraba, pero no tenía buen aspecto. Necesitaba transformarme en lobo y que mis capacidades naturales de curación hicieran su trabajo. Pero con las cadenas encima estaba atrapada en mi forma humana.

Mojé la manga, me lavé el brazo y luego envolví el pedazo de tela alrededor de la herida. El vendaje no era muy higiénico, pero no tenía elección. Además, la frescura aliviaba mi piel febril. Me volví a poner el abrigo, luego me levanté y estudié los alrededores.

¿Y ahora hacia dónde?

Me froté la cabeza porque sentía pinchazos, y me quedé como obnubilada mirando los árboles del otro lado del riachuelo. No podía volver a la ciudad con las cadenas puestas, ni tampoco arriesgarme a ir a ningún sitio cerca de la autopista. Necesitaba ayuda y la necesitaba rápido, porque tenía la ligera sospecha de que el brazo se me iba a poner mucho peor. Tenía aquel teléfono, pero ¿me atrevería a usarlo? El seguimiento por satélite es tan sofisticado hoy en día que podían señalar con precisión de milímetros cualquier cosa que tuviera un chip GPS y muchos teléfonos móviles lo tenían.

Ese pensamiento me hizo sacarlo del bolsillo. No estaba encendido, pero ¿era eso importante? No lo sabía. No podía pensar. Me quedé mirándolo un instante, luego lo tiré al suelo, lo pisé y después arrojé los restos al río a puntapiés. Mejor prevenir que curar.

Durante unos segundos, me quedé mirando el horizonte, balanceándome y preguntándome qué hacer. Luego me dirigí hacia el río. Me puse a buscar el teléfono móvil inclinándome sobre el agua. Las cadenas se enganchaban en las rocas y después de mirar un centenar de veces se me ocurrió que quizás habría caído fuera del agua.

Llegué hasta la orilla y me encaramé a un montículo. En medio de la confusión que empezaba a dominar mi mente me surgió un pensamiento: tenía que alejarme de la furgoneta.

Los filamentos rojizos de los cirros del atardecer se iban desvaneciendo en la oscuridad. El repiqueteo de las cadenas se mezclaba con el cricrí de los grillos y entre la hierba que había a derecha e izquierda se oía el susurro de más insectos. Por encima de mi cabeza la luna estaba creciendo, podía sentir su presencia más que verla. Corrí. El sudor bañaba mi cuerpo y los músculos me temblaban. Cada respiración que hacía me ardía en los pulmones, pero todo ello no era nada comparado con el dolor que irradiaba desde el brazo. Sentía como si alguien me estuviera poniendo en él una plancha caliente que quemaba y quemaba.

Tropecé en la carretera sin darme cuenta de que estaba en ella. Me tambaleé hacia atrás, las arcadas me subían hasta el pecho mientras luchaba por aspirar el aire que mi organismo reclamaba. Una señal se movió borrosa ante mis ojos y parpadeé. No me ayudó mucho. Con la mano temblorosa me quité el sudor de la cara y traté de enfocar la vista. Baker, quién sabe dónde quedaba eso. Miré a un lado y a otro de aquella extensión polvorienta, sin ver indicios de civilización en ninguna parte. Olisqueé el aire. Un ligero aroma primaveral rozó la noche, era jazmín. Ese no era un olor propio de ese tipo de maleza. Tenía que haber una casa por ahí cerca.

Me dirigí de nuevo a los árboles y caminé en paralelo a la carretera. No muy lejos se oyó el mugido de unas vacas y regresé a la calzada. Ante mi vista surgió un edificio que no parecía una casa; era una cabaña estrecha de dos plantas que tenía el cableado de la luz. Quizá fuera un refugio de fin de semana, desocupado.

Me detuve y activé mi visión de infrarrojos de vampira. No había manchas rojas que indicaran vida en ninguna parte; nada que no fueran las vacas.

Me sentí aliviada, pero al mismo tiempo temblorosa y más débil que nunca. Obligué a mis pies a moverse y escuché con atención. Aparte de los grillos y las vacas no se oía nada más. El aroma de jazmín se hizo más fuerte y estornudé. Media cabaña estaba cubierta por una parra; era obvio que los dueños no padecían la fiebre del heno.

La puerta estaba cerrada. Me eché hacia atrás y le di una patada, casi perdí el equilibrio al hacerlo. Se abrió de golpe y la vaca que se encontraba más cerca de mí dio un salto y se apartó.

De la cabaña salió un olor a vainilla, eucalipto y humedad que enseguida fue dominado por el jazmín. Entré y cerré la puerta. Aunque estaba oscuro, mi visión de vampira me permitió ver que aquella habitación era una mezcla de cocina, sala de estar y comedor, todo en un amplio y único espacio. Lo que parecían unas escaleras partían de la parte de atrás y era probable que llevaran al dormitorio de arriba. Y junto a ellas, había un teléfono.

El agradable hallazgo me sorprendió y me tambaleé. Me dejé caer sobre un escalón, estiré el brazo para tomar el auricular. Funcionaba. Si hubiera tenido fuerzas me hubiera puesto a bailar.

Los números eran manchas borrosas que no distinguía, por lo que marqué guiándome más por el tacto que por la vista. Preferí llamar a Jack antes que a Rhoan, sobre todo porque mi hermano habría percibido mi angustia y con dolores o sin ellos, seguro que estaría buscándome. Y mi confuso cerebro no podía recordar el teléfono de Liander, que es con quien estaba. Cuando sonó el timbre de llamada me incliné por la barandilla intentando no hacer caso del martilleo de la cabeza y del brazo. Trataba de no pensar en que la oscuridad parecía estar cercándome.

—Parnell al habla.

Cerré los ojos, nunca en mi vida había sentido tanto alivio al oír el tono brusco de mi jefe.

—Jack, soy Riley.

—Por Dios santo, muchacha, ¿dónde estás?

El mundo giraba, me quemaba, se oscurecía y no me quedaba mucho tiempo. No demasiado antes de que la oscuridad se me llevara. Lo interrumpí.

—Estoy en alguna parte en una zona deshabitada que hay más allá de Seymour. En una cabaña en la carretera que va a Baker. Hay vacas... y jazmín.

—¿Riley? No cuelgues, rastrearemos la llamada.

—Ellos me están rastreando —dije—. Deprisa...

Mi voz se desvaneció y la oscuridad me tragó.

❋❋❋

Cuando afloró la consciencia, de nuevo apareció la sensación de dolor. En el brazo, en las muñecas y en los tobillos. Un dolor angustioso que me quemaba.

Me moví, quejándome débilmente, tratando de escapar del calor pero incapaz de hacerlo. Al moverme, un suave algodón acarició mi piel y fue entonces cuando me di cuenta de que no estaba en las escaleras sino en algún lugar blando y agradable. Sentía agua en mi frente, helada en contraste con mi piel febril.

—Todo está bien —me aseguraba una voz cálida y aterciopelada—. Estás a salvo.

¿Cómo podía estar a salvo si me sentía como si estuviera metida en un horno?

—¿Quinn?

—Sí, Riley.

Me humedecí los labios y me forcé a abrir los ojos. Su rostro flotaba sobre mí, era una cara angelical inexpresiva con unos ojos negros avivados por la furia.

—Lo siento —dije con una voz ronca—, pero no podía dejar que te llevaras a Rhoan a Sidney. No, hasta que yo hablara con él.

—No te preocupes de eso ahora.
—¿Dónde estamos?
—Todavía en la granja.
Maldije por lo bajo e intenté levantarme, pero los músculos se me deshicieron como el agua. Él me sostuvo con facilidad.
—Nos encontrarán —protesté.
—Si alguien nos encuentra, yo me encargo.
Aunque este tono era inexpresivo, su cara no me dejó dudas de cómo se las arreglaría.
—Ahora necesitas descansar.
—No puedo —le dije, y sonó como si yo fuera una niña malhumorada y así era como me sentía—. Es como si estuviera ardiendo.
—Lo sé —su voz parecía seria—. Rhoan volverá enseguida.
—¿De dónde? ¿Por qué no está aquí?
—Calla —dijo con suavidad—. Solo descansa y no malgastes tus fuerzas.
Sus palabras fueron como una orden que mi cuerpo estaba deseando obedecer. Cerré los ojos, pero no podía ignorar aquella quemazón. Moví la mano para encontrar una postura más cómoda y oí el tintinear de las cadenas.
—¿Por qué las llevo todavía?
—Porque aquí no hay nada lo bastante fuerte para cortarlas —su mente penetró en la mía con una presión ligera que no podía rechazar. «Duerme Riley».
En contra de mis instintos y en contra de mi voluntad, lo hice.
Cuando me desperté otra vez, por fin había disminuido el dolor. Yacía en medio de la oscuridad y ya no sentía

como si estuviera bajo el gratinador de un horno. El dolor palpitante de mi brazo había cesado, a la par que el que provenía de los tobillos y de las muñecas. Me moví y me alivió oír solo el susurro del roce de las sábanas. Por fin, me había librado de las cadenas.

Abrí los ojos. Vi unas sombras mezcladas con hilos de araña. Parpadeé y observé que por encima de las telarañas el techo era de hierro ondulado, todavía estaba en la cabaña. El ambiente era polvoriento y con mucho olor a madera, humo y vainilla. Pero superponiéndose a ellos destacaba un cálido olor a especias y cuero. Un olor que reconocería en cualquier parte. Sonreí y miré a mi izquierda.

Rhoan permanecía sentado en una silla junto a la cama, su pelo rojo y corto estaba disparado en varias direcciones, tenía los pies descalzos y estirados contra el tocador y las piernas algo separadas. No llevaba *jeans*, solo unos boxer negros, aunque sí se había puesto un jersey. También negro. Considerando su gusto por los colores vivos, resultaba sorprendente que fuera vestido de ese color tan básico.

Me miró con sus ojos gris claro y noté en ellos que sentía cierto alivio.

—Empezaba a preguntarme si despertarías alguna vez —dijo con una voz que denotaba cansancio—. La herida era peor de lo que pensábamos —continuó, mientras quitaba los pies del tocador y se acercaba con cuidado. Al sentarse, la cama crujió—. Decir peor es quedarse corto.

Me tomó de la mano y se la llevó al pecho, junto a su corazón. Su pulso firme resonó a través de mis dedos y supe, sin que me dijera una sola palabra, lo cerca que yo había estado de dejar esta vida.

—Nunca vuelvas a intentar morirte otra vez, ¿me oyes? No te lo permitiré. Nunca.

Las lágrimas me inundaron los ojos y las aparté con un parpadeo.

—Pero era solo una flecha...

—Una flecha de plata —me interrumpió—. Con púas diseñadas para abrirte la carne y atravesar todo tu cuerpo. Te envenenaron por dentro y por fuera.

El horror me hizo echarme hacia atrás. No me extrañaba que quemara. Tragué saliva, pero no me quitó la sequedad de la garganta.

—Pero ¿por qué lo han hecho si querían lo mismo de mí que de ti?

Se encogió de hombros.

—La teoría de Jack es que una mujer tiene una cantidad fija de óvulos desde que nace, mientras que el hombre sigue produciendo esperma. Quizá lo que querían eran todos tus óvulos.

Quienes quiera que fuesen, eran unos miserables. Y además estaban locos.

—¿Entonces habéis conseguido sacarme las púas?

—Con un escáner experimental que Jack pidió prestado al Consejo. Tenías una de las púas en el hombro, y las otras dos habían ido directas a tu brazo —vaciló—. Te pusiste a delirar. No fue nada fácil.

Su tono daba a entender que había ocurrido algo y no era difícil adivinar de qué se trataba. Una vez me quitaron la plata de encima, mis instintos naturales se habrían apoderado de mí estuviera o no delirando.

—¿A quién ataqué?

Hizo una mueca.

—A Quinn. Le dejaste el brazo bastante mal antes de que pudiéramos controlarte.

Atacar al hombre al que quería seducir no era una de las cosas más inteligentes que había hecho en mi vida.

—¿Tiene algún lobo en su historia familiar?

—No.

Por lo menos había algo bueno en eso, no tendríamos que vigilarle durante las noches de luna llena.

—¿Cuánto tiempo he estado así?

—Veinticuatro horas. Es martes y son las cuatro de la tarde más o menos.

—Espero que le digas a Jack que no creo que pueda ir a trabajar.

Sonrió.

—Jack lo sabe. Todavía está abajo.

Bostecé.

—¿Por qué? —le pregunté después.

—Porque otra vez han atentado contra su vida. Hasta que sepamos qué está ocurriendo, esta cabaña será nuestro cuartel general temporal.

—Estoy segura de que a los dueños les encantará.

—Los dueños están de viaje en el extranjero y no volverán hasta dentro de dos semanas. Aquí estamos más seguros que en ningún otro sitio.

—El único problema con eso es que nos encontramos en medio de ninguna parte.

—Eso no significa nada hoy en día—lo dijo sonriéndome, luego me besó los dedos y se levantó—. ¿Estás lista para comer algo?

—Supongo —respondí y me detuve—. ¿Qué pasa con la luna? No podremos evitar lo que nos pasa y aquí va a resultar un problema.

Su sonrisa se desdibujó, y se pasó la mano por su corto cabello.

—Lo sé. Liander está aquí, pero con lo que me dijiste de Talon por teléfono no creo que quieras tenerlo cerca.

—No quiero.

—Entonces una posible solución para ti es Quinn. Su manera de comportarse en las últimas veinticuatro horas da a entender que le interesas.

Sonreí.

—Sé a ciencia cierta que está más que un poco interesado en algo de acción con una licántropo.

Su boca recuperó la sonrisa, pero en sus ojos se reflejó un brillo de preocupación.

—Ten cuidado con él, hermanita.

Mi recelo anterior hacia Quinn volvió entonces a aparecer de repente.

—¿Sois amigos de verdad?

—Sí y por eso te aviso. Me parece que es un tipo por el que podrías colarte. Pero... no lo hagas.

—No es un lobo. Casi no cualifica como el tipo por el cual yo me colaría —respondí, me detuve y luego añadí—: ¿Entonces por qué me avisas?

—Porque una licántropo casi lo destroza y ha jurado no volver a liarse con otra.

—Eso ya me lo ha dicho él. ¿Qué le hizo esa licántropo?

—No conozco los detalles. Solo sé que no volverá a confiar en otro lobo.

—Pero confía en ti.

—Solo hasta cierto punto —dijo, encogiéndose de hombros, como si no le importara y no le doliera, aunque yo sabía que no era así. Como yo, Rhoan tampoco tenía muchos amigos de verdad—. Solo aprovecha el sexo si te lo ofrece pero lárgate cuando se termine. Confía en mí, es todo lo que conseguirás de todas formas.

Me estudió un instante, luego se inclinó hacia mí y me besó en la frente.

—Te traeré algo de comer. Quédate ahí y descansa.

Le sujeté el brazo antes de que se fuera.

—¿Se sabe algo de Kelly?

Vaciló y luego negó con la cabeza.

—Todavía la están buscando.

Cerré los ojos y a pesar de mis esfuerzos para impedirlo, el temor se acrecentó. Aunque me consoló pensar que la falta de noticias podía ser una buena noticia; todavía tenía esperanzas. Debía aferrarme a eso. Tenía que hacerlo.

Puso su mano sobre la mía y la apretó suavemente.

—Estará bien, hermanita.

Asentí y le solté el brazo. Salió. Todavía caminaba como un vaquero que ha estado varios días sobre la silla de montar. Respiré y dejé salir el aire despacio, luego levanté la sábana y estudié la situación. El brazo izquierdo lo tenía vendado desde el hombro hasta los dedos así como la muñeca derecha y los dos tobillos. Aunque me dolían, podía mover los dedos, así que había vuelto a tener suerte. Pero ¿hasta cuándo me duraría esa suerte? Tarde o temprano esos desgraciados podrían atraparme, a menos que nosotros lo hiciéramos antes.

Claro que para atraparlos yo tendría que formar parte del equipo de Jack. Tenía que dar un paso más para darle lo que quería... a mí como guardián.

—Está todo en su sitio si es eso lo que miras.

En la intensidad de la cálida voz de Quinn había un tono alegre y le miré sonriendo.

—A una mujer le gusta comprobar estas cosas por sí misma, no lo dudes.

Una sonrisa burlona se dibujó sobre su boca seductora animando sus ojos oscuros y alterándome el pulso. Puede que la luna aún no fuera llena, pero con su presencia la fiebre comenzaba a quemarme las venas

Tomó la silla que Rhoan había dejado libre y la acercó a la cama.

—¿Cómo te encuentras?

—Bien —contesté con mucha educación—. ¿Cómo te sientes tú?

Su sonrisa se llenó. Pasó un dedo por mi mejilla entreteniéndose cerca de la boca.

—Por lo menos ya no quemas.

Él no podía notarla en esa parte.

—¿Qué tal tu brazo?

El bulto que veía bajo su jersey me indicaba que yo había hecho un buen trabajo, su brazo izquierdo estaba tan vendado como el mío.

Se encogió de hombros.

—Los vampiros nos curamos tan deprisa como los lobos. Estaré bien en veinticuatro horas o así.

—Siento haberte atacado —le dije apenas con una sonrisa—. Las dos veces.

Sus dedos descendieron por mi cuello, dejando un rastro caliente en mi piel. Tenía una expresión distraída, una mirada que nada tenía que ver con el anhelo de sangre, aunque sí con un hombre contemplando a una mujer desnuda.

—Los dos fueron instintivos. No hay nada que perdonar.

Me acarició los hombros y echó un vistazo a los vendajes. Se me puso la piel de gallina, era una sensación que no se debía ni al dolor ni al temor.

—Pero hay algo de lo que tenemos que hablar.

Volvió a mirarme. Un brillo iluminaba la profundidad de sus ojos negros y sentí su calor en todas mis fibras.

—Quiero tenerte.

Parece que los licántropos no eran los únicos directos en lo que se refiere a sexo.

—Bueno.

Me rozó con los dedos los pechos y mis pezones despertaron a esta dolorosa vida. Mi mente debería estar aconsejándome prudencia pero solo decía: ¡Sí, Sí!

—¿Cuándo? —hablaba en voz baja, con un cálido deje irlandés que puso a mi ya arrítmico pulso a mil por hora.

—Pronto —le dije en susurro—. Ahora no.

Deslizó la mano bajo las sábanas, que emprendió una agonizante ruta circular hasta llegar a mis resentidos pezones. Despacio, coqueteando, rodeó uno de mis duros pezones con el dedo pulgar.

—Es una pena.

Mis hormonas pensaron lo mismo.

—Cuéntame cosas sobre la loba que te hizo daño.

Se detuvo, pero sentí sus dedos cálidos sobre mi piel como si estuviera poniéndome su marca. Luego me miró a los ojos, y en ellos vi su frialdad. Rhoan tenía razón. Este hombre solo me daría sexo. La loba que había estado antes con él, había destrozado su corazón de vampiro.

Dejó de tocarme y aunque lo sentí, la curiosidad era para mí más fuerte que el deseo. Uno de estos días iba a tener que atar esa curiosidad innata, si quería evitar meterme en terrenos movedizos; pero si no pudiera evitarlo, preferiría que fuera con uno de los vampiros más *sexys* que he conocido.

Se echó hacia atrás en la silla con cara inexpresiva.

—¿Por qué?

—Porque Rhoan me ha advertido de que no me involucre mucho contigo, y como él rara vez me da ese tipo de consejos, quiero saber por qué me lo dice ahora.

En sus rasgos severos se asomó una expresión de sorpresa.

—¿Rhoan te ha dicho eso?

—Tú también me lo dijiste —le recordé—. Si no interpreté mal tus palabras, las licántropos solo somos buenas para uno o dos bailes, pero nada más.

Me miró a los ojos. Su profunda mirada reflejaba dureza y frialdad.

—Básicamente así es.

—¿Eso quiere decir que piensas como los humanos, que las lobas no somos más que unas putas que tienen poco o ningún control sobre sus instintos?

—Sí.

Resoplé, estaba muy decepcionada.

—Y yo que creía que mil años habrían dado algo de conocimiento a tu cerebro.

Sonrió de manera sombría.

—Mil años han metido el conocimiento a golpes en mi cerebro. Y mis experiencias con los lobos han confirmado mis ideas.

Recordé las fotos que había visto de su prometida y los artículos que mencionaban su desaparición.

—Eryn era una loba, ¿no?

Asintió, de forma rápida y tajante.

—¿Qué te hizo?

Dudó durante un instante, pero dudó. Su rechazo a hablar del asunto era claro, aunque al final habló. ¿Significaba eso que me deseaba a mí más que guardar sus secretos?

—Nos conocimos durante una fase lunar —dijo, en un tono bajo y sin su acento seductor—. Pero la fiebre continuó después. Nunca tenía bastante de ella y yo creía que era amor.

Lo miré extrañada.

—¿Y no lo era?

—No. Era una droga que llaman «Eternidad».

Fruncí el ceño. Nunca había oído hablar de una droga llamada «Eternidad», aunque había muchas de esas en los clubes.

—¿Qué efecto tiene?

—Imita el efecto de la fiebre de la luna en otras razas que no sean licántropos.

Abrí unos ojos como platos.

—Eso es peligroso.

—Muy peligroso. Por suerte solo era experimental. Eryn trabajaba en la compañía que la estaba desarrollando y decidió someterla a prueba con su propio cuerpo. Yo fui el sujeto a quien ella eligió.

Pues no seleccionó bien, porque cualquiera con dos dedos de frente vería que no es muy conveniente meterse en especial con este vampiro.

—Entonces, ¿no te quería?

—Ah sí, estoy seguro de que quería mi dinero.

Parpadeé ante lo profundo de aquella rabia que se evidenciaba en su rotundidad.

—¿Qué pasó?

—Compré la compañía, y luego destruí todo el proyecto.

—¿Entonces ya no existe esa droga?

—No.

—¿Y que pasó con Eryn?

—Lo último que oí es que estaba trabajando en un burdel de Sidney —dijo con una repentina y feroz sonrisa—. Un trabajo apropiado para alguien que no era más que una furcia que iba tras el dinero.

Me quedé mirándolo con fijeza, pues sabía que él habría dominado su mente y habría alterado la imagen de sí misma, haciéndole creer que era aquello en lo que se había convertido. Tuve un escalofrío. Como castigo, aquello era de lo más duro.

—¿Y yo detrás de qué voy?

—Solo del sexo —dudó; luego me dedicó una sonrisa seductora que dejó mis hormonas revueltas y los dedos de los pies se me encogieron—. Lo que me hace volver a la pregunta del principio, ¿cuándo?

—Mi hermano insiste en que coma y retome fuerzas antes de hacer nada demasiado vigoroso.

—Y yo pretendo ser muy vigoroso.

Qué hombre....

—¿Qué tal si sellamos este trato con un beso? —dije, sintiendo que iba a explotar de frustración si no lo cataba. Aunque era posible que también explotara si me besaba.

Se inclinó hacia mí, tomó mi cara entre sus manos mientras se adueñaba de mi boca. Nunca antes había sentido un beso de esa manera, era como una posesión larga y lenta que me dejó jadeando y más caliente de lo que nunca había estado por ningún hombre.

No podía esperar para ver qué me haría cuando tuviera tiempo de explorarme con más detenimiento.

—Tu hermano está subiendo las escaleras con la comida —susurró, mientras sus labios rozaban los míos una vez más, antes de sentarse.

Aspiré con fruición, pero ya estaba llena de su olor, de la intensidad del sándalo combinada con la pura masculinidad. Olía como para comérselo. O al menos para mordisquearlo. Y chuparlo.

—Mi hermano siempre tan inoportuno —murmuré.

Quinn sonrió y se levantó. Miré hacia abajo y vi complacida que me deseaba con tanta desesperación como yo a él.

—Siento interrumpir vuestra fiesta —dijo Rhoan cuando entró—. Pero tienes que comer antes de que gastes demasiada energía.

—Y yo también —comentó Quinn, lanzándome una mirada que fue suficiente para calentarme por dentro—. Aunque la sangre sintetizada no es lo que yo preferiría ahora mismo.

Desapareció escaleras abajo y de pronto recordé respirar.

—¿Estás seguro de que no tiene antecedentes de lobo? —pregunté, enderezándome para que Rhoan pudiera ponerme la bandeja sobre las rodillas.

Rhoan sonrió.

—Ese es de los potentes, ya le daría yo. Lástima que sea heterosexual.

Me quedé mirándolo.

—No me digas que le tiraste los tejos.

—Joder, claro. ¿No lo harías tú si entras en un bar y lo ves? —me colocó la bandeja sobre las rodillas y se sentó—. Me rechazó con educación, empezamos a hablar y el resto, como se suele decir, es historia.

—¿Hace cuántos años fue eso? —tomé el cuchillo y el tenedor y examiné el revuelto que había en el plato. Me parecieron huevos con beicon pero no estaba segura. Mi hermano no era lo que se dice un buen cocinero.

—Solo uno.

—¿Y por qué no nos presentaste?

Ahora fue él quien me miró.

—Y eso me lo dice una persona que despotrica de todos los vampiros diciendo que son unos cerdos arrogantes.

—Bueno, todos los que he conocido lo eran, pero Quinn no lo es.

—Tiene sus días, no te creas —dijo mientras se levantaba otra vez—. Si tienes ganas de levantarte después de comer, ven abajo.

Asentí.

—¿Cómo es que Jack ha permitido que se quede Liander?

—Porque esto parece algo más grande de lo que los tres podríamos manejar —dijo y se encogió de hombros—. Liander está aquí porque lo necesito y porque es uno de los mejores artistas maquilladores del país.

Lo miré extrañada.

—Eso suena como si hubiera un plan.

—Así es. Cuando bajes, te pondremos al corriente.

—¿Y cómo se supone que voy a ir abajo? ¿Cómo Dios me trajo al mundo?

Sonrió.

—Recuperamos tu bolso del Mercedes de Misha. Está en la silla que hay junto a las escaleras.

Volvió a bajar. En cuanto me comí el revuelto que él llamaba comida, me transformé para ayudar a que las heridas se me curasen más rápido, luego me puse algo de ropa encima y lo seguí.

Todos estaban sentados a la mesa, incluido Liander.

—¿Cómo te encuentras, cariño? —preguntó Jack, mirándome de arriba abajo con sus verdes ojos de una manera muy paternal.

—Un poco dolorida, pero bien.

Asintió con la cabeza.

—¿Nos quieres contar qué te paso?

Me senté en la única silla que quedaba libre y me dispuse a hacerlo.

Rhoan frunció el ceño.

—No había oído que hubiera centros de investigación en Genoveve y Libraska.

—Ni yo tampoco —convino Jack—. Tendríamos que buscar bien en los dichosos registros para encontrarlos. Eso si es que están allí.

—¿Qué quieres decir? —pregunté, tomando una manzana que había en el centro de la mesa—. Pensaba que todas las instalaciones de investigación, ya fueran gubernamentales o privadas, tenían que estar registradas.

—Solo en los últimos cincuenta años. Había muchos sitios, en especial los militares, que se construyeron en el siglo veinte y que nunca se registraron, por cuestiones de seguridad. Era una época muy inestable.

—¿Y qué hay de la criatura que la atacó—preguntó Quinn—. No se parece a ninguna que yo conozca.

—No. Pero si están investigando con los pilares elementales de la vida, quién sabe hasta dónde llegarán —dijo Jack mirándome—. ¿Estabas en condiciones de averiguar algo más?

Lo miré con extrañeza.

—¿Que si tuve alguna oportunidad?

—Siempre hay alguna opción.

Resoplé con suavidad.

—Entre tú tratando de coaccionarme y esos pirados que me perseguían, me parece que la oportunidad se me escapó por la ventana.

No se molestó en protestar, solo sonrió.

—Vas a ser un guardián maravilloso.

—Sería mejor que persiguieras a Liander en lugar de a mí, tendrías más posibilidades.

—Ya lo ha hecho —comentó Liander, mientras sus ojos de color plata emitían un brillo entre divertido y molesto—. Y lo quiera o no y aunque por poco tiempo, me han reclutado en esta pandilla.

—Bueno, tú fuiste militar y lo cierto es que has caído bastante bien — añadió Rhoan con una sonrisa perversa—. Además piensa solo en las ventajas: en mí.

Liander esbozó una sonrisa burlona.

—¿Por qué crees que estoy aquí? Al menos no tengo que compartirte con ese borracho.

—Qué mala leche —la sonrisa de Rhoan se agrandó.

—Es la verdad —dijo Liander en tono seco.

—Ya vale —interrumpió Jack y me miró—. Estamos planeando un ataque doble. Hemos planificado una avería que dejará sin energía eléctrica la zona de Ferntree Gully. Rhoan y yo asaltaremos Moneisha e investigaremos un poco más.

Eso me dejaba a mí con Quinn. La sola idea excitó mis hormonas, que iniciaron un pequeño baile.

—¿Seguro que Moneisha no tiene generadores de seguridad conectados?

—Y con seguridad también escáneres portátiles—añadió Quinn.

Jack asintió.

—Pero los generadores solo sirven para lo básico y podremos evitar a los guardias lleven o no escáneres.

—Y mientras tanto ¿qué haré yo? —pregunté.

—Buscar documentación en la oficina de Alan Brown.

—¿Cómo? Todas las oficinas de arriba se abren con escáneres oculares.

—Sí, pero los escáneres han estado dando problemas en las últimas veinticuatro horas, y hasta que se resuelva el incidente se ha permitido a todo el personal que utilice unas tarjetas y unos códigos especiales para entrar.

—Muy práctico —dije con frialdad.

Se limitó a sonreír.

—Alan Brown tiene la vieja costumbre de llevar prostitutas a su oficina. Por desgracia esta tarde se ha tomado un café que no le ha sentado nada bien y se ha marchado a casa. No se despertará hasta mañana.

—¿Y cómo lo habéis conseguido? Tú y yo sabemos que Brown no tomaría nada que viniera de ti ni borracho. Y tampoco le has podido pedir a un guardián que altere el café, porque ahora mismo no sabemos en quién confiar.

Jack asintió.

—Pero sé que puedo confiar en la directora.

Lo miré sorprendida.

—¿Alex Hunter? Esa mujer es una zorra.

—Y esa zorra es mi hermana.

No importa cuál sea la situación, siempre acabo metiendo la pata por bocazas.

Rhoan se rió y Jack extendió su brazo por la mesa para darme unas palmaditas tranquilizadoras en la mano.

—No importa. Es una zorra casi siempre, pero lo mismo que nosotros quiere saber a toda costa qué es lo que está pasando allí. El Consejo es su niño mimado —ella fue una de las que presionó para que se creara— y no tiene ninguna intención de dejar que lo utilicen para propósitos tan ruines. Así que durante este fin de semana, tú, Rhoan y yo estamos en servicio especial y deberemos informarla a ella y a nadie más.

Eso significaba que estaba dando mi primer paso como guardián. Y no había nada que yo pudiera hacer. Si decía que no, me encerrarían en algún lugar a salvo y eso sería casi peor, no solo porque yo era un lobo y no podía permanecer en espacios cerrados, sino porque mi parte retorcida quería estar metida en esto. Es posible que no deseara ser un guardián, pero esos desgraciados habían venido dos veces a por mí y el lobo quería venganza.

Miré a Quinn.

—¿Pero cómo nos vamos a meter en la oficina de Brow si Quinn no se parece en nada a él? —pregunté, porque para empezar Brown estaba muy, muy lejos de ser atractivo.

—Se parecerá cuando termine con él —respondió Liander.

—¿Crees que puedes conseguir también que yo parezca un putón? —le pregunté, ya que si sonaba la alarma no podía arriesgarme a llevar la peluca y el maquillaje azul otra vez.

Liander sonrió con sorna.

—No sabes cuánto tiempo hace que esperaba renovar tu imagen. Tienes que actualizarte, Riley.

Me había hecho ese comentario más de una vez y le saqué la lengua antes de volver a mirar a Jack.

—¿Cuándo nos vamos?

—En cuanto todo el mundo esté listo. Liander se hará cargo del fuerte.

—¿Y después nos volveremos a encontrar aquí?

Jack asintió.

—Movámonos, muchachos.

Sonreí. Sonaba como al viejo sargento que una vez fue. Me levanté mordisqueando la manzana mientras iba al piso de arriba para darme una ducha. Asaltar la oficina de Alan Brown no era lo que yo había pensado hacer esa noche, pero por lo menos estaría con Quinn.

Y lloviera o tronara, esa noche pensaba sacudir su tradicional y pequeño mundo.

Capítulo 9

—¿No podías haber alquilado un automóvil menos llamativo? —dije, aceptando la ayuda de Quinn para salir del Porsche.

Se encogió de hombros y dio un portazo. Los seguros se cerraron de forma automática y sonó el breve pitido de la alarma al activarse.

—Es veloz, cómodo y además, estoy medio pensando en comprarme uno. Es una buena manera de probarlo.

Una fuerte brisa levantó los mechones de pelo gris que llevaba peinados tapándole la calva, y se le quedaron tiesos como palos. Eso combinado con una perilla, mejillas hinchadas y una ligera barriga cervecera configuraban la imagen de un hombre que había dejado atrás sus días de gloria. Costaba creer que bajo aquel maquillaje hubiera un individuo atractivo hasta el extremo. Sonreí abiertamente.

—Tendrían que darle una medalla a Liander por el trabajo que ha hecho contigo.

Se quitó el abrigo y me lo puso sobre los hombros. Luego deslizó su brazo bajo el mío y entrelazó sus dedos con los míos. El calor me hizo temblar y todo el fuego de mi cuerpo se concentró. Apenas eran las nueve de la noche y la luna empezar a salir. A pesar de ello la fiebre solo era un leve ardor en la sangre, una fuerza lista para explotar. Respiré con fuerza e intenté no hacer caso. Sin embargo, no podía obviar la caricia del calor de su cuerpo mientras caminábamos juntos hacia el edificio del Consejo. No podía no hacer caso de la tensión que me transmitía, una tensión que reflejaba una necesidad tan fuerte como la mía.

—Tampoco ha hecho un mal trabajo contigo —el tono alegre de Quinn había desaparecido debido a los moduladores que llevaba insertados en las mejillas. Lo que oí transmitía la severidad de Brown—. Aunque me parece que me gusta más el color azul que el blanco. Así se te ve un poco fantasmal.

Ese era el efecto que Liander buscaba. Según parecía, la moda que venía era de estilo fantasmagórico. Personalmente yo estaba de acuerdo con Quinn. Lentillas blancas, pelo blanco y maquillaje blanco eran demasiado horripilantes.

Al menos había conseguido que me dejara con mis botas *sexy*, aunque cambió la camiseta perforada y la microfalda por un vestido ceñido, superfino, y muy parecido al estilo de los que llevaban las putas de Brown, según habíamos comprobado en los videos de seguridad. Parecía que a ese tipo le gustaban las mujeres desnudas y listas para la faena.

Quizá por eso Quinn me había puesto su abrigo sobre los hombros. Porque debajo de aquella tela de gasa no llevaba nada de nada y con el brillo de la luz de la calle se me transparentaba todo. A mí no me importaba; pero sonreí al recordar un par de comentarios de Quinn sobre la indecencia y la respetabilidad. Iba a disfrutar mucho cambiando su manera burguesa de entender el sexo, para hacérselo ver como algo extraordinario.

Subimos las escaleras y nos dirigimos a la entrada principal del Consejo. Quinn tecleó los códigos y pasó la tarjeta. Las puertas crujieron al abrirse y los rayos rojos de los escáneres nos analizaron. Ninguno de los dos iba armado, así que no se dispararon las alarmas. Tampoco tuvimos problemas con el escáner dactilar. Liander había cubierto las huellas de Quinn con las que Jack sacó de los archivos.

—Subdirector Brown —dijo el guarda que estaba en la recepción, mirándome con unos ojos desorbitados—. No lo esperábamos por aquí esta tarde.

—Tengo un pequeño asunto que tratar —replicó Quinn con una sonrisa lasciva, mientras me daba unas violentas palmadas en el trasero. Se conocía los movimientos de Brown al dedillo y tuve que morderme la mejilla por dentro para contener la risa.

—Tendré que introducir mi código en el ascensor para que se ponga en marcha —dijo el guarda—. Lo cerramos de noche.

Quinn asintió y el guarda nos acompañó. Abrió el ascensor pero no se apartó, lo que me obligó a pasar junto a él presionando un poco su cuerpo para poder entrar. Al hacerlo, me pasó la mano por el trasero, y me apretó un poco.

Quinn se movió tan deprisa que solo cuando oí el crujir de un hueso me di cuenta de que había pasado algo.

—No toques la mercancía pagada con mi dinero —dijo en un tono tan rotundo y frío que hizo palidecer al guarda.

—Lo siento, señor director —tartamudeó.

—Hazlo otra vez y te despediré.

Soltó la mano del guarda y entró en el ascensor conmigo. Esperé hasta que la puerta se cerró.

—Eso ha sido algo exagerado —dije—. En las cintas hemos visto que esos incidentes son normales cuando Brown trae a esas mujeres.

—No me importa. Ese hombre no tiene ningún derecho a tocarte.

—Estamos disfrazados. Tenemos que actuar en equipo.

Me miró, pero no podía leer nada en la expresión de sus ojos porque llevaba unas lentillas azules.

—Puede que sea tu plan de juego, pero no el mío. Y menos con una cosa como esa.

—Brown no es un caballero y no parece que le importe compartir. Recuérdalo.

—No soy Brown. Recuerda eso tú.

Las puertas se abrieron antes de que pudiera contestarle. Quinn me puso la mano en la espalda, guiándome por la penumbra de aquel vestíbulo. El calor se acumulaba en las puntas de sus dedos extendiéndose sobre mi piel como una ola. La fiebre apareció como respuesta y las venas se me hincharon. Podía rechazarla, pero ¿por cuánto tiempo?

Las cámaras siguieron nuestro trayecto a través del vestíbulo. Cuando llegamos a la oficina de Brown, tecleó el código de acceso, pasó la tarjeta y luego me llevó hacia adentro.

En cuanto volvió a conectar el cierre de la puerta, las luces se encendieron. Me detuve en medio de la sala y miré alrededor. Aunque conocía el plano de la oficina sus dimensiones me impresionaron. No era tan enorme como la que Talon tenía en su casa, pero aun así era muy grande. Ni tampoco tenía los muebles baratos y uniformes que amue-

blaban los pisos inferiores. Eran de caoba y tapizados de piel en su totalidad.

Tiré la cazadora en la silla que tenía más cerca y me fui hasta la otra punta de la habitación.

—Pongamos una luz menos intensa —dijo Quinn detrás de mí.

En su voz noté un tono de urgencia y me quedé mirándolo. Su sonrisa era forzada. Y con todo ese maquillaje no resultaba nada agradable.

—Ese medio vestido que llevas puesto resulta del todo transparente con mucha luz.

Hice una pose y parpadeé varias veces poniendo cara de inocencia.

—¿Y no te gustan las vistas?

—¡Me encantan las vistas!, pero por desgracia, necesito concentrarme en lo que hemos venido a hacer.

Sonreí y señalé lo que parecía una pared blanca que estaba frente a mí.

—Bueno, entonces ¿quieres comenzar por abrir los armarios para que podamos empezar?

—Armarios abiertos —dijo en un tono algo huraño.

Se oyó un breve clic y la supuesta pared se deslizó a un lado. Me dirigí hacia los que había al fondo, mi sonrisa fue mayor cuando oí tras de mí un leve gemido. Estaba claro que el vestido se transparentaba incluso bajo la luz menos intensa.

—No sé qué espera Jack que encontremos —dije sacando el primer cajón—. Lo más probable es que Brown no sea tan estúpido como para dejar algo que lo incrimine en su oficina.

—Estaría mucho más seguro que si lo guardara en su casa —comentó Quinn desde el otro extremo—. Este lugar tiene más protegido que Fort Knox[2].

Lo miré extrañada.

—Y lo sabes porque...

Sus labios dibujaron una sonrisa, unos labios que seguían siendo grandes, lascivos y ¡ah!... tan necesitados de besos.

—Porque tengo un pasado que es todo menos respetable.

Eso es lo que Jack me había dicho.

—¿Robaste en Fort Knox?

—Su seguridad no era tan sofisticada entonces. Y desde luego no lo bastante buena como para evitar que entrara un vampiro decidido a hacerlo.

No me extrañaba que fuera rico hasta tal punto. Meneó la cabeza.

—No fue el primer banco que sufrió pérdidas inexplicables —dijo, riéndose entre dientes.

—¿Lo tomaste por costumbre?

—Durante un tiempo me dediqué a actividades delictivas. La respetabilidad llega a aburrir después de unos cuantos siglos

Lo miré sorprendida.

—¿Y cuánto tiempo hace que estás en tu actual fase de respetabilidad?

—Lo bastante como para empezar a sentirme un poco viejo —dijo señalando el armario que yo estaba abriendo—. Si no empiezas a buscar, nunca vamos a salir de aquí.

---

2 N. de la T.: base militar estadounidense donde se guardan las reservas de oro de ese país.

Y yo quería salir de allí porque deseaba hacer el amor con él. Estuviera o no envuelto en esa fea capa exterior.

Empecé a echar una ojeada a los papeles. En esta era de maravillas electrónicas resultaba increíble la cantidad de papel que todavía se usaba. Claro que aquello no era simple papel, sino un plástico especial reciclado, que se le parecía y se utilizaba en las mismas copiosas cantidades de siempre.

Pasó media hora hasta que encontramos algo.

—Costes financieros —dijo Quinn— de un proyecto sin especificar —siguió leyendo los papeles con el ceño fruncido y añadió—: El proyecto no fue aprobado por el Consejo.

Abrí otro cajón.

—Nada raro en este. Por lo que Jack dice, más de la mitad de los proyectos que se presentaron al comité fueron rechazados.

Me miró a los ojos.

—Era para una investigación sobre el genoma. La propuesta se presentó hace quince años.

Fruncí el ceño.

—¿Por qué iba a guardar algo así?

—¿Lo preguntas en serio? —arrojó la carpeta a una silla que tenía cerca y continuó buscando.

El cajón que yo había abierto estaba lleno de cajas y más cajas de discos plateados del tamaño de la yema de un dedo. Saqué uno y sonreí.

—¿Qué te apuestas a que a Brown le gusta grabar sus hazañas para la posteridad?

—¿Hay algo por aquí donde podamos examinarlos?

—Sí, pero no tenemos tiempo de mirarlas todas. Nos llevaría una eternidad.

—Comprueba un par de cada caja. Yo seguiré buscando en los cajones.

Le lancé un disco.

—Compruébalo tú. En este momento no necesito ver a otras personas haciendo el amor.

—Yo tampoco, créeme.

—Ya, pero para ti las consecuencias de excitarte y ponerte nervioso son bien diferentes que las padecidas por un licántropo cuando se excita y se pone nervioso.

Sonrió.

—Ah, pero conseguir que una loba se excite y se ponga nerviosa tiene sus beneficios.

—En este preciso momento no.

—Tienes razón. Escoge algunas y las veremos después juntos.

Sonreí abiertamente.

—¿En la privacidad de un dormitorio quizá?

Justo acababa de decir esas palabras cuando un movimiento llamó mi atención. Desde la entrada se acercaban unos pasos que venían hacia la oficina. Parpadeé, cambiando con rapidez mi visión a infrarrojos. Las paredes se fundieron y pude ver a dos hombres. Aunque eran apenas dos borrones rojos de calor, el metal que veía al lado de cada uno me hizo pensar en guardas.

—Quinn —le advertí por lo bajo—. Unos guardas vienen derechos hacia aquí.

Se dio la vuelta en redondo y empequeñeció los ojos.

—Les han hablado de la muchacha que Brown tiene en la oficina y tratan de verla simulando una comprobación rutinaria de seguridad.

El hecho de que pudiera leer sus intenciones, sabiendo que había sistemas de bloqueo psíquico por todo el edificio, venía a confirmar lo que Jack había dicho antes de que el Consejo nunca tendría a un vampiro como Quinn. Y mi lobo interior reaccionó a esto con un deseo feroz.

—Parece —Quinn continuó— que Brown las deje que lo hagan mientras no abran la boca sobre lo que pasa aquí.

—Si Jack lo sabe, no es un secreto de estado.

—Yo me atrevería a decir que Jack sabe más lo que pasa aquí que los otros directores. —Se detuvo otra vez—. El guarda de abajo les ha dicho que se aseguren de que la cámara está encendida. Eso nos impedirá atacarlos.

Lo miré.

—Si les atacamos, pondríamos sobre aviso de que andamos tras ellos, a Brown y a quienquiera que esté detrás de todo esto. No podemos arriesgarnos todavía.

—Entonces les daremos lo que quieren, un espectáculo —dijo. Se dirigió hacia una de las sillas para las visitas y se sentó—. Será mejor que vengas ya a poner tu precioso trasero aquí, porque casi están en la puerta.

Hice lo que me pedía y me senté a horcajadas en su regazo, con los muslos sobre sus caderas y las piernas estiradas y abiertas, una a cada lado de la silla. Era una posición tan íntima que hacía latir con fuerza la sangre en mis venas, aunque todavía no era lo bastante próxima para mi gusto. Me deslicé hacia atrás y antes de que él se diera cuenta yo ya estaba bajándole la cremallera y liberando su pene. Luego me contoneé sobre él hasta que lo tuve justo debajo de mí; carne dura contra carne húmeda.

Gimió.

—Por Dios, Riley, no te muevas o estoy acabado.

Le sonreí.

—Se supone que tenemos que dejar que esos tipos echen un vistazo.

—Y esto es todo lo que pretendo que vean —dijo y al tocarme la cara con su mano, noté sus dedos fríos contra mi piel—. Cuando haga el amor contigo por primera vez, no será con público. Y, por supuesto, elegiré un sitio sin duda mucho más cómodo que una oficina.

—Eres demasiado antiguo. El público puede añadirle picante —añadí contoneándome un poco solo para burlarme de él. Inspiró una profunda bocanada de aire y un estremecimiento le recorrió todo el cuerpo con la misma intensidad—. Además, si te quedas ahí sentado como un maniquí de escaparate, van a sospechar que algo va mal.

La sonrisa que mostraron sus labios resultaba pícara sin paliativos.

—No tengo ninguna intención de quedarme aquí sentado sin más.

Pasó sus manos rozándome por un lado y me quitó el modelito de gasa. Lo dejó caer junto a la silla, luego deslizó una por mi espalda atrayéndome hacia sí hasta que los pezones tocaron sus labios.

Comenzó a recorrerlos con su aliento cálido y húmedo haciendo que se me pusiera la piel de gallina. Luego la lengua reemplazó al aliento y muy despacio, con languidez, avanzó hasta donde el pezón estaba dilatado. Cuando sus labios lo rodearon, lo succionó metiéndoselo muy adentro de la boca y temblé, hasta que se me escapó un inevitable grito de placer.

Se río por lo bajo, con un sonido gutural que era tan seductor y excitante como su tacto, y pasó al otro pecho.

Se oyó el clic de la puerta al abrirse. La respiración de los dos hombres hendió el silencio, era un sonido que se volvía áspero y se aceleraba. No me importaba nada lo que los dos hombres estuvieran sintiendo o viendo. No cuando cada fibra de mi ser vibraba de placer.

Quinn juntó mis dos pechos con sus manos de forma delicada, mientras su lengua lamía un pezón duro y luego el otro. Me retorcí en su regazo, disfrutando de la presión de su erección y del modo en que llevaba el ritmo y se contraía. Cuando al final se salió, gemí. Deslizó las manos hasta mis caderas y me levantó, luego volvió la cabeza hacia la parte de atrás de la silla.

—Caballeros, me parece que han visto bastante por esta noche —dijo.

La puerta se cerró. Los pasos se alejaron.

—¡Oh, Dios! —exclamé con una voz rasgada—. No puedes parar ahora. —Si lo hacía me moriría.

—No tengo ninguna intención de parar —aunque sonó la voz de Brown, el deseo y la pasión que había en ella excitaron aún más mis ya magullados sentidos.

Metió su mano entre mis piernas abiertas, arañó la piel con sus dedos. Me estremecí, presionaba contra su contacto, segura de que me rompería si no empezaba ya.

—Deja de jugar —gemí cuando lo hizo una segunda vez.

Sonrió de nuevo, luego me sujetó el cuello envolviéndolo en su mano y me llevó hacia sí. El beso con el que tomó mi boca era ardiente, lascivo, con estilo, como ningún otro hombre me había besado.

Mientras su boca reclamaba la mía, sus dedos se deslizaron entre los dos, presionando hacia mis profundidades y acariciando con destreza. Me moví para que tuviera un amplio acceso y gemí cuando sus dedos resbalaron hacia dentro. Luego, con el dedo pulgar me presionó el clítoris y comenzó a frotar adentro y afuera. Me estremecía y me retorcía mientras aquella dulce presión aumentaba y aumentaba, hasta sentir como si cada fibra de mi ser fuera a rasgarse de puro placer.

Cuando acabó, le agarré por los hombros hincándole las uñas en la carne mientras los temblores me sacudían.

Hasta que volví a respirar me pareció que pasaban siglos.

—¡Uau! —fue todo lo que conseguí decir.

—Uau de verdad —dijo con un tono mezcla de satisfacción masculina y tensión—. ¿Te sientes un poco mejor ahora?

—En realidad me siento un poco egoísta. Y eso es porque —dije cambiándome de sitio, atrapándosela y metiéndomela adentro— creo que tengo que devolverte el favor.

Bajó sus manos hasta mis caderas y me levantó. Después, me miró con su sonrisa peligrosa y me revolucionó otra vez el pulso.

—Cuando haga el amor contigo, Riley, será después de una larga y lenta seducción de tus sentidos. Me gusta hacer las cosas bien la primera vez.

Aquel tormento me consumía. No debía de saber mucho sobre licántropos si pensaba que lo iba dejar marchar después de decirme algo así. O al menos sin darle a él algo de placer.

Y había más de una manera de dar placer, como me había demostrado con generosidad. Lo miré sorprendida.

—¿De verdad?

—De verdad. Te lo he dicho, estoy chapado a la antigua.

—Entonces me imagino que lo mejor es ponerse en pie y volver a lo que estábamos haciendo.

Le puse una mano en el pecho, sujetándole en el sitio mientras ponía una pierna sobre la suya. Su erección, con todas las venas y sus nódulos, y la carne cada vez más dura, se veía dolorida en extremo y con la piel enrojecida y brillante a causa de mi sudor. Mantuve la mano sobre su pecho y me incliné hacia él para darle un beso largo y delicado. Luego, antes de que pudiera reaccionar, me arrodillé junto a él y atrapé su miembro erecto con una mano mientras deslizaba mi lengua alrededor de su punta. Saltó y luego se quejó.

—¡Por Dios, no!

—¿No qué? —murmuré, recorriendo arriba y abajo su miembro con los labios humedecidos.

—Esto es peligroso. Cualquier retraso podría resultar arriesgado.

Había una desesperación en su voz que me hizo sonreír. Este vampiro quería lo que yo le estaba dando, no importaba lo que dijeran sus palabras.

—Me gusta el sabor del peligro —mi lengua regresó a la punta y añadí—: Y me encanta tu sabor.

Me lo metí en la boca. Lo llevé adentro, chupándolo y saboreándolo y jugueteando hasta que sus movimientos empezaron a ser desesperados y un gusto salado que salió de dentro empezó a escurrirse de mi boca. Chupé de nuevo, esta vez más fuerte, y se corrió, con gran intensidad y violencia, sacudiendo su cuerpo con todas sus fuerzas.

Cuando terminó, lamí la punta y levanté la cabeza.

—Bueno ¿ha disfrutado de eso el hombre chapado a la antigua?

—Eres una bruja —meneó la cabeza como si todavía no creyera lo que acaba de hacer—. Y como te decía, cualquier retraso podría costarnos caro. Incluso el más espléndido de los retrasos.

Sonreí.

Salir con un paquete abultado con el tuyo sería peligroso. Los guardas se preguntarían qué habías estado haciendo aquí en realidad.

—Es cierto —dijo, me ayudó a levantarme con suma amabilidad y me pasó el vestido—. ¿Continuamos investigando entonces?

No estaba del todo dispuesta a continuar con lo que habíamos empezado, pero él tenía razón en una cosa, estábamos allí para trabajar, no para jugar.

Seguimos buscando en los cajones. Yo iba por el último cuando encontré una carpeta que decía: Proyecto Espectro Blanco. No lo había oído antes, aunque en mi puesto era difícil oír o ver nada que fuera de alto secreto, pero el nombre me despertó curiosidad. Dentro había planos, dibujos de edificios y cosas semejantes, así como los nombres de varias personas que ya no trabajaban en el Consejo. Le pasé la carpeta a Quinn.

—Mira esto.

La tomó y le echó un vistazo.

—No me dice mucho —aunque al mirar el nombre del dorso frunció el ceño aún más—. ¿Sabes? Genoveve es una forma de Guinevere, que son, la primera una palabra francesa y la segunda, galesa. Creo que Guinevere significa tanto «ola blanca» como «espectro blanco».

—¿Y?

—Pues que los espectros blancos son una modalidad de vampiro.

Puse un gesto de sorpresa.

—¿En serio?

Asintió.

—Es un poco forzado, pero llegados a este punto, creo que podemos agarrarnos a cualquier cosa.

Tiró la carpeta sobre la silla junto con la otra. Terminamos de buscar en todos los cajones posibles pero no encontramos nada más. Elegí un par de discos, Quinn volvió a cerrar los armarios, y se dirigió hacia el teléfono con las carpetas.

—Se graban todas las llamadas desde los despachos —le dije mientras levantaba el teléfono.

—No pretendo usarlo —tenía un dedo extendido en el que se veía un puntito del tamaño de una cabeza de alfiler y dijo—: Lo último en micrófonos espía.

—El Consejo es un departamento gubernamental. Suelen pasar detectores con regularidad.

Su sonrisa hizo que mis hormonas bailaran otra vez.

—Mis laboratorios lo están desarrollando, y hasta ahora no ha sido detectado en muchos edificios del gobierno.

Lo miré sorprendida.

—¿Y por qué pones micrófonos en las oficinas gubernamentales?

—No en todas, solo en las que están intentando imponer sanciones a mis negocios.

—¿Y se te ocurrió por casualidad traerte uno de esos micrófonos en el bolsillo?

—Como lo desarrollamos en Melbourne y justo ayer estuve allí, me guardé uno —dijo sonriéndome—. Claro que ahora que he avisado a tu jefe de esto, me atrevo a decir que estaré obligado a desarrollar otros métodos de espionaje.

Colocó aquel punto en la base del aparato, luego dio la vuelta a la mesa y me tendió una mano.

—¿Nos vamos?

Miré al reloj de la pared mientras entrelazaba mis dedos con los suyos.

—Jack no quiere que nos encontremos hasta las cinco. Tenemos que ocupar tres horas antes de marcharnos a Seymour —dije mirándole a los ojos mientras intentaba contener una sonrisa—. ¿Qué crees que podríamos hacer para matar el tiempo?

—¿Te apetece un café?

—No.

Quitó el seguro de la puerta y agarró la manilla.

—¿Qué tal un aperitivo de medianoche?

—Eso está bien después de la medianoche. Lo único que me apetece probar ahora mismo —insinué mirándolo de arriba abajo— es algo que ya he probado.

—¿Siempre habláis de esa manera tan obscena a vuestras parejas?

Me reí.

—Mi querido vampiro, ni siquiera he empezado a ser obscena.

En la expresión de sus ojos vi cómo rivalizaban el deseo y la diversión.

—Eso casi suena a una amenaza.

—Tómalo como quieras, siempre que hagamos el amor a mí no me importa.

—Puedes estar segura de que pienso hacerlo —dijo con uno de esos gestos sensuales que me ponían a cien las hormonas—. Pero no aquí. Venga, sal.

Salí y enseguida olí a alguien que era poco más que una sombra. Aullé y di un salto hacia atrás, el pulso me iba a mil por hora. Incluso antes de que las sombras revelaran una forma supe que se trataba de Gautier. Su olor me envolvió, era un rastro de maldad que me irritaba la piel. Sentí las manos de Quinn sobre los hombros, sus dedos me presionaban con fuerza avisándome de que no hablase. Como si yo necesitara que me avisara.

—Señor Brown —dijo Gautier en un suave tono adulador y, de alguna manera, respetuoso—. Pensaba que se había quedado en casa porque estaba enfermo.

—Lo estaba. Pero ya me he recuperado y estoy de vuelta. ¿Qué quieres?

—Nada, solo estoy haciendo mi ronda nocturna.

Mentía. Sabía seguro que esta semana le tocaba a Radford y no a Gautier. ¿Por qué estaba curioseando en la planta ejecutiva? ¿Sospechaba que sucedía algo raro o andaba por su cuenta detrás de algún asunto? ¿Sería algo malo para el Consejo?

—¿Entonces qué haces ahí parado en mi puerta? —dijo Quinn con una voz que imitaba a la perfección el tono severo de Brown.

—Porque he oído voces. Y como le he dicho, no sabía que usted se encontraba aquí, señor.

Seguía mintiendo. ¿Por qué se le escapaba una gota de sudor de la frente? ¿Qué demonios había venido a hacer aquí Gautier?

—De acuerdo, ahora que ya sabe de dónde venían las voces, le sugiero que continúe su ronda.

Gautier dudó, dirigió su mirada a las cámaras, luego se envolvió en las sombras y desapareció. Activé mis infrarrojos y vi cómo se retiraba hasta desaparecer por el hueco de la escalera.

—Vamos —dijo Quinn, cerrando la puerta y agarrándome del brazo al tiempo que me conducía hacia el vestíbulo.

Esperé hasta que estuvimos en el ascensor, luego me solté.

—Gautier sospecha de nosotros.

Me miró con extrañeza.

—¿Cómo lo sabes? No puedes leer sus pensamientos lo mismo que él no puede leer los tuyos.

—No, pero puedo leer sus expresiones.

—Un vampiro como Gautier no tiene expresiones.

—Fue como un breve parpadeo. Dijiste algo que le hizo sospechar.

—Entonces vamos a salir de aquí lo más deprisa que podamos. No vamos a correr el riesgo de que pida apoyo y nos acorralen.

No, no íbamos a arriesgarnos; yo había visto a Gautier en acción. Y aunque no me cabía duda de que Quinn se las arreglaría con los dobles de Gautier, la historia iba a ser otra si este pedía ayuda. Habría veinte vampiros saltando por encima de nosotros, ansiosos por participar en una buena pelea.

Salimos del edificio y caminamos calle abajo. Aunque no se oía nada, sentí que el vello de la nuca se me erizaba.

—Nos siguen —dije en voz baja.

—Lo sé. Pero el que está más cerca no es un vampiro, sus latidos son demasiado regulares —dijo apretándome la mano—. Dirijámonos al automóvil y veamos qué pasa.

No cambiamos de trayectoria, seguimos andando. Los altos edificios que nos rodeaban atenuaban el azote del viento sobre nosotros, y aunque era después de medianoche, la ciudad estaba de todo menos tranquila. La luna resplandecía en lo alto y los lobos lo estaban celebrando por todas partes. Incluso el tráfico era más denso de lo habitual.

A pesar de semejante ruido, sentí el susurro de un movimiento. Era más un suspiro en el aire que otra cosa, y se nos acercaba con rapidez. Detecté el intenso olor a almizcle y a hombre, y la rabia se apoderó de mí. No era Gautier.

Me separé de Quinn y me volví atrapando la mano que Talon tenía suspendida sobre mí antes de que pudiera arrancarme la peluca.

Sus ojos reflejaron sorpresa. Le retorcí los dedos un poco más y la sorpresa se convirtió en dolor.

—¿Qué te crees que estás haciendo?

—Deduzco que conoces a este caballero —Quinn lo dijo sin alterar la voz aunque se notaba que se estaba divirtiendo. Quizá le gustaba ver el dolor en otros.

—Yo no usaría el término «caballero» tan a la ligera. Pero, sí, lo conozco —respondí soltando la mano de Talon y empujándola contra su pecho—. ¿Qué demonios estás haciendo aquí? ¿Y cómo me has encontrado?

Sonrió solo con los labios, pues sus ojos reflejaron frialdad y dureza cuando miró a Quinn y luego a mí.

—Un lobo siempre sabe dónde encontrar a su pareja.

—¿Este es tu pareja? —el tono de Quinn era mordaz—. Dios mío, pensaba que tenías mejor gusto.

—Pareja en el sentido de compañero sexual, no pareja como una relación permanente. Este idiota ha decidido que necesita tener un hijo mío y sin mi consentimiento ha extendido el rumor de que lo somos.

—Hay leyes contra eso, lo sabes —continuó Quinn en un tono familiar—. Aunque siempre he considerado que unos cuantos golpes eran la mejor disuasión con diferencia.

—Esa es una buena reflexión —dije, y a continuación empujé a Talon con fuerza y lo hice retroceder dándole fuertes puñetazos en el pecho. La sorpresa destellaba en sus ojos dorados.

—¿Qué demonios crees que estás haciendo? —seguí diciendo con aspereza—. ¿Qué derecho tienes para seguirme hasta aquí?

Su falsa sonrisa se desvaneció y lo que quedó fue una expresión dura y fría. ¿Pero qué había visto yo en ese hombre?

—Eres mía, lobita, y no pienso compartirte. Ni siquiera con un muerto.

—Solo me pertenezco a mí misma. ¿Y cómo sabes que es un vampiro?

Talon resopló con expresión de impaciencia mientras miraba por encima de mí.

—¿No es Alan Brown? Le he visto en los anuncios de personal.

Si hubiera sido Alan Brown, Talon sería hombre muerto. Porque Brown era uno de esos vampiros que no trataba con locos, o con quienes no respetaban su supuesta superioridad.

—¿Cómo me encontraste?

—Fácil. Comprobé los turnos que tenías esta semana y vine a esperarte.

Estaba mintiendo. ¿Por qué estaba tan segura? No lo sabía. No había nada en su expresión o en sus ojos que así lo reflejara.

—¿Forzaste la cerradura de mi apartamento? —le pregunté, pensando en cómo podía haber encontrado mi horario en todo aquel desorden cuando ni yo era capaz.

Hizo un gesto de desdén y su mirada se deslizó por mi cuerpo. Empezó a ponerse caliente cuando vio cómo iba vestida, o casi vestida.

—Me gusta, lobita.

Por primera vez el calor salvaje de su aura apenas tuvo efecto en mí. Era como si se hubiera levantado un velo entre nosotros. Sentí el roce de su deseo pero ya no me despertó la fiebre. Quizá porque estaba viendo al Talon real y no me gustaba lo que veía.

Trató de tocarme, pero lo aparté de un manotazo.

—¿Por qué no te olvidas de esa loca idea tuya?

—No es una locura. Un niño de los dos sería un bebé perfecto.

Puede que sí. Si viviera. ¡Si viviera!

—No tengo ninguna intención de tener un hijo tuyo, así que olvídalo.

Tenía una expresión seria, decidida, pero en aquellos ojos vi algo más que me asustó. Se estaba divirtiendo. Se recreaba.

—No tienes elección en esta cuestión, lobita. No dejaré que me encuentres un sustituto. Ni siquiera un hombre muerto.

La rabia me invadió y lo golpeé. Lo mismo que nunca he tolerado que los hombres peguen a las mujeres tampoco me parece bien que las mujeres golpeen a los hombres. Pero en ese momento, al ver aquella sonrisa de engreído y esa mirada en sus ojos de yo-sé-algo-que-tú-no-sabes, no pude contenerme. No lo vio llegar y le di en la mejilla con todas mis fuerzas. Y fueron muchas. Su cabeza se desplomó hacia atrás con un chasquido, y antes de caer de espaldas contra el cemento ya estaba inconsciente.

—Buen golpe —comentó Quinn—. Recuérdame que nunca te haga enfadar.

—Todo lo que tienes que hacer para evitarlo es recordar que esta loba en particular nunca va con gente que trata de adueñarse de su vida a la ligera.

Algo que Jack estaba intentando hacer de diferentes maneras, pero al menos él me dejaba espacio de maniobra, y Talon lo que hacía era dar por sentadas las cosas.

Me arrodillé junto a Talon y le tomé el pulso solo para asegurarme de que el impacto del golpe detrás de la cabeza no lo había matado. Su pulso era regular. Solo estaba noqueado.

Cuando me levanté eché un vistazo a la calle. Nuestro otro observador permanecía todavía allí, escondido entre las sombras, mirando la escena. Si fuera Gautier estaríamos metidos en un serio problema. Incluso si no sospechaba de Quinn, seguro que para entonces ya debía de estar haciéndolo acerca de mi identidad.

—Volvamos.

Quinn asintió y me puso la mano sobre la espalda acompañándome así el resto del trayecto.

—Dime —empecé a preguntarle en cuanto estuvimos en el automóvil y salimos zumbando de la ciudad—, ¿por qué pensabas que iba a hacer el amor contigo teniendo una pareja estable?

Me miró de una manera que indicaba que hubiera preferido que pasara por alto lo que había detrás de sus palabras.

—Porque he oído cómo mantienen los lobos sus promesas y, de hecho, nunca me he topado con ninguno que lo haga —aminoró la marcha ante un semáforo en rojo.

—Lo que pasó entre Eryn y tú fue una cuestión de dinero, no de promesas. Eso es lo que dijiste. No condenes a toda una raza por los actos de una maldita loba.

—Ha habido más de una —dijo mirándome con aquellas lentillas azules inexpresivas que me dificultaban leerle la mirada—. Parece que siento una especie de atracción fatal por tu raza.

La ira me inundó. Estaba harta y cansada de que otras razas nos juzgaran y consideraran indignos y deficientes como licántropos. ¿Por qué? ¿Porque para nosotros el sexo es una fiesta con la que disfrutamos, en lugar de algo que hay que esconder tras las puertas y en la oscuridad? Los vampiros bebían sangre para sobrevivir, y muchos mataban a la fuente de su alimento, y a pesar de eso casi todo el mundo los consideraba más dignos de respeto que a nosotros.

No tenía sentido, sobre todo teniendo en cuenta que el sexo se usaba para vender desde tiritas a automóviles. Lo que quiero decir es: ¿a quién hacíamos daño con nuestros bailes de la luna? De acuerdo, el aura de un licántropo podía conseguir que se forzase la voluntad de otros, pero había pocos lobos que se molestasen en usarlo. No lo necesitamos porque podemos conseguir lo que queremos entre los de nuestra propia raza.

—Tú sabes que la mayoría de los vampiros con los que trabajo no son más que sucias máquinas de matar. Y eso no hace que yo piense que toda tu maldita raza es igual.

Se encogió de hombros con desdén. Sin embargo, la fuerza con la que se aferraba al volante me indicó que la conversación no le resultaba indiferente. Esa Eryn o las otras que estuvieran detrás de su nada-excelente-opinión sobre los licántropos, realmente habían hecho un buen trabajo.

—Lo que yo piense de los licántropos no tiene nada que ver con otra cosa.

—Sí tiene que ver, si piensas que solo somos prostitutas, y te recuerdo que tú eres el que ha dicho que prefieres evitarlas.

Cuando el semáforo cambió a verde, siguió conduciendo a la velocidad de la luz.

—No considero que las lobas sean prostitutas, no os vendéis. Pero sí me parece que os comportáis de una manera demasiado liberal con vuestros cuerpos.

—Aun así pareces bien dispuesto a saltar encima y disfrutar de lo que se te ofrece.

Me miró con una sonrisa divertida.

—Debajo del vampiro está el hombre, y ningún hombre en su sano juicio diría que no cuando el envoltorio es tan encantador como el tuyo.

—Qué postura tan humana, odia a la raza, pero al mismo tiempo no deja pasar la oportunidad de aprovechar algo gratis.

—Al menos soy honesto, más de lo que es ese a quien tú llamas «compañero», diría yo.

Dejé que cambiara de asunto. Podríamos seguir discutiendo sobre estas quejas contra los lobos tan típicas de los humanos y nunca llegaríamos a ninguna parte.

—Talon siempre ha sido arrogante, pero nunca pensé que llegaría tan lejos.

—¿Cuánto tiempo habéis estado juntos?

—Dos años.

—¿Eso no es mucho para un lobo? Quizá por eso él piensa que tenéis un pacto.

Hice una mueca.

—Nunca ha sido una relación de exclusividad. En este momento él tiene siete amantes y yo tengo uno —le miré—, y otro en perspectiva. Hace unos años llegó a tener hasta diez y yo andaba con tres o cuatro. Además, no tienen ninguna intención de abandonar su harén por ninguna.

—Es un hombre lobo muy vigoroso.

—Sí —respondí, Talón era todo fuerza, pero sin ninguna delicadeza.

—Entonces ¿cuál es el problema?

Crucé los brazos.

—Como te dije antes, el problema es que él ha decidido que yo sería perfecta como madre de sus hijos.

Quinn pareció quedarse pensando en ello unos instantes.

—No hay nada malo en querer tener hijos con la mujer a la que amas —susurró.

—Por supuesto que no —convine con amargura—. Pero nosotros no somos almas gemelas y él no me quiere. Solo quiere implantarme a su hijo.

Quinn me miró.

—¿Y tú no quieres eso?

—No, ya te lo he dicho, no somos almas gemelas. Disfruto con él del sexo y eso es todo. Te aseguro que no voy a arriesgar mi vida teniendo un niño de alguien a quien no quiero.

—¿Por qué ibas a arriesgar tu vida?

Suspiré.

—Por lo que soy no puedo concebir de manera natural y mi médico no sabe siquiera si alguna vez podré llevar un embarazo a buen término. De hecho, me sugirió que un embarazo podría llegar a matarme.

Se quedó algo sorprendido.

—¿Por qué?

—Porque los últimos análisis indican que mi sistema podría considerar al feto como un cuerpo extraño y atacarlo. Y en el proceso, yo podría morir —me encogí de hombros—. Él opina que si quiero hijos, solo sería posible con ayuda de medicación y bajo estricta supervisión médica. E incluso así, no hay ninguna garantía.

—No es algo a lo que te arriesgarías por alguien a quien no amas, desde luego.

—Exacto.

Se detuvo un instante y se metió en la autopista que llevaba a Tullamarine.

—¿Quieres tener hijos?

—Sí. Si alguna vez encuentro al hombre lobo adecuado.

—Todavía eres joven y con mucho tiempo por delante.

Le había oído decir lo mismo a Rhoan muchas veces y lo creía tan poco entonces como ahora. ¿Qué lobo querría a una mujer incapaz de tener hijos? La familia ideal, el pasar los genes a otras generaciones, se inculcaba en la cultura de los licántropos tanto como los bailes de la luna o la libertad sexual. No podíamos evitar el deseo de tener hijos cuando encontrábamos a nuestra alma gemela, ni el ansia de celebrar la luna llena. Todo eso formaba parte de lo que éramos.

Por esa razón nos habían dejado vivir a Rhoan y a mí. Híbridos o no, por lo menos éramos otra generación de una manada que tenía cada año menos cachorros. Nuestros genes eran genes de la manada, aunque estuvieran aguados.

Quinn pasó con rapidez al carril central y aceleró. El Porsche salió disparado como un cohete.

—Hay un límite de velocidad en esta autopista —dije con frialdad.

—Son más de las doce de la noche. No se me ocurre mejor sitio y hora para probar a este pequeño —al decirlo me miró, las lentillas azules brillaban por el reflejo de las luces de la autopista—. Entonces el problema principal es que no acepta un no como respuesta. ¿Por qué no te limitas a emplear la telepatía para obligarlo a que lo acepte?

Lo miré con el ceño fruncido.

—No puedo.

—¿Porque está bloqueado?

—Porque hace dos años que lo conozco. Y no puedo forzar su voluntad de esa manera.

—Como te decía, ¿por qué no? A mi me da la impresión de que él está tratando de imponer su voluntad sobre ti.

Sí, de acuerdo, pero era Talon. Sus deseos siempre estaban por encima de los de los demás. Y una cosa era hacerlo con las palabras y la fuerza y otra muy diferente era emplear habilidades psíquicas. Además si hiciera eso, no sería mejor que él.

—La telepatía es una defensa. Me niego a usarla para otra cosa.

—Pero la empleaste muy bien en Moneisha.

—Eso es diferente.

—No lo es y lo sabes.

—Rescatar a mi hermano es defender a la manada, nada más.

—Si tú lo dices —miró por el retrovisor y luego añadió—: Ese lobo no me parece que sea de los que acepta que le nieguen un deseo.

—Lo superará —al decirlo recordé la expresión de sus ojos y su promesa de que siempre obtenía lo que quería.

Me volví un poco en el asiento y estudié a Quinn por un instante.

—¿Y tú, qué?

No me devolvió la mirada.

—¿Y yo, qué?

—¿Cuánto tiempo tardaste en superar lo de Eryn?

Su sonrisa era al mismo tiempo irónica y amarga.

—Me parece que ha quedado bastante claro que no lo he hecho.

En realidad era así.

—¿Cuánto tiempo estuviste con ella?

—Nueve meses.

—¿Cuándo descubriste lo que estaba haciendo?

Su expresión denotaba tristeza.

—No lo bastante rápido —vaciló y luego añadió—: Hace cuatro meses.

Solo cuatro meses. No me extrañaba que todavía le doliera. Ni que aún estuviera tan furioso.

—¿Y hace cuánto tiempo que destinaste a Eryn a ese prostíbulo?

—Dos meses —respondió encogiendo los hombros—. Llevó su tiempo comprarle la compañía.

—¿Y pretendes dejarla ahí?

—Sí.

—El castigo no es justo para su delito, ¿sabes?

Sonrió de pronto y su expresión era salvaje.

—Ella se lo ha buscado. Dejemos que se quede ahí por toda la eternidad. No me importa.

La dureza de sus palabras me recordó de pronto que quien estaba a mi lado era un vampiro. Un vampiro raro, eso sí, que tenía la extraña capacidad de sentir, pero vampiro a fin de cuentas, que podía ser tan frío y cruel como cualquiera de los de su raza.

—Si no te importara, no habrías reaccionado con tanta dureza —apunté.

No contestó nada, pero los dos sabíamos que yo tenía razón. Volvió a mirar el retrovisor y sentí en la espalda un cosquilleo que me inquietó.

—¿Qué pasa?

—Policía, creo.

Sonreí.

—Vaya con la teoría de que esta era la noche perfecta para probar la velocidad de esta fierecilla.

—Cierto. Pero a diferencia de ti no me resulta muy complicado usar mis capacidades psíquicas para salir del problema.

Lo miré con sorpresa.

—Está claro que no has leído los periódicos últimamente —le dije, aunque yo tampoco lo había hecho, sino que había sido Jack quien me había hablado de la noticia un día durante el almuerzo.

Me miró mientras reducía la velocidad.

—¿Qué quieres decir?

—Toda la policía y los servicios de emergencia han sido dotados de amortiguadores psíquicos como parte de su equipo habitual.

Renegó por lo bajo. Seguí sonriendo. Las luces rojas y blancas del vehículo color caramelo de la policía, se echaron sobre nosotros. Quinn se metió en el arcén de la autopista y se nos acercaron dos agentes. Uno fue hacia el lado de Quinn y el otro hacia el mío.

Ambos bajamos las ventanillas.

—¿Hay algún problema de...? —dijo Quinn en un tono muy educado.

Sus palabras fueron interrumpidas por un sonido parecido a un chasquido. Quinn se sacudió con brusquedad y luego se quedó quieto. Quise mirar qué había pasado pero no tuve la oportunidad.

No pude porque tenía el cañón de una pistola apuntándome a dos centímetros de la nariz.

Capítulo 10

—No te muevas —me advirtió el policía que sostenía la pistola— o probarás su plomo.

¿Qué pasaba a mi derecha para que Quinn se quedara en silencio? Que los policías ni siquiera se molestaran en decir una palabra significaba que venían expresamente a por nosotros.

Estaba claro que Gautier andaba detrás de esto. ¿Pero por qué enviaría a fuerzas de seguridad del estado en lugar de personal del Consejo?

No obstante era cierto que nos habíamos parado por una razón simple. De haber visto un vehículo sin distintivos abalanzándose sobre nosotros, hubiéramos sospechado.

Tenía los dedos apretando la manilla de la puerta, pero debía obedecer la orden del policía. El que Quinn no hubiera reaccionado de ninguna manera me preocupaba. Hasta que supiera lo que pasaba, trataría de seguirles la corriente.

—Solo hemos excedido el límite de velocidad —dije, fingiendo una voz asustada—. La verdad es que apuntarnos con pistolas es un poco excesivo.

El policía no me hizo caso y miró por encima del techo del Porsche. Eso me indicó que no me consideraban una amenaza. Pronto se enterarían de lo equivocados que estaban.

—¿El vampiro está inmovilizado? —preguntó el que llevaba la pistola.

—Sí. Estas nuevas pistolas eléctricas funcionan bien.

Pistolas eléctricas. Genial. Era todo lo que necesitaba saber. Aquellas armas llevaban tiempo circulando por ahí y, sin embargo, no hacía mucho que habían desarrollado una con una potencia eléctrica que afectara de la misma manera a los vampiros que a los humanos. Quinn permanecería inmovilizado durante horas.

Una mano se introdujo por la ventanilla y por el rabillo del ojo vi que le arrancaban la peluca.

—Tal como nos dijeron, no es Brown.

Así que Gautier había sospechado antes de él que de mí. Me preguntaba qué habría hecho o dicho Quinn para despertar los recelos de Gautier.

—¿Quieres informar a la central de que los tenemos —el de la pistola continuó— y preguntar qué quieren que hagamos con ellos?

El otro policía aceptó con una protesta y se alejó. Esperé unos segundos, luego le arrebaté la pistola de la mano al tiempo que empujaba la puerta.

Se tambaleó hacia atrás con una exclamación de sorpresa. Tiré la pistola dentro del automóvil y salí corriendo de él, golpeando al policía antes de que supiera de dónde le había venido el golpe.

Una detonación rompió el silencio. Me sumergí en las sombras a un lado de la carretera desde donde oí un silbido,

antes de sentir un agudo pinchazo de dolor cuando la bala me arañó una nalga, después me tiré al suelo y me quedé de cuclillas. Protegida por las sombras, corrí hacia el vehículo policial. El segundo agente todavía estaba de pie ante él, y su pistola apuntaba hacia el sitio donde yo había desaparecido de su vista.

Sacudí la cabeza. ¿Cuándo aprenderían las autoridades a no poner a dos policías humanos en pareja? No tenía sentido, y menos con la introducción de los nuevos incentivos que incluían suministro gratuito de sangre fresca para los vampiros que se unieran al cuerpo. Por supuesto, el Consejo hacía una selección cuidadosa, porque los tests psíquicos y físicos evitaban que un buen porcentaje de los demandantes llegara a ingresar en el cuerpo de policía. Pero había tal afluencia de solicitudes que les llevaría años reducir la lista.

Tomé una piedrecita y caminé sin hacer ruido hacia la parte trasera del vehículo policial. El policía miraba alrededor. Arrojé la piedra y esperé hasta que se oyera el ruido al caer en la carretera, entonces salí de las sombras y corrí hacia él. No tuvo ninguna oportunidad. Yo tenía la fuerza y la velocidad de los lobos y de los vampiros y él era solo un humano. Introduje su cuerpo inconsciente en el vehículo, apagué la videocámara y después recogí al segundo policía y lo metí también. A continuación, corrí junto a Quinn.

No me preocupé de tomarle el pulso, porque el lento metabolismo de los vampiros hacía muy difícil encontrarlo. Le desabroché el cinturón de seguridad y lo arrastré, dando la vuelta al automóvil hasta el asiento del pasajero. En cuanto le até el cinturón corrí hacia el lado del conductor y arranqué el motor. El policía de la central habría llamado a los refuerzos al ver lo que estaba pasando. Tenía que salir de la autopista y deshacerme del Porsche lo antes posible.

Pero no tomé la primera salida, sino que continué hasta la de la carretera de Mickleham.

La gente a quien Quinn había alquilado el Porsche tenía un estacionamiento en el aeropuerto, pero no me podía arriesgar a llevarlo allí con Quinn inconsciente. En la carretera de Mickleham había un hotel antiguo que no estaba muy lejos de la autopista y tenía un lugar para estacionar muy bien situado en la parte de atrás, con la ventaja de que se accedía a las habitaciones por escaleras en lugar de en ascensor.

Me quité la peluca y las lentillas mientras esperaba a que el semáforo cambiara a verde. Con un aspecto menos fantasmal me situé en doble fila a un lado de la recepción del hotel para evitar la fuerte iluminación de la entrada principal. Saqué mi bolso de la caja de seguridad que estaba detrás del asiento del pasajero, me abroché el abrigo y salí. Era mejor que la recepcionista no se hiciera una idea equivocada.

Al final, no tuve por qué preocuparme. A la recepcionista no le importaba quien alquilaba la habitación siempre que pagara por adelantado. Como no solo lo hice sino que además pedí su mejor habitación, que resultó ser la única suite nupcial que tenían, casi se puso a bailar de contenta. No eran muy buenos tiempos para los hoteles nuevos que abrían cerca del aeropuerto.

Llevé el Porsche hasta la parte de atrás y lo dejé allí. Después de abrir la puerta de la habitación tuve que subir a Quinn por las escaleras, unas veces cargándolo y otras a rastras, porque en aquellas circunstancias no podía ir dando explicaciones a nadie. Lo acomodé en la cama y escribí una nota que dejé en la mesa junto a las carpetas, la pistola y la peluca, así lo vería todo si se despertaba. Después me marché.

Al volver a nuestro vehículo comprobé que todo estuviera bien. Después me dirigí a la oficina de alquiler más sencilla que encontré y alquilé un modelo utilitario de Ford.

Cuando regresé al hotel ya había transcurrido una hora y Quinn seguía todavía inmóvil. Descolgué el teléfono y marqué el número del videoteléfono de Jack, que estaba en poder de Liander. No fue Liander quien respondió, sino Jack.

—¿Ya estás de vuelta? —le pregunté con preocupación por si algo había ido mal.

—Entramos y salimos antes de lo que esperábamos. Escucha, no puedo hablar mucho. Alex dice que están rastreando las llamadas de este número. Tienes un minuto como máximo.

—Gautier se encontró por casualidad con nosotros cuando salíamos de la oficina de Brown. A mí no me reconoció pero algo le puso sobre aviso de que Quinn no era Brown. Mandó a unos policías tras nosotros, nos obligaron a estacionar en el arcén y a Quinn le han dado una descarga que lo ha dejado inmovilizado. Puede que tardemos en llegar.

—Alex mencionó que os habían puesto un dispositivo de seguimiento en el Porsche. No pudo revocar la orden porque quería ver hasta dónde nos llevaba todo esto. Es evidente que tú te las has arreglado.

—Por supuesto —dije con sequedad—. Y no, no tengo prisa por engancharme a la adrenalina.

Se rió.

—¿Quinn pudo instalar el micrófono?

—Sí. Y encontramos un par de carpetas interesantes que hablan del proyecto Espectro Blanco.

—Bien. No te preocupes por darte prisa porque la policía ha puesto controles en la autopista y estarán ahí hasta que llegue la hora punta. No podemos hacer nada mientras no contemos con el amparo de la oscuridad.

Todo un día para jugar con Quinn. ¿No era eso fantástico?

—¿Cuáles son tus coordenadas? —continuó.

Dudé al intentar recordar los códigos para convertir el nombre del hotel en algo que se asemejara a las coordenadas de un mapa. Se las dí y gruñó.

—Llámame si tienes algún problema o cambiáis de sitio.

—Lo haré.

Colgué y me dirigí hacia el anticuado *spa* que ocupaba toda una esquina de la habitación. Era lo bastante grande para dos personas. Mi sonrisa se amplió al ver una fila de aceites esenciales junto a la pared. Pagar por la suite nupcial tenía sus ventajas.

Tiré el abrigo y el vestido sobre una silla y fui hacia el baño para mirar lo que me había hecho la bala en el trasero.

No era grave. Casi ni había sangrado. Me duché para quitarme todo el pringue de Liander de la piel. Luego me sequé con la toalla y me fui con los pies mojados a la cama. Quinn ni se movió cuando me puse a su lado. Casi tuve ganas de quitarle la ropa, porque para acurrucarme contra él prefería la piel desnuda. Pero en aquel momento no tenía bastante energía para levantarme y hacerlo. Además mi imaginación no estaba en condiciones de pensar en nada. Con una sonrisa en los labios, cerré los ojos y me puse a dormir.

Cuando desperté horas más tarde, sentí el contacto real de carne contra carne y el deseo palpitando por mis venas. El aliento que me acariciaba el hombro, se interrumpía con pequeños besos de mariposa, provocándome unos temblores que invadían por completo.

Al moverme, sus dedos pasaron rozando desde mi cadera hasta mi abdomen y siguieron hacia arriba. Recobré el aliento ante la expectativa. Los músculos se estremecían por la tensión, y me sentí a punto de explotar cuando su pulgar frotó uno de mis tensos pezones. El deseo era tan fuerte que durante unos segundos ni siquiera pude respirar.

—No sabes lo frustrante que es despertarse junto a una mujer preciosa —dijo con ese tono seductor que había regresado a su voz— y darte cuenta de que estás vestido del todo.

Claro qué entendía la frustración, y muy bien. La había experimentado de una forma u otra desde que entró desnudo en mi vida.

—La ropa nunca ha sido un freno para la gente decidida —me volví poniéndome de cara a él. Su pelo negro estaba húmedo y de su rostro había desaparecido ya aquella mugre que hacía horripilantes sus atractivos rasgos. Deslicé un dedo por su todavía húmeda mejilla y recorrí el perfil de sus labios.

—¿Cómo te sientes?

—Muy cachondo —abrió los labios e introdujo la yema de mi dedo en la boca chupándola con delicadeza. Mi anhelo estalló. No podía esperar a que probara otras partes de mi cuerpo de la misma manera.

—¿Cómo te sientes? —continuó al cabo de unos instantes.

—Mucho mejor ahora que estás despierto y consciente.

Posó de nuevo la mano en mi cadera y el calor de su contacto encendió un fuego que se propagaba como un cosquilleo por toda mi anatomía. Puede que él quisiera que nuestra verdadera primera vez fuera una larga sesión de lenta seducción de los sentidos, pero yo no creía que eso fuera posible. No, después de ver el intenso deseo que surgía entre nosotros.

—¿Recuerdas lo que pasó anoche?

Frunció el ceño, tenía una expresión distraída en los ojos mientras sus dedos comenzaban otro agonizante y lento viaje ascendente por mi anatomía.

—No mucho después de que ese policía llegara hasta mi puerta.

—Te dio con una pistola eléctrica. Gautier sospechó de nosotros.

—Entonces soy afortunado de que la mujer quc me acompañaba fuera capaz de tomar las riendas de la situación cuando las cosas se pusieron difíciles.

Sonreí.

—Muy afortunado. Aunque tuve que devolver el Porsche. Tendrás que apañártelas con un Ford.

—Ahora mismo el vehículo que sea es lo último en lo que estoy pensando.

Lo miré sorprendida y con una media sonrisa.

—¿Y qué es lo que tienes en mente?

—Esto —dijo deslizando la mano detrás de mi cuello, con los dedos enredados en mi pelo mientras llevaba mis labios a su boca. Nos besamos como si nuestra vida dependiera de ello. Y quizás así era, porque nos iba a dar algo si él no consumaba del todo aquella tensión que había ido incrementándose con lentitud entre nosotros desde un principio.

Después de lo que me parecieron horas, nos dimos un respiro. El rápido latido de mi corazón llenaba el silencio al compás de la intensa avalancha de sangre que corría por mis venas.

Abrí los ojos y lo miré con intensidad. Vi que ardía en él un deseo apasionado, un deseo que era tanto sexual como de sangre. Estaba controlando ambos impulsos, pero el primero le estaba creando dificultades.

Me volvió a besar y si aún me quedaba algo de control, quedó anulado sin remedio por su fuerza, por la pasión que había en él.

Nadie me había besado así.

Pero en ese momento no era su beso lo que anhelaba. Estaba lista para cualquier cosa que él me pudiera dar.

Lo empujé de espaldas y me puse sobre él, reclamándolo de la manera más elemental posible.

Gimió y poniendo las manos sobre mis caderas me presionó hacia abajo con fuerza. Me arqueé hacia arriba, respondiendo a su gemido mientras me penetraba completándome de una manera que ni siquiera Talon conseguía. Era casi como si hubiera encontrado la pieza perfecta del puzle, el único fragmento diseñado para encajar a la perfección en ese espacio.

Empezó a moverse y ya no pude pensar. Todo lo que podía hacer era moverme con él, saborear y disfrutar las sensaciones que fluían dentro de mí.

Luego él levantó las nalgas y me puso las piernas debajo de él de manera que me quedé sentada sobre su regazo, ensartada en su cuerpo con los pechos aplastados contra su torso. Sus oscuros ojos me abrasaban al mirarme, excitándome de una forma que nunca pensé que fuera posible.

—Quiero besarte mientras estoy dentro de ti —gruñó.

Aquellas palabras apenas habían salido de su boca y yo ya estaba besándolo, degustándolo. Le rodeé el cuello con los brazos y lo acerqué hacia mí mientras se movía dentro de mi cuerpo.

Me estremecí ante aquellas sensaciones desbordantes; me sujetaba con los muslos a los lados mientras la presión subía y subía, hasta que sentí que me tensaba tanto que iba quebrarme entera. Por fin toda la tensión estalló y yo me dejé llevar gimiendo ante la intensidad de aquel orgasmo que ascendía por mis entrañas.

Su beso se contagió de la furia de su cuerpo y cuando su lluvia se desparramó dentro de mí, dejó mi boca y comenzó a arañarme el cuello con los dientes. Tuve el reflejo de apartarme con brusquedad, pero aquel breve dolor enseguida se convirtió en algo exquisito, y me corrí por segunda vez.

Cuando los temblores cedieron, me sujetó el rostro entre las manos y me besó.

—Ahora que hemos alimentado el deseo urgente, podemos hacerlo más en serio.

—No puedo hacerlo más en serio de lo que acabamos de hacer —dije con los labios pegados a los suyos dejando que exhalara mientras yo inhalaba su aliento, sintiendo como si fuera su esencia la que me entraba por los poros.

El fuego de su mirada prendió en lo más profundo de mi alma, aunque tenía la extraña sensación de que lo que este vampiro podía hacerme no había empezado ni siquiera a sondear mis profundidades.

Rozó con suavidad mis labios con otro beso.

—¿Cuánto tiempo nos queda? —preguntó.

—Todo el día. Jack no quiere que regresemos hasta el anochecer.

—Entonces tengo tiempo suficiente para seducirte como pretendía al principio. —Hizo una pausa y volvió a mostrar su pícara sonrisa haciendo que mi corazón latiera a trompicones—. Y tiempo suficiente para hacerte gritar.

Sonreí. Qué frase tan típicamente masculina.

—Yo no grito por nadie.

Me miró con sorpresa.

—Entonces no te han hecho bien el amor. —Me dio un cachete en el muslo—. Sal de ahí, mujer, tengo que seducir a alguien.

Me deslicé hacia un lado de la cama y me eché. Dio la vuelta y tomó el vestido de gasa de la silla.

—Déjame que te ate las manos.

—¿Por qué?

—Porque soy yo quien quiere darte placer y no quiero que me toques.

Eso me excitó y extendí las manos. Hace tiempo había probado el juego de la posesión y la experiencia no me motivó lo suficiente, pero el vestido era bastante ligero y podría liberarme de él si lo necesitaba. Me ató las manos juntas, luego se volvió a sentar y se pasó un minuto mirándome. El apetito que asomaba en sus ojos me hizo sonreír.

—¿Ves algo que te guste? —bromeé levantando las caderas con descaro.

—Veo muchas cosas que pretendo probar. Pero de momento, date la vuelta.

Hice lo que me ordenó y luego lo vi alejarse hacia el *spa*. Desde todos los ángulos era atractivo, pero no se podía negar que tenía un trasero estupendo. Se inclinó en la bañera para alcanzar un frasco de aceites esenciales, ofreciéndome no solo una maravillosa vista de su trasero sino de lo bien puestas que tenía las pelotas y de sus encantadores y musculosos muslos.

—Creo que el de canela servirá.

Era mi esencia favorita. Sonreí al verlo caminar de vuelta, impresionada al comprobar que ya estaba más que listo para volver a la carga. En realidad el vigor de un vampiro era tan fuerte como el de un hombre lobo. Se arrodilló en un extremo de la cama, vertió una gota de aceite en sus manos y se las frotó.

—Cierra los ojos —me ordenó.

Acepté la invitación y suspiré de placer cuando me presionó con los pulgares en el arco de la planta de los pies. Al ir extendiendo con destreza el aceite sobre mi piel, ascendía por el aire el rico aroma de la canela despertando mis sentidos al mismo tiempo que lo hacía la discreta y erótica caricia de sus dedos. Avanzaba poco a poco por la pierna tejiendo con sus dedos un embrujo que me excitaba y relajaba.

Cuando terminó con una pierna, empezó con la otra. Estaba prácticamente vibrando de placer, disfrutando del todo de cada matiz de aquellos sensuales mimos.

—¿Qué te ha pasado aquí? —preguntó recorriendo con su dedo la herida que la bala me había hecho en una nalga.

—Uno de los policías trató de arreglarme el trasero.

—Era obvio que no reconoció la perfección al verla.

—Me parece que toda su preocupación se centraba en que un desecho de mujer había noqueado a su compañero.

Se sentó a horcajadas sobre mí, masajeándome la espalda con sus dedos en dirección ascendente. Si yo hubiera sido un gato, hubiera ronroneado.

—No creo que nadie pueda llamarte un desecho de mujer.

Como si quisiera enfatizar sus palabras, me rozó los pechos con los dedos enviando a mis terminaciones nerviosas un hormigueo eléctrico.

—Verás, no soy una amazona.

No la vi, pero sentí la calidez de su sonrisa.

—Por fuera no, pero por dentro hay una guerrera desesperada por salir.

—Una guerrera no, solo una mujer preparada y lista para defenderse a sí misma y a su manada.

Los dedos de Quinn siguieron haciendo su magia por mi cuello y hombros, y cuando terminó me sentí como si no tuviera huesos. Y condenadamente cachonda. Suspiré con disgusto cuando se bajó. Había esperado que terminara lo que había empezado haciéndome el amor por detrás.

—Date la vuelta —me ordenó de nuevo.

Lo hice. Me puso las manos sobre la cabeza y ató el extremo que quedaba del vestido a la cabecera de la cama. Luego volvió a mis pies y comenzó a hacerme el mismo masaje, esta vez sosteniéndome la mirada a cada instante, y al llegar a los pechos extremó los cuidados y se detuvo más tiempo. Fue una experiencia sensual y erótica que cuando finalizó dejó mi cuerpo temblando de anhelo por tenerle dentro. Pero el brillo lujurioso de sus ojos y su sonrisa seductora por demás me indicaron que no tenía intenciones de apresurarse.

—Ahora es el momento del desafío —dijo con esa voz sonora y grave que vibraba en mi piel de una manera tan íntima como lo haría un beso—. Pretendo que grites por mí, Riley.

—En el infierno no hay esperanza —mientras lo decía tenía la vaga sospecha de que si había un hombre que podía conseguirlo, era este vampiro.

Se acercó a mí, dejando el frasco de aceite en la mesita de noche. Luego se inclinó y me acarició con un beso en la boca.

—Entonces vamos a empezar a jugar —dijo, y sentí su excitación al respirar y en el destello de sus ojos.

Sonreí.

—¡Adelante!

Y lo hizo. No dejó ninguna parte de mi cuerpo sin explorar o sin tocar solo con la lengua y la boca. Descubrió zonas erógenas que yo no tenía ni idea de que existieran. Y las explotó hasta agotarlas, llevándome al borde del orgasmo, para de nuevo dar marcha atrás en cada ocasión, hasta que el sudor era un reflejo en todo mi cuerpo y cada milímetro de mí vibraba por la necesidad de soltarme.

Luego se movió hacia abajo.

Cuando su lengua vibró sobre mi clítoris, salté en un dulce éxtasis y un quejido salió de mis labios. Soltó una risa ahogada, y sentí su aliento cálido contra mi piel mojada. Luego me lamió y eso fue el final de cualquier control por mi parte. Salté abandonándome. Me retorcía, me quejaba y me sacudía mientras él seguía acariciándome y lamiéndome.

—¿Estás lista para gritar mi nombre? —dijo, bajando la voz, cuando los temblores apenas habían cesado.

Su aliento me acarició los muslos como un beso de aire que me hizo estremecer. Cerré los ojos disfrutando de la sensación, deseando tenerlo dentro y al mismo tiempo queriendo prolongar todo lo posible esa manera de hacer el amor.

—Te dije que no grito por nadie.

Soltó una risita sofocada.

—Entonces continuaré a mi manera —susurró.

Lo hizo. Y en cada rincón con la misma minuciosidad que antes, solo que esta vez utilizó las manos en lugar de la lengua y la boca. Me llevó hasta la cima en un soplo, pero esta vez no me ofreció soltarme, sino que volvió atrás, reclamó mi boca, besándome con furia y minuciosidad hasta que los temblores que me provocaba la excitación fueron cediendo. Luego empezó otra vez.

Quería juegos preliminares, y ahora los tenía, y a montones. Solo que no estaba segura de si iba a sobrevivir mucho más tiempo.

—Por favor… —dije jadeando—. Oh, Dios, por favor… necesito que… entres.

Se arrodilló encima de mí, con el cuerpo tan caliente y sudoroso como el mío, y sonriendo con picardía.

—Ya sabes cuál es el precio.

—Sí, sí, lo que sea. Pero hazlo.

Se estiró por encima de mí para desatarme las manos y luego se movió un poco de manera que arrimó toda la extensión de su pene erecto, buscando pero sin entrar.

—¿Lo hacemos lento y largo?

Emití un sonido entrecortado y se rió entre dientes.

—No puedo más, por favor.

Con un movimiento y un golpe seco estaba adentro. Fue algo tan dulce y sentí un alivio tan maravilloso que casi lloré. Empezó a moverse con empujones fuertes y profundos sin dejar en ningún momento espacio para la calma o el control. Era locura y pasión, era deseo e intensidad y, aunque yo apenas podía respirar y mucho menos pensar, sabía que esto era lo que había estado buscando, lo que me faltaba en la vida. Porque era más que sexo, más que dos cuerpos conectados por el deseo. Era casi como si en ese único y espléndido momento nos hubiéramos convertido en uno solo, tanto en lo físico como en lo espiritual.

Después me clavó los dientes en el cuello, y llegó el éxtasis. Juntos sentimos que gritábamos de excitación, zambulléndonos en el mar de gozo más poderoso que hubiera experimentado jamás.

Cuando recordé cómo respirar de nuevo, tomé su cara entre mis manos y le besé despacio durante un buen rato.

—Ha sido increíble.

Rodó a un lado y me tomó en sus brazos.

—Y te he hecho gritar.

Su cálida voz seductora insinuaba una contenida arrogancia masculina y le sonreí.

—Solo porque necesitaba tenerte dentro.

Soltó una risa ahogada y me tocó un mechón sudoroso de la frente.

—Suena como si tuviera que probar que no ha sido una casualidad.

Y yo que pensaba que Talon era insaciable. Sonreí y le besé en la mejilla.

—Suena a eso.

Al final de la tarde, mientras estábamos echados ardientes y sudorosos, enredado uno en los brazos del otro, supe que tenía problemas. Porque la intensidad que ardía entre nosotros me indicaba que este vampiro podía llegar a ser más que un compañero sexual.

No importaba que yo apenas lo conociera. No importaba que él no me quisiera de ninguna manera que no fuera física. Yo ya no podía controlar mis emociones como hacía con los deseos de la luna.

Lo quería. Quería explorar todos los límites de lo que teníamos.

Aunque eso era lo último que él deseaba.

Pero como ya le había advertido no hacía mucho, yo era una loba preparada para luchar por aquello en lo que creía.

Y estaba más que dispuesta a luchar por las posibilidades todavía inexploradas que había entre este vampiro y yo.

❋❋❋

—Bien, bien —dijo Rhoan, llevando su mirada de Quinn a mí y viceversa, mientras caminábamos por el sendero hacia él.

—Me parece que todo el mundo se lo ha pasado hoy muy bien.

—No teníamos un mazo de cartas a mano, y había que hacer algo para matar el tiempo.

Centró su mirada en la marca de mordisco del cuello. Quinn había tenido cuidado de utilizar siempre el mismo orificio para no dejarme un montón de señales, pero habíamos hecho el amor varias veces y las heridas estaban tardando en cerrarse un poco más de lo normal.

—Espero que no la hayas agotado demasiado. Tenemos planes para esta noche.

Lo que de verdad quería decir era que esperaba que Quinn no me hubiera sacado demasiada sangre, y todos lo sabíamos.

Quinn puso una mano sobre el hombro de Rhoan.

—No he tomado más de lo necesario —respondió y me miró sonriendo—. Y si quieres preocuparte por alguien que esté exhausto, hazlo por mí.

—No he recibido quejas de nadie —dije con indiferencia.

Su amplia sonrisa consiguió que mis hormonas comenzaran con su alocado baile.

—Ni es probable que las recibas. Puedes dejarme exhausto cuando quieras —replicó, dirigiendo su mirada hacia Rhoan—. ¿Dónde está Liander? Tengo que devolverle los moduladores.

—Dentro, cocinando. Según parece le gustan mis intentos tanto como a mi hermana.

Los ojos de Quinn se posaron en los míos un instante y después entró. Lo seguí, disfrutando de la vista antes de subir al piso de arriba para ponerme ropa decente. Luego salí fuera de nuevo y me dejé caer en el banco junto a mi hermano.

—Bueno, ¿cómo fue anoche?

—Pan comido en cuanto oscureció. Los guardas patrullaban por el exterior, pero no había vampiros entre ellos y Jack y yo tuvimos la precaución de neutralizar nuestro olor con antelación.

—¿Encontrasteis algo?

Resopló con suavidad.

—Esperma y óvulos, muchos.

—¿Y pudiste destruir el tuyo?

—Creo que sí. Había ciertos archivos interesantes, pero aparte de eso, nada. Como sospechábamos Moneisha es poco más que un centro de recolección. Los duplicados no salen de allí.

—Entonces, ¿no los crean para algún tipo de investigación?

—Sí, pero para cosas básicas.

Fruncí el ceño.

—Pensaba que Moneisha había aislado el grupo de genes responsables de que un vampiro lo sea.

Me miró con perplejidad.

—¿Dónde has oído eso?

—Perece que salió en los periódicos.

—No en ninguno que yo haya leído.

Me quedé confusa.

—Puede que no leas los periódicos adecuados.

—¿Quién te dijo que lo hacían?

—Misha. Me contó que había habido manifestaciones fuera de Moneisha a causa de las investigaciones genéticas.

—Sí que ha habido manifestaciones, pero porque están comprando viviendas en la zona donde se ubican con la intención de expandirse.

—Puede que Misha mezclara las dos historias —pero al decirlo dudaba de que fuera cierto. Misha tenía la mejor memoria con la que me había topado.

—Puede —añadió Rhoan, que no sonaba más convencido de lo que yo estaba.

Me mordí el labio.

—¿Has encontrado alguna información sobre Konane? —pregunté.

—¿Quién?

—Konane, el dueño de Moneisha.

—¿Dónde has oído eso? Porque hasta donde yo sé Hunter todavía consta como directora en todos los documentos.

—Me lo dijo Misha.

Frunció el ceño.

—Me pregunto cómo lo sabrá.

—Puedo preguntarle la próxima vez que lo vea.

—Cuéntaselo a Jack a ver qué dice —hizo una pausa—. ¿Cómo pudo sospechar Gautier de vosotros?

Me encogí de hombros.

—No lo sé, nos lo encontramos de pie ante la puerta cuando estábamos saliendo. Quizás oyó algo.

—Esas oficinas están insonorizadas.

—Entonces, puede que tenga un olfato tan sensible como el de los lobos o que a Quinn se le escapara algo. Pero ni idea de qué pudo ser.

Rohan mostró extrañeza.

—¿Sabes una cosa?, las veces que he trabajado con él he notado que tiene unos sentidos demasiado agudos para ser un vampiro. Si es una de esas criaturas de laboratorio, puede que posea el olfato de un lobo.

Me recosté contra la pared de la vieja cabaña que el sol había calentado.

—¿Ha comprobado Jack todas las instalaciones militares? ¿No podría ser este un programa gubernamental?

—Desde luego los militares trabajan en implantar genes de vampiro a otras razas no humanas, pero por lo que dice Jack ningún ejemplar ha vivido más dos años.

Recordé el olor del estacionamiento. Y también la sensación de estar frente a cosas muertas, o al menos muriéndose.

—Quienquiera que esté detrás de esto, creo que tampoco tiene mucha suerte en prolongar la longevidad de esos «estacas».

—Viven lo suficiente como para hacer cosas repugnantes.

Lo miré con sorpresa.

—¿Como qué?

Dudó.

—¿Recuerdas que habíamos perdido a diez guardianes? —cuando asentí continuó—. Según hemos podido deducir de los restos que hemos encontrado, parece que los forzaron a luchar por sus vidas en una especie de palestra.

Cerré los ojos y rogué para que no hubieran obligado a Kelly a sumarse a ese grupo y para que no la hubieran convertido en otro experimento con que probar alguna de esas demenciales creaciones grotescas.

Ella no merecía tener un final así. Ninguno de los guardianes lo merecía.

Pero una vez más aparté ese pensamiento de mi mente tratando de no anticipar el dolor hasta que no me quedara ninguna esperanza y yo supiera con certeza que estaba muerta.

—Abandonaron sus cuerpos en zonas donde no da la luz del sol, de lo contrario no habría restos que examinar. Lo que indica que alguien quería que el Consejo los hallara.

Asintió con la cabeza.

—Jack dice que había mucha cantidad de acelerante del crecimiento en el vampiro que se encontró en el avión de Quinn. Y los análisis previos que Quinn consiguió de los clones de Gautier también mostraban altas dosis.

Hice un gesto de preocupación.

—Da la sensación de que no les importara que sus creaciones vivan mucho.

—Quizá solo les interesa que vivan hasta que cumplan con su tarea —me miró con expresión sombría—. El cuerpo de un vampiro se degrada con rapidez en cuanto está muerto. ¿Puedes imaginarte mejor máquina de matar que una diseñada para hacer el trabajo y luego autodestruirse antes de que pueda obtenerse de él ninguna evidencia?

—No es algo en lo que quiera pensar ahora.

Me quedé mirando cómo revoloteaban por encima de los lomos de las vacas unos abanicos lavanderas[3].

—¿Cómo se permite que Gautier permanezca en el Consejo? Y más cuando sus clones han empezado a aparecer por todas partes.

—Creemos que Gautier trabaja para alguien del Consejo, alguien que no es Alan Brown. Hasta que podamos dar con esa persona, Gautier se queda. Es mejor tener al enemigo donde puedas vigilarlo.

—Pues yo no diría que lo estáis vigilando ahora.

—La directora Hunter, sí.

—¡Ah! —respondí. Cerré los ojos para escuchar el viento que soplaba con fuerza a través de los eucaliptos. La tormenta que había caído a primera hora de la tarde sobre Melbourne venía hacia nosotros—. Como todos los guardianes Gautier debe hacerse exámenes médicos con frecuencia, ¿no han encontrado nunca nada anormal?

—No. Jack ya te habló acerca de su historial o, mejor dicho, de la falta de dicho historial.

---

3 N. de la T.: pequeña ave muy común, nativa de Australia.

—Sí. Pero poco o muy poquito.

Rhoan hizo una mueca burlona.

—Quiere meterte en el programa, hermanita, solo intenta enrolarte.

—Eso es lo que me ha dicho.

En aquel momento, el hombre de quien hablábamos salió de entre los árboles.

—Riley —me dijo Jack con una sonrisa en los labios pero con la expresión seria—. Tenemos que hablar un momento.

Miré a Rhoan, que se encogió de hombros ante mi pregunta silenciosa.

—Claro —dije, poniéndome en pie.

Jack se puso a caminar de nuevo por el sendero hacia los árboles y seguí sus pasos. Caminamos entre la oscuridad y nos detuvimos en el borde, mirando las libélulas que revoloteaban sobre el agua.

—¿Qué pasa? —le pregunté al cabo de unos instantes.

—Algo que no te va a gustar —me miró con sus ojos verdes con cara de enfado—. ¿Recuerdas la muestra de sangre que tomé?

Se me removió el estómago.

—Sí.

—Tenemos unos resultados interesantes.

Cerré los ojos un instante, dudando de si quería oír aquello.

—¿Estaba drogada?

—Sí. Era la N529, una droga diseñada para no humanos que te hace perder la consciencia enseguida y que no tiene que salir al mercado hasta el mes que viene. La otra era el ARC1-23.

Puse cara de sorpresa.

—¿Cuál es esa?

—Es un fármaco que todavía se encuentra en la lista de experimentales porque parece que tiene efectos secundarios graves en no humanos —luego vaciló—. Parece que alguien quiere que te quedes embarazada.

Capítulo 11

Durante unos segundos no reaccioné, me quedé mirándolo con estupor. Luego la rabia se apoderó de mí y apreté los puños deseando tener algo o a alguien a quien golpear.

—Voy a matar a ese desgraciado.

En realidad matarlo era demasiado rápido. Puede que lo resolviera arrancándole sus huevos de mierda.

—Entiendo que sabes quién está detrás de esto.

Asentí y comencé a caminar de un lado a otro.

—Una de mis parejas habituales me habló hace poco de que quería que tuviéramos un hijo.

—Pero ¿diste tu consentimiento para tomar ese fármaco?

Resoplé.

—¡Qué va! Si alguna vez asumo el riesgo de embarcarme en un embarazo será con alguien a quien ame, no con uno que solo quiere follar.

—¿Llevas puesto todavía el chip en el brazo?

—¡Mierda! —exclamé recorriendo con los dedos mi brazo. Cuando palpé el pequeño bultito en la piel respiré con alivio. Gracias a «Dios».

—Necesitamos hacerte más pruebas —continuó Jack, interpretando bien mi alivio.

Fruncí el ceño.

—¿Por qué?

—Porque las cantidades de ARC1-23 en la muestra de sangre indican que te dieron este fármaco hace un par de meses y, como te he dicho, se sabe que tiene efectos secundarios graves.

Me retiré el pelo de la cara y me puse a caminar arriba y abajo otra vez. La rabia que sentía me impedía quedarme quieta.

—¿De qué tipo de efectos secundarios estamos hablando?

—Parece ser que una vez en el cuerpo, el fármaco puede mutar transformando no solo su composición química sino la del cuerpo.

—Eso... eso...

Jack asintió como si me entendiera.

—El fármaco pasó por todos los ensayos de laboratorio y decidieron empezar a probar con algunas voluntarias que tenían problemas para concebir, usando para ello a hembras de híbridos humanos, metamorfos y licántropos. De los cincuenta del primer ensayo, a diez no las afectó. Treinta quedaron embarazadas y tuvieron gestaciones y partos normales sin que las madres ni los hijos mostraran reacciones adversas al fármaco. Las otras diez, sin embargo, empezaron a transmutarse de una u otra manera.

Con la suerte que tenía desde hacía una temporada, yo no estaría entre las no afectadas. Ni tampoco sería de las que se quedarían embarazadas. Di un bufido y cambié de idea. Iba a arrancarle las pelotas a aquel desgraciado y después lo iba a matar.

—¿Por qué afecta a unos sí y a otros no?

—Los estudios que se han hecho indican que puede estar relacionado con el hecho de que las diez que se transformaron en lugar de quedarse embarazas tenían una doble herencia genética.

Su expresión era sombría y estaba haciendo conjeturas.

No me hacía falta leer su mente para saber que estaba pensando en mi doble herencia. Tenía ganas de ponerme a gritar. ¡Dios! Como si no tuviera ya demasiadas cosas raras en mi vida.

—¿Y dónde han encontrado tantos híbridos?

La reproducción entre las razas no humanas, sobre todo entre metamorfos y licántropos, era muy rara. Aunque éramos sexualmente compatibles, algo en nuestra genética hacía casi imposible que un cruce de metamorfo pudiera fecundar a otro de manera natural.

—Lo promocionaron por toda Australia. La reproducción natural entre híbridos es rara, pero se da.

—¿Cuánto tiempo tardaron en aparecer los efectos secundarios?

—El ensayo se llevó a cabo durante un año. Los efectos secundarios empezaron a aparecer al cabo de los seis meses. Hasta entonces todo el procedimiento salió como se esperaba.

Así que me quedaban unos meses para saber si había salido de una manera o de otra. Di un puntapié a unas piedras y las vi caer haciendo que el agua salpicara. Las libélulas se agitaron con las ondas, bajo la luz del atardecer sus alas parecían joyas.

—¿Y cuándo se toma ese fármaco?

—Es una inyección al mes.

Cerré los ojos. Talon me había estado inyectando por lo menos desde hacía dos meses. Por qué si no me desmayaba después de beber su champán del «bueno»?

—Sabía que estaba decidido cuando dijo que lo haría a su modo, pero nunca pensé que iba a llegar tan lejos.

—Entiendo que hablamos de Talon LaSalle.

Lo miré con los ojos entrecerrados.

—¿Cómo lo sabías?

—Lo hice investigar. —dijo con una repentina sonrisa irónica—. Puede que pienses que eres poco más que una chupatintas, pero la verdad es que trabajas en un área delicada y sabes más sobre el funcionamiento de la casa que muchos directores. El Consejo tiene gran cantidad de enemigos y la información que tú y otros enlaces poseéis podría ser muy valiosa para aquellos que intentan destruirnos —se encogió de hombros y continuó—. Así que sé con exactitud con quién pasa el tiempo toda mi gente.

—¿Investigas a todos aquellos con los que estamos en contacto?

Resopló con suavidad.

—¡Qué va! No tenemos el personal suficiente. Solo a los que tienen un papel destacado en vuestra vida. La única razón por la que Liander está involucrado en esta misión es porque sé todo lo que necesito saber sobre él, y se trata de su impecable expediente militar. Es una buena incorporación para el equipo que quiero formar.

—Tienes tantas probabilidades engañando a Liander como engañándome a mí.

—Él no es tan tozudo como tú.

No hice caso de su burla.

—Bueno ¿y qué dicen tus informes sobre Misha y Talon?

—Talon es un empresario de éxito que ha extendido sus tentáculos por diferentes sitios y muchas de sus empresas están relacionadas con otras, pero no las hemos rastreado todas. Es implacable cuando se trata de conseguir lo que quiere, pero nunca se ha pasado al otro lado de la ley, al menos que nosotros sepamos.

—Hasta que se le ocurrió tener un hijo —murmuré—. ¿Y qué pasa con Misha?

—Misha es aún más difícil de localizar. Tiene mucho éxito, pero hasta ahora no sabemos cómo.

Fruncí el ceño.

—Es el dueño de Empresas Rollins.

Jack asintió.

—Que ha tenido cinco años de pérdidas y sin embargo la fortuna de Misha ha seguido creciendo.

—Es muy posible que sea gracias a buenas inversiones —como el complejo de apartamentos South Bank, pensé.

—Demasiado buenas. Solo que, hasta ahora, no hemos podido localizarlas.

Me quedé mirándolo unos instantes sin saber qué pensar.

—¿Crees que Misha es un delincuente?

—Con sinceridad, no lo sé, las manadas de oro y plata son muy cerradas en cuanto a dar información sobre sus miembros y sobre su dinero. Sé que él es muy hábil en no dejar rastros pero mi intuición me dice que está detrás de algo. Y si bien tengo mis dudas de que ese algo afecte al Consejo, estoy seguro de que, de alguna manera, tiene que ver contigo.

Me froté los ojos con la mano. Aquél día que había empezado tan bien se estaba convirtiendo en un día de mierda.

—¿Por qué no me has dicho nada de esto hasta ahora?

—Porque no tengo ninguna prueba de que esté metido en algo. Mi intuición podría engañarme. No sería la primera vez.

Tomé una bocanada de aire y lo dejé salir despacio. Misha y yo íbamos a tener una conversación seria cuando volviera. Si sus respuestas no nos satisfacían ni a mí ni a Jack, lo iba a eliminar de mi lista, lo mismo que a Talon.

Y pensar que solo un par de días atrás me había sentido feliz por completo con los dos.

—Entonces, ¿cómo ha conseguido Talon la ARC-23 si no está en el mercado?

—Es su empresa la que está haciendo investigaciones de fertilidad.

Como Jack había dicho, tenía sus tentáculos en diferentes sitios.

—Él no sabe que soy medio vampiro. Es posible que pensara que podía administrármela sin peligro.

—Eso no es una excusa para lo que ha hecho.

—No —me detuve tratando de reprimir otro acceso de ira—. ¿Y qué hacemos ahora?

Se me quedó mirando un instante.

—Se presentará una acusación contra él, por supuesto.

Mientras yo pudiera ponerle las manos encima antes, no me importaba lo que le hicieran a ese desgraciado.

—Me ha sonado como si hubiera un pero después de eso.

Asintió.

—Los militares están desesperados por explorar las posibilidades de ese fármaco y para lograr acceder a él, Talon es la pieza clave.

Eso significaba, por supuesto, que no iban a permitir que le pasara nada hasta que ellos lo consintieran.

—Entiendo que ya no la van a comercializar como un posible fármaco para la fertilización.

—Se va a someter a un ensayo más exhaustivo y los candidatos a probarlo van a ser seleccionados con mucho cuidado. Después de todo, ha funcionado en un amplio porcentaje del grupo de prueba.

Tomé una profunda bocanada de aire otra vez y luego le pregunté lo que estaba evitando.

—¿Qué efectos produce?

—Parece que acentúa algunas habilidades. De los diez, seis eran cruces de humano y licántropo o de humano y metamorfo. Todos adquirieron la capacidad de adoptar cualquier forma.

Me inundó una sensación de alivio. Cambiar de forma era bastante mejor que las posibles situaciones que yo me había estado imaginando.

—Tener esa capacidad no parece que sea muy malo.

Jack dio un suave resoplido.

—Sí, solo que si cambian muy a menudo, no pueden volver a su forma humana. La química corporal altera tanto las células que estas no recuerdan su forma original y se quedan en la forma animal.

Eso no era nada bueno. Estar muerto seguro que sería mucho mejor que no poder recobrar su forma humana nunca.

—¿Y los cuatro restantes?

—Eran cruces de metamorfo y licántropo y todos tienen habilidades psíquicas. Tres de los cuatro ni se habían dado cuenta. Estas habilidades aumentaron hasta el punto de ser

peligrosas. Creo que los cuatro han sido transferidos a uno de los programas militares.

Le lancé una mirada asesina.

—No intentes meterme en ningún programa militar.

Me dedicó una de esas sonrisas con todos los dientes de las que no me fiaba un pelo.

—Cariño, tú eres mía. Si vas a alguna parte será al programa de guardianes de la noche.

—Tampoco va a pasar eso.

—Puede que no tengas otra opción. Si ese fármaco te afecta, hasta que descubramos la profundidad de esos cambios seremos nosotros o los militares.

En ese caso prefería quedarme en el Consejo. Pero eso no significaba que fuera a meterme en el sistema sin pelear. Si Jack me quería como guardián, iba a tener que arrastrarme hasta allí pataleando y gritando.

—¿Y ahora qué?

—No parece que el fármaco te haya provocado todavía ningún efecto pernicioso, pero incluso así, empezaremos a hacerte exámenes de sangre periódicos y escáneres celulares. También empezaremos a hacerte pruebas psíquicas por si las alteraciones se dan por ahí.

—Soy telepática, ya lo sabes.

Asintió.

—En los exámenes de acceso también reflejaste habilidades latentes de clarividencia.

—Lo que no es una capacidad que los militares vayan a menospreciar.

—Por el contrario, la clarividencia es un medio excelente para obtener información.

—Sí, pero acabas de decir que es latente. O sea, no está activa ni se utiliza.

—Te lo garantizo. Pero ese no es el caso de tu habilidad telepática. Dado que puede usarse para conseguir información y también como arma, es sin duda una habilidad mucho más deseable por lo que a ellos respecta. Tu nivel ya es alto, pero este fármaco puede muy bien hacerte salir de la escala.

No quería salirme de la escala. No quería usar mis habilidades para algo que no fuera defensa. Pero tenía la vaga sensación de que Talon lo había decidido por mí. Le di un puntapié a otra piedra arrojándola hacia la represa. Y me imaginé que era la cabeza de cierto lobo dorado hundiéndose en aquellas aguas turbias.

Jack me apretó el hombro suavemente.

—Puede que seas de las afortunadas y que no sufras ningún efecto en absoluto.

Mi sonrisa era triste.

—Eso no te lo crees ni tú.

Dudó.

—No. Pero ahora mismo no hay nada que podamos hacer. El tiempo nos dará las respuestas. Mientras tanto hay una fábrica de clones a la que hay que dar caza.

Me volví y lo seguí por el sendero.

—¿Conoces una empresa llamada Konane que al parecer pertenece a Moneisha?

Me miró por encima del hombro.

—No. ¿Y tú?

—Misha me habló de ella.

—Interesante. Me pregunto cómo lo sabe, y por qué te lo dijo.

—Porque le pregunté.

—Quizá debas preguntarle unas cuantas cosas más, como si sabe algo sobre los clones o los híbridos.

—Si tú quieres lo haré.

—Puede que merezca la pena el intento. Mientras tanto terminaré de buscar lo de Konane.

—¿Piensas que los híbridos salen del mismo sitio que los clones?

—No y las evidencias que ha encontrado Quinn así lo confirman.

Rhoan ya no estaba sentado frente a la cabaña cuando llegamos. Pero con el delicioso olor a carne asada que flotaba en el aire, era probable que estuviera dentro acosando a Liander para que se diese prisa en servir la comida.

—Nunca me cansaré de ese olor —dijo Jack aspirando con fuerza—; por eso vivo encima de un restaurante.

Abrí la puerta y le hice un gesto con la mano para que pasara.

—Siempre había pensado que el olor a carne revolvía el estómago de los vampiros.

Jack movió la cabeza de un lado a otro.

—Un mito de Hollywood. Tú y todo el mundo haríais mejor en no creer cosas así.

—Eh, que algunos mitos parecen razonables.

—El que parezcan razonables no los convierte en tales.

Se movió a un lado de la mesa y miré alrededor buscando a Quinn. No estaba en la sala de estar pero casi enseguida bajó por las escaleras. Su mirada se encontró con la mía, sus ojos oscuros eran cálidos y llenos de deseo. Sentí la fiebre en las venas, su intensidad me empapó en un instante. Y aún faltaban

dos días para la luna llena. Si la misión duraba mucho más, tendría problemas. Todavía tenía controlada la fiebre pero su fuerza me sugería que no podría mantenerla así mucho más.

—Hola, dama hermosa —dijo rodeando mi cintura con su brazo y acercándome a él—. ¿Adivina qué?

—¿Qué? —le dije con apenas un ronco susurro. Dios, lo sentía tan bien pegado a mí que mis hormonas me suplicaban que lo tirara al suelo y le hiciera el amor hasta que lo dejara inconsciente.

—Rhoan y yo lo echamos a suertes. Nosotros hemos ganado la cama esta noche.

Enlacé las manos por detrás de su cuello y le besé en la mejilla.

—¿Quieres decir que mañana dormiremos bajo las estrellas?

—Me temo que sí. Pero el hombre del tiempo dice que hará bueno.

—De todas formas, no importa, porque he sido *scout*. Construiré un refugio para los dos.

Su sonrisa era decididamente malvada.

—Es una pena que no lleves el uniforme. No me importaría verte con él puesto.

Puse cara de sorpresa.

—¿No serás un fetichista de las mujeres con uniforme?

—Sobre todo cuando tienen piernas largas y son pelirrojas —dijo y acarició con su aliento mi boca, sus labios encontraron los míos y nuestro beso fue largo, en una lenta seducción que dejó mis rodillas a punto de doblarse.

—Ya basta, vosotros dos —el comentario de Rhoan llegó por detrás de Quinn—. Algunos tenemos ganas de comer.

Me levanté para tomar aire y acepté el plato que me pasaba mi hermano.

—¿Qué es?

Rhoan me miró con seriedad.

—¿A qué se parece?

—No lo sé. Resulta bastante similar a un bistec con patatas fritas, pero no puede ser, no es negro.

Pinchó una alubia del plato y me miró de soslayo. Me fijé en que su bistec era muy, muy extraño.

—Cuando lleguemos a casa te toca cocinar.

Lancé una alubia al aire y la atrapé con la boca.

—Eso quiere decir que tu harás la colada, hermanito —un buen trato, porque Rhoan detestaba lavar tanto como yo cocinar. Los dos odiábamos planchar y por eso nuestra sala de estar rebosaba de ropa limpia y arrugada—. Tu novio te podría dar unas cuantas clases de cocina.

—Puedo hacer cosas mejores con mi novio.

—Yo también —me susurró Quinn al oído.

Soplé hacia arriba, pero no me sirvió de mucho para aliviar la fiebre que me ardía en la piel. ¿Por qué tenía que haber encontrado a este hombre justo cuando me encontraba en medio de un desastre?

—Cuando queráis, muchachos —dijo Jack desde la mesa.

Eché un vistazo por encima de mi hermano y vi que Jack había quitado de la mesa los mapas que encontramos. En un extremo estaba su ordenador encendido y se veían unos diagramas en la pantalla. Seguí a Rhoan y me senté. Quinn se sentó cerca de mí, con su rodilla quemando la mía, transmitiéndome pequeñas descargas eléctricas que me subían por la pierna.

—He escaneado los diagramas que encontrasteis y he hecho comprobaciones de todas las instalaciones militares —dijo Jack—. He encontrado tres posibles, todas ellas fueron vendidas por el gobierno hace cincuenta años.

—¿Alguna idea de quiénes son sus dueños o para qué se usan ahora? —preguntó Quinn mirando la pantalla.

—Una fue adquirida para una empresa que construye complejos residenciales y ahora hay varios miles de viviendas allí. Otra es actualmente propiedad de Hoyle Brantin, que fabrica electrodomésticos. La última es una empresa llamada Nashoba, cuya actividad registrada es la investigación de cosméticos y el marketing.

Hice un gesto de extrañeza.

—Nunca he oído la marca de cosméticos Nashoba.

—Ni yo —dijo Liander y me dirigió una sonrisa radiante—. Es probable que yo use más maquillaje en un día que tú en un año.

—Cuando se tiene una belleza natural como la mía, no se necesita maquillaje —respondí esquivando las patatas fritas que me tiró.

—Considerando que Nashoba no parece que exista —comentó Jack—, no me extraña que no hayáis oído hablar de ella.

—¿No será la tapadera de otra empresa? —preguntó Quinn.

Jack asintió.

—Las pruebas documentales son larguísimas. El sistema operativo está trabajando en eso mientras hablamos.

—Parece que en los últimos tiempos nosotros estamos acertando más que las pruebas documentales —dijo Rhoan.

—Y mientras el sistema sigue buscando, qué vamos a hacer —dijo Quinn.

—Emprender nuestra propia búsqueda partiendo de ambas hipótesis.

—¿Están bien protegidas? —dije metiéndome un trozo de bistec en la boca al tiempo que emitía un sonido de placer cuando se deshizo en ella. Me había olvidado de lo bueno que era un bistec bien preparado. Levanté mi pulgar hacia Liander.

—Nashoba está muy bien protegida. Rhoan y yo nos encargaremos de esa. Hoyle Brantin tiene patrullas a pie y alambradas. No hay nada que no se pueda sortear.

Asentí.

—¿Hay planos?

Empujó por encima de la mesa unos papeles.

—Es bastante parecido a lo que viste en los planos que te llevaste de la oficina de Brown, aunque hay un ala nueva añadida al edificio principal.

Les eché un rápido vistazo y seguí comiendo.

—¿Y qué pasa con el proyecto Espectro Blanco?, ¿has descubierto algo? —preguntó Quinn.

Jack negó moviendo la cabeza.

—No hay nada en los archivos y Alex no puede recordar el proyecto; Espectro Blanco debe de haber sido un nombre en clave de otra cosa. He escaneado su contenido para que ella pueda hacer alguna comprobación.

—¿Y los discos?

Me miró.

—Se los he enviado por correo. No le molesta hacer un poco de voyeurismo.

Normalmente a mí tampoco, pero la idea de ver a Brown haciendo guarradas una y otra vez era bastante como para matarme el deseo.

—¿Y cuándo vamos a esos sitios? —preguntó Rhoan.

Jack le echó una mirada irónica.

—Dada la proximidad de la luna llena y el hecho de que tres componentes de mi actual equipo son licántropos, lo antes posible.

Rhoan apartó su plato.

—¿Cómo nos vamos a hacer con el equipo necesario?

—Tú y yo nos detendremos en el Consejo.

—¿Eso es seguro?

—Iremos por el túnel de emergencia. Solo pueden acceder a él los directores, así que si alguien nos ataca, la franja de sospechosos se estrechará. —Jack me miró—. Me llevaré esta muestra de sangre también.

Noté la mirada curiosa de Rhoan pero no me molesté en devolvérsela. Si llegaba a descubrir lo que Talon había hecho, lo mataría. Y yo quería darle el primer puñetazo.

—Bien.

Jack consultó su reloj.

—Nos vamos en media hora. Liander, ¿estás preparado para ocuparte del fuerte otra vez?

—¿Tengo otra opción? —su tono era seco, algo en la palidez de sus ojos indicaba que le gustaba la acción tanto o más que el sexo. Quizá me había equivocado al pensar que él estaba tan poco dispuesto como yo a involucrarse en los planes de Jack.

—No, en esto no la tienes. —Jack dudó y miró a Quinn—. Tú también debes quedarte aquí. Riley es del

Consejo y puedo protegerla si tiene problemas. No puedo ofrecerte más.

—No espero que lo hagas ni tampoco dejaré que me apartes de este asunto.

—No puedo dejarte ir.

—Tampoco detenerme y los dos lo sabemos —los dos hombres se miraron sin pestañear durante varios segundos. Luego Quinn añadió—: Conoces mis razones para hacer esto.

—Sí —Jack dudó—, pero no esperes mi ayuda si las cosas se tuercen.

Quinn esbozó una sonrisa irónica.

—Perdóname por decirte esto, pero tengo más que suficientes políticos, jueces y abogados preparados y capaces para ayudarme a salir de cualquier situación. Ser multimillonario tiene sus ventajas.

Jack asintió y se levantó.

—Pongámonos manos a la obra.

Diez minutos después, Quinn y yo íbamos de vuelta a Melbourne, él conducía y yo iba estudiando los planos de la antigua base militar de Broadmeadows.

—Hay una fábrica en un lado y un viejo cementerio en el otro.

Percibí humor en sus ojos cuando me miró.

—Te decidirás por el cementerio ¿no?

Lo miré sorprendida.

—¿Puedes imaginarte un lugar de entrada más adecuado para un muerto y una medio muerta?

Su suave risa me enviaba temblores de deseo que se extendían a flor de piel.

—Nadie en su sano juicio te llamaría medio muerta.

Sonreí.

—Tú también estás bastante vivo.

—Y lo volveré a estar en cuanto acabemos esta excursioncita y tengamos ocasión.

Yo no podía esperar. Doblé los planos y los eché al asiento de atrás.

—Dime por qué Jack no puede detenerte. ¿Es una cuestión de edad?

—Y por el sistema de jerarquías.

—¿Los vampiros tenéis jerarquías?

Me miró.

—Claro. Cuanta más edad tiene el vampiro más poderoso es. El disponer de un sistema de poder organizado previene la guerra generalizada, lo que no sería bueno para ninguna raza.

Ese era el eufemismo más grande que había oído.

—¿Eso significa que el orden jerárquico es una simple cuestión de esperar a que les dé un síncope a los que están más arriba?

—Dicho crudamente, así es.

—Entonces ¿qué detiene a un subalterno para no saltarse la jerarquía ?

—La ira de los demás, que caería sobre él o ella si eso ocurriera.

No entendía de qué manera eso podía evitar muertes inexplicables si alguien más poderoso que los demás liquidaba a la jerarquía. Pero al fin y al cabo, los vampiros no solían pensar como el resto de nosotros— ¿Dónde estás tú en el orden jerárquico?

—Hay tres por encima de mí.

—Y me imagino que la directora Hunter está entre ellos. Por eso la telefoneaste como una cortesía profesional entre vampiros.

Asintió. Fruncí el ceño.

—Jack dijo que era su hermana, pero si ella es más vieja que tú, y él es más joven ¿cómo puede ser?

Se encogió de hombros.

—Madrilene y Jack proceden de una estirpe de metamorfos, y estos son muy longevos, como los licántropos. Quizá Jack no cambie hasta casi el final de sus días.

Acentué aún más mi gesto.

—¿Madrilene? Quieres decir Alex.

—Sí —dudó—. Madrilene era el nombre que usaba cuando nos conocimos.

—Eso quiere decir que los vampiros se cambian el nombre a lo largo de su vida.

—Sí. Y sí, yo también.

—¿Entonces Quinn no es tu nombre de nacimiento?

—Mi apellido, no. Quinn es la forma inglesa de mi apellido irlandés, O'Cuinn.

—Interesante —pero eso no explicaba porqué Jack podía tener más de ochocientos años y la directora Hunter más de los mil doscientos de Quinn. Según mis cálculos quedaba por lo menos un siglo sin explicación, fueran metamorfos o no. Pero era obvio que Quinn no pensaba explicármelo. Si quería respuestas, tenía que preguntar a la fuente. Que me respondiera o no, sería otra cuestión.

—Por lo que cuentas sobre la jerarquía de los vampiros y el hecho de que tú seas más viejo y más fuerte que Jack, ¿es eso lo que te impide introducir órdenes en su mente?

—Él es lo bastante fuerte como para no dejar que lo controle. Podría aplastarlo y matarlo, mental y físicamente, pero no tengo la fuerza para mantenerlo bajo control.

—Claro que eso es lo que tú dices.

—¿Mi palabra no es suficiente?

—No puedo responder a eso, porque aún no te conozco bastante —dije cruzando los brazos y observando la carretera lavada por la lluvia—. ¿Por qué vas con esa determinación detrás de la gente responsable de las clonaciones?

—Jack te lo dijo, la fuente de ese material era amigo mío.

—¿Muy buen amigo?

Me miró.

—No uno sexual si eso es lo que insinúas. Nació en Hieremias, era hijo de Glaucus, aunque se cambió por Henri Glaucus para que le fuera más fácil usarlo en los años siguientes. Hemos sido amigos durante cerca de mil años.

Era difícil pensar en conocer a alguien durante tanto tiempo.

—¿Cómo murió?

Su mirada era rápida, fría, dura, y me produjo un escalofrío en la espalda. Pero también había algo más en sus profundos ojos. Algo similar al dolor.

—Tenía el corazón roto. Se puso a caminar bajo el sol y se quedó allí —dudó—. O eso es lo que pensé.

Podía apostar a que detrás de aquella desgracia había otra loba. Caray, quería analizar las posibilidades que tenía con él, pero ¿tendría suficientes fuerzas como para enfrentarme al dolor causado por su ex y al daño infligido a su amigo? Después recordé la magia que había surgido entre nosotros mientras hacíamos el amor y pensé: «Demonios, sí».

—Está claro que se hicieron con él antes de que se convirtiera en cenizas, si no sus clones no andarían por ahí.

—Sí —hizo una pausa—. Cuando vi por primera vez su clon en Sidney, me llené de alegría, pensé que me había equivocado y que Henri no se había suicidado. Pero al hacer una rápida exploración telepática descubrí la verdad; la memoria de vida de los clones se remonta solo a los siete años y medio anteriores.

—¿Por eso te atacaron en Melbourne, porque mataste al clon?

—Es posible, sobre todo si descubrieron mi historia con Henri. Debieron de darse cuenta de que había empezado a buscarlo.

—¿Por vuestra amistad?

—Porque le debía a Henri la vida más veces de las que quisiera recordar.

Un vampiro leal. Interesante.

—Entonces ¿por qué clonaron a Henri?, ¿qué tenía él que no tuviera un millón de vampiros?

Me miró con un gesto amable.

—Tú no lees mucho los periódicos ¿verdad?

Fruncí el ceño.

—¿Qué tiene que ver con esto?

—Henri no tenía rival como atleta y hace diez años fue el único hombre vivo que podía presumir de que había participado en persona en las Olimpiadas originales, no en un holograma.

—Caramba... sí que era...

—Viejo —interrumpió Quinn—. Cuando empezaron los modernos juegos olímpicos competía de manera irregular. Al reanudarse después de la segunda guerra mundial, volvió a participar.

—¿Cómo? Es un vampiro y la mayoría de las competiciones se realizan de día.

—Es un vampiro muy viejo. Solo el sol del mediodía puede matarlo.

—¿Y cómo corría? Por entonces no se permitía participar a los no humanos.

Sonrió con ironía.

—Por entonces no disponían de la tecnología que distingue lo humano de lo no humano. Ganó muchas medallas a lo largo de los años.

—¿Y, cuando empezaron las olimpiadas alternativas...?

—Era la estrella. Ganó casi todas las competiciones de carreras en pista en las tres Olimpiadas alternativas anteriores a su muerte. Este año el Comité Olímpico australiano conmemoró sus hazañas incluyendo su nombre en el Salón de la Fama de los Deportes. Ha sido el primer vampiro en entrar en él y en la prensa se le dio mucho bombo a su historia.

Iba a tener que empezar a interesarme más por las noticias locales.

—Quienes quiera que estén detrás de las clonaciones no podían saber que Henri tenía una historia de amor que iba tan mal como para llevarlo al suicidio.

—¿No podían?

Me miró con dureza.

—No puede ser. ¿Por qué aguantar hasta que tuviera ese problema cuando sería más sencillo secuestrarlo?

—Porque de esa manera nadie se pondría a buscarlo.

En ese momento comprendí el dolor que había visto en sus oscuros ojos. Él no había ido a buscar a su amigo. Alargué la mano y se la puse en el brazo. Sus músculos saltaron bajo mis dedos como si se resistieran al consuelo que le ofrecía.

—No tenías manera de saberlo.

—Pero podía haberlo comprobado.

—Podías haberte matado.

Su sonrisa era triste.

—Puede que sí, puede que no.

Tenía la sensación de que no le importaba que le pasara cualquier cosa con tal de descubrir la verdad.

—¿Él te habló de que iba a suicidarse?

—No, pero lo conocía de siempre. Tenía que haberme imaginado lo que podía pasar.

—¿Cómo podías imaginarte que un hombre que había vivido tantos años pudiera matarse por una despreciable loba?

—Exacto —refunfuñó mirándome sin dulcificar su expresión—. Excluyendo a la presente.

La presente no estaba excluida y los dos lo sabíamos. Se había permitido quererme físicamente pero no se permitiría nada más. A causa de su ex. A causa de la ex de su amigo. Lo que significaba que no importaba que yo luchara por seguir explorando aquella relación, al final romperíamos. Y eso era una verdadera lástima, porque podíamos estar muy bien juntos. Más que bien.

—¿Qué pasó con ella?

—Está muerta.

Eso no me sorprendió.

—¿No te dijo nada antes de que la mataras?

—Yo no la maté, ya estaba muerta cuando la encontré.

—¿Y eso no te pareció un poquito sospechoso?

—A Marnie le encantaba la velocidad y conducía de acuerdo con ese gusto suyo. La carretera estaba mojada, perdió el control y se estrelló contra un árbol. Hubo testigos. Pensé que se había hecho justicia y no le di más vueltas.

—¿Interrogaste a los testigos?

Su mirada era profunda.

—No. En ese momento no tenía ninguna razón para no creer que fuera un accidente.

—¿Y ahora la tienes?

—No he encontrado a los testigos.

Sorpresa, sorpresa.

—Pero ¿por qué se cargarían a alguien tan famoso para clonarlo? Aunque fuese el mejor de los mejores, seguro que saben que la aparición de clones suyos levantaría sospechas.

—No necesariamente. La muerte de Henri se divulgó bastante y diez años han bastado para borrar su recuerdo. Además, los clones no son como él en todos los detalles, aunque tengan sus mismos genes.

—Pero si tú y la directora Hunter sois viejos amigos, debería saber de tu amistad con Henri. ¿Por qué no mencionó la semejanza que tenía Gautier con él?

Su expresión se ensombreció.

—Porque esperaba que Gautier la llevara hasta el origen de todo.

Lo observé un momento.

—Y porque sabía que tú querrías intervenir enseguida y que era muy posible que complicaras su propia investigación —dije.

—Sí. Y no es que su investigación haya dado muy buenos resultados hasta ahora,.

Por eso Gautier era un intruso miserable.

—¿Y en el año que has estado a la caza de esos clones no has hecho avances sobre el lugar de donde vienen?

—No. Pero estoy bastante seguro de que no proceden del Ejército.

—¿Por qué?

—Porque aunque no me quepa duda de que los militares están empeñados en crear un soldado perfecto, dudo mucho que permitan que sus creaciones anden por las calles levantando sospechas.

—¿Piensas que puede ser una empresa privada visionaria que quiere apoderarse del mundo?

Sonrió.

—Quizá se trate de uno o dos países. Las agrupaciones están hoy en día en auge tanto como el dinero. Controla el gobierno y ya tienes el poder.

—¿Entonces el soborno y el chantaje ya no tienen aceptación?

—El soborno y el chantaje dejan rastro. Los clones se crearían con muchas menos sospechas.

—El rastro de los clones puede seguirse con tanta facilidad como el del chantaje. El Consejo y muchos departamentos gubernamentales han comenzado a instalar escáneres celulares y han instaurado unos análisis de sangre regulares.

—Los escáneres celulares no detectan las irregularidades porque no las hay. A todos los efectos el clon es idéntico al original. Y dudo de que los análisis de sangre encuentren algo. No lo han encontrado en Gautier, ¿no?

—Bueno, no —fruncí el ceño—. ¿Por qué si es un clon?

—No tengo ni idea. Quizá dejan de darle el acelerante y esperan a que los análisis de sangre estén lo bastante limpios como para que encaje con la muestra de control.

—Pero si están clonando para conseguir el poder ¿por qué no clonar políticos?, ¿por qué un guardián?

—Porque no han perfeccionado el proceso. Aunque parece que Gautier no muestra signos de degeneración, la mayor parte de aquellos con los que me he cruzado parecen presentar problemas asociados a una edad extrema.

—Eso casi seguro que estará relacionado con la cantidad de acelerante que utilizan para producir con rapidez esas cosas.

—No es preciso que sea así. Ya cuando se experimentó con la clonación en el siglo XX, bastante antes de que se descubriera el acelerante, se observó que las especies clonadas adolecían de problemas por envejecimiento prematuro.

—Eso no los detuvo.

Sonrió.

—Eso ya no lo para nadie. La ciencia y la moralidad no suelen ser buenos compañeros de cama.

El vehículo ascendió por una colina y vimos Melbourne a nuestros pies, un mar de luces que se perdieron enseguida entre los árboles. El estridente timbre de mi teléfono móvil interrumpió el breve silencio. Mientras lo sacaba del bolso, me miró.

—Espero que lo apagues antes de que entremos en Hoyle Brantin —dijo.

—Qué tontería —me contuve y no seguí—. Pensaba dejarlo encendido para que saltara, sería más emocionante hacerlo con el miedo a que sonara y nos descubrieran.

La verdad era que había olvidado que estaba encendido. Apreté el botón de respuesta esperando que fuera Talon preguntándome dónde me encontraba y por qué no estaba suspirando por él.

Solo era Misha.

Y no sonaba más feliz de lo que Talon debía de estar.

Capítulo 12

—¿Qué demonios le has hecho a Talon? —me preguntó furioso.

—¿Y a ti por qué te importa?

—Porque me está acosando.

Eso me sorprendió.

—¿Cómo puede acosarte si estás con tu manada y ni él ni yo sabemos a qué manada de plata perteneces?

—He vuelto porque resultó que mi madre había exagerado. Mi hermana tuvo un accidente, pero no fue nada grave, y ella aprovechó para que yo conociera a alguien que considera una novia perfecta para mí.

Presentía que no me estaba diciendo la verdad, aunque eso de que su madre le estuviera buscando pareja era algo típico. Fui testigo de ardides parecidos a lo largo de mi adolescencia, antes de que nos expulsaran de la manada. Por lo menos ni Rhoan ni yo teníamos que preocuparnos de que nos pasara eso, aunque una parte de mí lo deseara.

—¿Qué quieres que haga yo? Ya estás crecidito, arréglatelas tú solo.

—He tratado de razonar con él pero está como loco —Misha vaciló—. Me ha dicho que sois pareja en exclusiva.

Resoplé.

—Como bien has dicho, se ha vuelto loco.

—Entonces, si soy duro con él, ¿no te importa?

—No, mientras que me dejes algo que patearle.

Misha se rió entre dientes y la tensión de su voz cesó.

—Siento haberme enfadado contigo, pero estos últimos días han sido un asco y lo de Talon fue el colmo.

¿Y me había llamado solo para quejarse? Por alguna razón lo dudaba. Misha era encantador y además un exitoso hombre de negocios que siempre afrontaba los problemas con rapidez y sin compasión. Si realmente estuviera cabreado con Talon, ya lo habría solucionado. El que me hubiera llamado me indicaba que detrás había otro motivo.

¿O quizá la advertencia de Jack sobre Misha me hacía ver cosas que no eran?

—¿Me has llamado solo para eso?

—Claro que no. Quería saber si mi Mercedes está todavía entero.

A pesar de mis reservas sonreí.

—Está muy bien aparcado en el Casino Crown.

—¿Por qué está allí?

—Es una larga historia. Pero está entero.

—Es un milagro —vaciló y luego añadió—: ¿No se supone que pensabas volver a mi casa pronto?

Su tono había descendido unas cuantas octavas y se colaba por mis sentidos como chocolate caliente. Si bien Jack me había hecho recelar de él, eso no era suficiente para dejar de desearlo.

Aunque con el influjo de la luna desearía al mismo diablo si tuviera un buen cuerpo.

—Estoy en un servicio, pero si puedes esperar, iré.

—Pensé que no eras más que una chica de los recados.

Había cierta dureza en la calidez de su voz.

—El Consejo recluta incluso a las chicas de los recados cuando lo necesita.

—Eso es lo que desquicia a Talon —comentó—, que no estés a su entera disposición.

Si Talon se comportaba como un loco, es porque yo le había dicho que no, algo que no estaba acostumbrado a oír. Dudaba que se volviera loco por no disponer de mi sexo. Por muy bien que funcionáramos juntos, tenía a otras siete parejas para que le dieran placer.

Una mano me tocó el muslo y me subió la temperatura basal. Miré a Quinn.

—Ya hemos llegado —dijo con un rostro inexpresivo.

Eché un vistazo al otro lado de la carretera y vi el viejo cementerio.

—No puedes aparcar en este tramo de Camp Road.

—Ya lo sé, pero no conozco la zona —su voz era paciente, pero había algo de fastidio en el fondo de sus ojos. O rabia. Hacia qué, no tenía ni idea.

—Tú eres la que ha consultado la guía de calles —añadió.

—¿Quién es ese? —oí que me decía Misha por el teléfono.

—Nadie importante —repliqué y hubiera jurado que la expresión de Quinn se tensaba. Lo que sería estúpido porque él tenía lo que quería y no deseaba nada más que eso—. Oye me tengo que ir. Te llamaré.

—Riley, espera...

No esperé y le colgué. Ya me disculparía después, ahora tenía trabajo que hacer y, desde luego, ni un solo minuto que perder hablando de aquel asunto ni de ningún otro.

Desconecté el teléfono, salí y olfateé el aire. Soplaba una brisa fría y húmeda de lluvia. Por encima, unas nubes oscuras ocultaban las estrellas y no se veía la luna por ninguna parte. A pesar de eso su energía se metió sigilosamente en mi piel, reavivando el fuego que latía debajo. Dentro, el metal me protegía hasta cierto punto, pero al aire libre no tenía manera de escapar. La fiebre me quemaba y pronto iba a necesitar aliviarla.

Aún faltaban dos noches para la luna llena y por el momento el vampiro que había en mí era capaz de controlarse. Sin embargo, mi parte de loba se enfurecía y odiaba las restricciones de aquella ropa. Si quería mantener el control, necesitaba calmar al menos una necesidad. Me desabroché el abrigo y lo tiré a la parte de atrás del automóvil e hice lo mismo con los zapatos de tacón.

—¿Qué estás haciendo? —la voz de Quinn se me acercaba mientras él daba la vuelta al vehículo.

—La luna está muy crecida y la fiebre me quema. Necesito sentir la tierra bajo los pies y el viento en la piel.

Además, tampoco podía entrar con sigilo en ningún sitio con esos tacones de aguja, que eran los únicos que tenía, a menos que fuera a cambiarme a casa.

Su mirada era como una cálida caricia que se deslizó por mi cuerpo y se detuvo en la ajustada camiseta negra que me resaltaba los pechos y en la manera en que la falda se me pegaba a las caderas y a los muslos. No estaba desnuda, pero tampoco dejaba mucho margen a la imaginación.

Cuando nos miramos, la fiebre que me hervía en la sangre pareció reflejarse en sus ojos negros.

—¿Necesitas algo que te alivie?

—¿Algo que me alivie? —arqueé una ceja—. Lo dices como si fuera una enfermedad. —Esa respuesta lo exasperó.

—Ya sabes lo que quiero decir.

—Sí, lo sé y no lo sé —le dije poniendo mi expresión más dulce, lo que era una señal inequívoca de que estaba saliendo mi bruja interior—. Además alguno de los guardas puede ser un licántropo y podría celebrar con él la luna llena.

Sus ojos se entrecerraron peligrosamente.

—La idea es entrar y salir, sin que nadie nos vea.

—¡Qué vamos a hacer si estoy distraída!

—Atengámonos al plan —refunfuñó, agarrándome del brazo y conduciéndome hacia el sendero.

Solo era unos pocos centímetros más alto que yo, pero tenía que ir casi corriendo para caminar al ritmo de sus zancadas. Podía haberme soltado con facilidad, pero a decir verdad, me gustaba su contacto. Y en ese preciso momento, en el que la luna abrasaba todo mi cuerpo, no me importaba si era tierno o rudo.

Saltamos una pequeña verja y entramos en el cementerio. El viento movía los pinos negros que lo rodeaban asemejándose al murmullo de los muertos. Aunque si alguna vez había habido muertos por allí, hacía mucho que se habían mudado. En las losas desgastadas de las tumbas se notaba el paso del tiempo, sus inscripciones apenas eran legibles. Las lápidas estaban descuidadas e invadidas por malas hierbas. Hasta los muertos tenían orgullo y si alguno de ellos estuviera por allí, el lugar no se vería tan desolado.

La alambrada que rodeaba aquel viejo campo militar también se veía descuidada. No estaba electrificada. Ni siquiera tirante.

—Dudo que detrás de estos alambres haya algo más que una fábrica de productos de limpieza —dije.

—Sí, pero aun así tenemos que hacer una comprobación.

Examiné la oscuridad y solo pude ver sombras. Activé la visión de infrarrojos. Lo único que veía eran unas manchas de calor que iban hacia una fila de contenedores de basura que se encontraban en la parte de atrás del edificio.

—Ratas —murmuré y el estómago se me revolvió al acordarme de un desafío de adolescente que me dejó enferma durante varios días.

—Si todo lo que encontramos son ratas, me alegraré.

Levantó la alambrada y pasó al otro lado.

—Pensaba que querías encontrar a tu amigo.

—Y quiero, pero dudo que esté aquí. Quienes se encuentran detrás de las clonaciones son muy inteligentes y cuidadosos. Y eso no cuadra con que haya tan poca seguridad. Arriesgarían demasiado.

—Quizá por eso es tan difícil de encontrar. Estamos buscando algo mientras se esconde ante nuestras narices.

—No dudo de que esté ante nuestras narices, pero no creo que sea en este sitio.

—¿Por qué?

—Tú misma lo has dicho. Huele el aire.

Ya lo había hecho.

—Amoniaco.

Sin embargo, el intenso olor a sándalo y a hombre se imponía sobre ese olor.

Él asintió.

—Es seguro que este en este sitio se elaboran productos de limpieza.

—Eso no quiere decir que no produzcan también clones. Esta base es enorme y por lo que se ve en los planos solo usan una pequeña parte de todo el complejo.

Se quedó observándome unos instantes.

—Quieres que discutamos, ¿no?

Pero en ese preciso momento, en lo último en lo que yo pensaba era en eso. Lo miré con sorpresa.

—¿Qué te hace pensar una cosa así?

—Que hace dos segundos estabas diciendo que no creías en que aquí se fabricara algo más que productos de limpieza y ahora me dices que podía ser una tapadera.

—Estoy haciendo de abogado del diablo.

—Lo que es seguro es que estás jugando, pero no sé a qué.

Puse una sonrisa inocente, pero eso no pareció confortarle.

—Por aquí —dijo después de una pausa.

Se dio la vuelta y tomó el camino de la derecha. El viento agitaba los eucaliptos y los pinos dispersándose a nuestro alrededor y moviendo el tejado metálico de los edificios que había delante. De detrás de nosotros llegaba el ruido del tráfico pesado de Camp Road y de más allá el rugido de un motor.

—Un vehículo viene hacia aquí.

—Probablemente es un guarda haciendo la ronda.

Consulté mi reloj.

—Son justo las nueve, así que puede que las hagan cada media hora o cada hora.

—¿A qué distancia está?

—Fuera de alcance, todavía.

—¿Si corremos, nos dará tiempo a meternos en el edificio principal?

—Creo que sí.

Me agarró de la mano, tenía los dedos calientes cuando los puso sobre los míos.

—Oscurécete —me ordenó tirando de mí hacia delante.

Conseguimos entrar en el edificio central un instante antes de que apareciera el automóvil. Cuando dobló la esquina, la ráfaga de los faros iluminó la oscuridad y su luz estuvo a punto de alumbrarnos.

Me agazapé en la oscuridad de la esquina junto a Quinn, miré hacia el vehículo y solo percibí líneas sensoriales. Lo que significaba que el guarda era humano. Si hubiera sido otra cosa, lo hubiera captado.

—Está aburrido —dijo Quinn rozándome el oído con su cálido aliento—. Y odia su trabajo.

Tenía mi muslo pegado al suyo lo que hizo que me saltaran chispas. La fiebre comenzó a abrasarme y a pesar del viento helado, el sudor me corría por la espalda. Todavía controlaba pero no tardaría mucho en estar al límite. Me parecía que Quinn sabía de sobra cuál era mi estado y no pensaba hacerme una segunda oferta para aliviarme. La próxima vez tendría que responderle. Si él creía que yo no lo iba a hacer, estaba del todo equivocado.

—Es evidente que ni es psíquico ni está protegido, de lo contrario no podrías leerle la mente con tanta facilidad.

No me respondió enseguida, su expresión era distante. Después de un minuto, parpadeó y me miró.

—Estaba buceando en su mente. Aquí no hay nada que buscar.

—De todas formas, deberíamos comprobarlo.

Asintió y se levantó. Examinamos aquello y encontramos lo que nos imaginábamos. Nada.

—Espero que Jack y Rhoan tengan más suerte que nosotros —dije mientras regresábamos al vehículo.

—Sospecho que no. Todo esto está muy bien diseñado como para que podamos descubrirlo con tanta facilidad.

—Esto es como buscar una aguja en un pajar.

—Pero ¿qué hemos descubierto en realidad? Saber que los planes están muy bien es como llegar a un punto muerto.

Levantó la alambrada para que yo pasara. Me colé por ella y entonces me detuve.

Los muertos habían vuelto al cementerio.

Había ocho y nos rodeaban formando un semicírculo irregular. Todos eran machos, estaban desnudos y se veían un poco escasos en su zona viril. Tenían unos cuerpos musculosos, casi demasiado perfectos y la piel les brillaba con una luminosidad que me recordó a la luna. Pero cualquier rastro de humanidad terminaba ahí mismo. A partir del codo sus brazos estaban cubiertos de pelo suave y dorado de gato y presentaban garras en lugar de manos. En vez de rostros tenían cabeza y pico de águila. En la espalda agitaban unas alas de plumaje dorado oscuro que mantenían arqueadas contra nosotros.

—Grifos —dije—. O algo parecido.

—Un cruce de humanos con grifos diría yo.

Quinn estaba junto a mí con el hombro pegado al mío. El influjo de la luna respondió al contacto y todo mi cuerpo se puso a temblar, lo que era un aviso de que iba hacia un punto de no retorno.

Cerré los puños, luchando contra mis apetitos.

—¿Por qué los percibo entonces más como muertos que como grifos?

—No lo sé —dobló las manos y me miró—. Espero que te queden más puñetazos de esos que sabes dar.

—Ni lo dudes —dije observando cómo nos miraban y preguntándome por qué no se habían movido aún—. ¿No puedes leer sus mentes?

—No, tienen defensas psíquicas, aunque no les veo ningún alambre —tomó mis dedos y llevó mi mano a sus labios. Fue un beso suave como una pluma, erótico—. Buena suerte.

Dejó mi mano y se ocultó entre las sombras. Eso era lo que parecían estar esperando. Se alzaron con un aleteo, cinco fueron tras Quinn y los otros tres hacia mí.

Una parte insensata de mí se ofendió bastante por el hecho de que consideraran a Quinn como una amenaza mayor. El movimiento de sus alas convirtió el aire en un torbellino. Las hojas y el polvo giraban en torno a mí, dificultándome incluso la visión.

Cuando los tres se me echaron encima, me di la vuelta y corrí buscando la protección de los árboles. Podía estar ofendida pero no era una loca y tampoco tenía ojos en la espalda. Por lo menos aquellos gruesos pinos me protegerían de los ataques por arriba y por detrás.

Clavé las garras en el suelo al ver algo del tamaño de una espada cortando el aire. Lo esquivé y me volví dándole a aquella criatura una patada en las tripas. El golpe rebotó en los abdominales del grifo haciendo que la pierna me temblara con la sacudida. Por un momento deseé no haberme quitado los zapatos. Los tacones eran mejor arma que los pies descalzos.

Oí un grito de alarma y esquivé sendos puñetazos de las otras dos criaturas. Estaban tan cerca que su aleteo creaba un remolino de pinaza y tierra a mi alrededor, que me revolvía el pelo y las ropas llenándome los pulmones de polvo. Tosí, entornando los ojos para poder ver a través de toda esa porquería.

La primera criatura se inclinó hacia mí para poder lanzarse desde un ángulo recto. Cayó muy cerca, bajo los árboles, y abrió el pico como si fuera a gritar, aunque no emitió ningún sonido.

Seguí esquivando los golpes de los otros dos hasta que la primera criatura se abalanzó en picado sobre mí y la tumbé de espaldas. Sacó las garras y las arrastró por mi brazo dejando tres surcos de sangre. Maldije y salté sobre ella. Entonces gritó, emitiendo un sonido intenso que no era de ave de presa, ni de gato ni de humano. Me mantuve a la espera de los movimientos de aquel ser repugnante mientras alzaba el vuelo y se retorcía, estábamos a cielo abierto.

Su olor me golpeó, y a pesar de lo que había percibido antes, ese olor húmedo no era ni de animal ni de muerto. Era un olor a miel y lluvia, un aroma refrescante que de nuevo me traía el desenfrenado celo de la luna. Pero estas cosas no me iban a fastidiar ahora, intentaban matarme y el influjo lunar todavía no era lo bastante fuerte como para debilitar mi instinto de supervivencia.

Quité las piernas de debajo y se las puse en la espalda, luego doblé las rodillas y presioné con los pies en medio de la columna. Le solté un ala y le agarré la otra con ambas manos.

Era una posición difícil que lo hizo retorcerse. Pudo haberme dejado caer entonces, pero no lo hizo, parecía sentirse bien bajo las estrellas. Aleteó repetidamente, dejando ver el oro resplandeciente y pulido, hermoso y poderoso de sus alas.

Y yo estaba a punto de destruirlo.

Dejé a un lado los remordimientos y miré hacia abajo viendo cómo el suelo se alejaba con rapidez. Tenía que hacerlo ahora o la caída me mataría. Respiré con fuerza, tiré hacia arriba y le retorcí el ala hacia atrás con tanta fuerza como pude.

Tenía la fortaleza sobrehumana de los vampiros cuando la necesitaba y el ala no aguantó.

Con un raro sonido como de algo que estalla, el ala se desgajó de la carne y los dos caímos hacia el suelo dando vueltas. El chillido de aquella criatura inundó el aire junto con su sangre. Comenzó a caer en espiral fuera de control tratando de aletear frenéticamente con la única ala que le quedaba, pero sin conseguir gran cosa. Nuevos gritos surcaron el aire cuando las otras dos criaturas se abalanzaron a ayudar a la primera, tirándole de un brazo cada una y convirtiendo sus aleteos en sombras difuminadas mientras intentaban frenar la velocidad de la caída.

Por desgracia no había nadie que frenara la mía. Me di la vuelta en el aire golpeando primero el suelo con los pies. Luego caí hacia delante haciéndome un ovillo y rodé para hacer más suave el impacto en la espalda. No es que me sirviera de mucho. Me quedé sin fuerza para respirar, y por un momento vi las estrellas tan cerca que me pareció que podría alcanzarlas con la mano. El dolor que sentía en cada fibra de mi cuerpo se convirtió en una oscuridad que amenazaba con tragarme.

Luché contra ella respirando con fuerza. Oí unos gritos que no parecían humanos y me di cuenta de que esas cosas venían otra vez a por mí. Tenía que levantarme y hacerlo rápido. Debía moverme.

Me apoyé sobre los pies con un gemido, pero una criatura se abalanzó sobre mí y me caí. Me pasó volando a ras y evité sus garras al tiempo que me impulsaba hacia arriba tratando de darle un puñetazo en la ingle. Hizo un ruido raro como si tosiera y dejó de cernerse sobre mí. Se encorvó, pero la garra de la pata que estaba más próxima a mí me apresó el hombro rasgándome la carne mientras me golpeaba un lado.

Sentí un dolor candente y comenzó a resbalarme el sudor por la frente. Apreté los dientes y me revolví, agarrándole una pata y retorciéndosela tan fuerte como pude antes de soltarla. Salió volando con torpeza y se dio contra un pino con tanta fuerza que se desprendieron bastantes agujas de las ramas. Pero era obvio que no estaba herido porque se enderezó enseguida.

La tercera de las criaturas se arrojó sobre mí. Yo corría, conteniendo la imperiosa necesidad de transformarme. Un lobo no tenía mucho que hacer contra criaturas del aire, y la única arma que poseía eran mis dientes. Ni siquiera podía usar la telepatía. Si Quinn no era capaz de entrar en sus mentes, poco podía hacer yo.

Me envolví en las sombras, agarré varias piedras y las arrojé hacia los pinos. Fueron a dar contra los troncos y cayeron al suelo, haciendo un ruido seco sobre la alfombra de pinaza. Mi atacante se movió hacia el sonido, lo que me dio un respiro.

Pero el grifo al que le había rasgado el ala estaba otra vez en movimiento. Lo vi hacer un extraño ruido con el pico mientras se mantenía en el aire, algo parecido a lo que hacen los perros cuando rastrean. Juré por lo bajo. Resultaba evidente que no solo era un cruce entre humano y grifo. Su cabeza se dirigió hacia donde yo estaba y vino corriendo hacia mí al tiempo que gritaba.

Me eché hacia atrás a toda velocidad, sin atreverme a apartar los ojos de él. Era mucho más rápido de lo que yo esperaba. Sus garras me dieron en el estómago y me hicieron sangrar. Dejé caer el manto de sombras y me mordí la lengua para contener el grito. Atrapé a la criatura por la muñeca, le di una vuelta y tiré de ella con fuerza, lanzándola por encima de mis hombros. Salió disparada y aterrizó con un crujido sobre la espalda, mientras las plumas salían volando hacia arriba. Puse los dedos rígidos y se los clavé en los ojos como si fueran cuchillas. Sc volvió y le golpeé en la mejilla sintiendo cómo cedía la carne y el hueso.

Noté el sabor de la bilis en la boca. Me caí, temblando y arrastrando la pierna golpeé a la criatura mientras luchaba por ponerse en pie, hasta tumbarla otra vez. Rugió con frustración y arremetió contra mí. El golpe me dio de lleno en la cara y me dejó tambaleando.

La criatura se levantó y voló hacia mí al instante. De pronto el aire se convirtió en un torbellino de polvo, lo que me hizo suponer que los demás estaban cerca. Fallé un golpe dirigido a su cabeza, luego me di la vuelta y arremetí contra su ingle. La fuerza del impacto me dejó la pierna temblando, pero la criatura se derrumbó al tiempo que trataba de aferrarse y dejó escapar un extraño lamento.

Los otros comenzaron a golpearme. Yo me agachaba y zigzagueaba, pero no había manera de evitar todos los golpes. Poseía la velocidad de un vampiro pero hasta el mismo viento tendría problemas en una situación así. Sentí el fogonazo de un calor intenso y un pesado olor a sangre y a miedo dominó el remolino de aire que nos rodeaba.

Esperaba que a Quinn le estuviera yendo mejor, porque yo tenía serias dificultades y necesitaba ayuda.

Y rápido.

A nuestro lado se oyó como una detonación y la cabeza de la criatura que tenía delante explotó. La sangre, el tejido y la materia gris salieron proyectados en todas direcciones. Mientras caía muerto a mis pies, la segunda criatura encontraba el mismo final.

El viento eligió ese momento para cesar y percibí un aroma familiar a almizcle y a hombre. La rabia se impuso sobre el alivio.

Pero antes de que pudiera decir nada ni hacer nada, algo me golpeó en la cabeza y quedé inconsciente.

❋❋❋

El dolor me despertó. No era agudo, pero sí constante y exasperante, como un dolor de muelas o incluso peor. Me dolía hasta respirar.

Aunque era como un eco lejano, comparado con la quemazón de las muñecas y los tobillos y el desesperado ardor del hambre hirviendo por mis venas. Todo mi cuerpo temblaba bajo su fuerza y era tal su intensidad que pensaba que iba a volverme loca.

Y loca me volvería si no me hacían pronto el amor.

Me retorcí intentando aliviarme yo misma el dolor, aunque fuera de manera momentánea. Sin embargo, apenas podía mover la mano unos centímetros y un sonido metálico me indicó por qué. Estaba encadenada. Con plata, a juzgar por el ardor que sentía en las extremidades.

Una risa ahogada rompió el silencio. Talon estaba allí, mirando.

Abrí los ojos. La habitación era grande y estaba pintada de un color dorado cálido que a pesar de la situación me sosegó. A la derecha había unos ventanales a través de los cuales se filtraba la luz del atardecer, lo que daba más sensación de espacio. Era un efecto que estropeaban las gruesas rejas que había en cada ventana, aunque no eran de esas que a mí me impedirían fugarme si conseguía deshacerme de las cadenas. La más próxima estaba abierta y dejaba entrar una suave y fría brisa impregnada de un fuerte sabor a sal marina.

Opuesta a ella había una puerta abierta en la que se veía un baño con varias toallas. A la izquierda, otra puerta, que estaba cerrada. No había nada más en esa habitación que una cama cubierta con satén, sobre la que permanecía sentado Talon. Estaba completamente vestido, lo que no dejaba de ser sorprendente.

—Estúpido desgraciado —mi voz era apenas un susurro rasgado, pero como era un lobo no tendría problemas para oírme—. No tienes ni idea del lío en el que te has metido.

—Me parece que no —su sonrisa estaba llena de arrogancia y sus ojos reflejaban un hielo dorado, terrible—. El Gobierno suele cerrar los ojos ante las prácticas sexuales de los licántropos.

—Esto es un secuestro y eso es un delito.

—Pero eso no es lo que piensan. He llamado para decir que te encuentres mal. Estás de baja desde hace una hora.

Sacudí la cabeza de un lado a otro, incapaz de creer que él estuviera llegando a esos extremos.

—Estaba en un servicio especial. Con mi jefe. No tengo idea de con quién has hablado, pero no importa. Sabrán que es mentira.

Se encogió de hombros.

—No he sido tan tonto como para llamar desde mi teléfono, preferí un teléfono público. Y usé un modulador de voz. No te encontrarán.

—Rhoan sabe quiénes son mis parejas. Me encontrará.

Talon cruzó los brazos y se rió. Lo hizo con un tono tan despectivo que me hirvió la sangre de rabia.

—Ese mariquita no encontraría ni la salida en una floristería —me dijo—. Además no estamos en ninguno de mis domicilios conocidos, sino en una casa de vacaciones que compró hace poco una empresa subsidiaria de mi compañía. Tardarán semanas en encontrar pruebas documentales concretas. Para entonces ya nos habremos trasladado.

—Nunca subestimes a Rhoan. Es muy, muy bueno en lo que hace, y en cualquier caso no te olvides de que su trabajo es seguir pistas y matar a gente. —Talon estaba acabado si Rhoan nos encontraba así.

Se levantó y vino hacia mí exhibiendo todo su encanto y poderosa elegancia. El olor a su lascivia avivó un fuego que ya estaba fuera de control.

Tragué saliva, pero no conseguí quitarme la sequedad de la boca.

—¿Cómo me encontraste?

Era una sonrisa pletórica de arrogancia.

—El chip que llevas en el brazo no es un anticonceptivo, te lo quitamos hace un año. Es un dispositivo de rastreo.

Así que fue de esa manera cómo nos encontró a Quinn y a mí en el Consejo. No había entrado en mi apartamento, como yo suponía. Simplemente había seguido la señal. Sin embargo, aquello debía de tener un límite de cobertura, si no, Talon se hubiera presentado en la granja.

El sudor que me corría por la frente me entró en los ojos y me escoció mucho. Parpadeé, pero no me ayudó a mejorar la visión. Lo veía todo borroso y tenía los ojos irritados. Esperaba que fuera sangre, pero tenía el presentimiento de que era algo peor. A pesar de lo que creyeran en Hollywood, la fiebre de la luna no convierte a los licántropos en desesperadas máquinas de matar. En las pocas ocasiones en que había ocurrido, fue porque el lobo no había hecho caso de la llamada de la luna durante mucho tiempo. El deseo de sexo se mutaba en algo bastante más mortal: la sed de sangre.

¿Por qué Talon quería que llegara a eso? ¿Qué provecho sacaría de ello?

Se detuvo un instante. Le lancé un puñetazo pero el golpe quedó en el aire porque las esposas toparon con las muñecas. Siseé de dolor.

—¿Te preguntas por qué estás aquí encadenada? —dijo tocándome un pecho con displicencia.

Una parte de mí lo odiaba. Otra quería todo aquello que pudiera darme. Sabía qué parte iba a ganar. Tenía que ganar o me metería en problemas.

—Quieres un hijo y no te lo daré por mi propia voluntad.

—Muy bien —su tono era distante y su mirada decidida. Mientras tanto me acariciaba un pecho y luego el otro.

No pude evitar apretarme contra su mano. Lo necesitaba con tanta desesperación como un drogadicto precisa sus dosis.

Los exámenes que te hice el otro día indican que estás a punto de ovular. No puedo arriesgarme a que otro lobo te deje embarazada hasta que todos los problemas hayan pasado.

Esa era una idea descabellada si se piensa que todos los licántropos llevan un chip para prevenir la concepción. Pero al fin y al cabo, Talon y la sensatez no se llevaban bien.

—No hay garantías de que pueda llevarlo a buen término.

—Por eso hice que te instalaran en uno de mis laboratorios. Nuestro niño perfecto tendrá todos los cuidados médicos que existen.

—No existe un niño perfecto. —«Todos tenemos defectos», pensé, aunque dudaba de que Talon estuviera de acuerdo en eso, por lo menos en lo referente a su persona.

No parecía escucharme, y cuando habló su voz me pareció distante.

—La perfección es algo que he perseguido durante mucho tiempo.

Sus caricias ascendían por mi estómago. Estaba ardiendo, me sentía enfurecida y hambrienta. Mi corazón se aceleraba y el olor a sudor y deseo llenaban cada bocanada de aire. Pero la necesidad de convertirme en lobo, de arrancar, desgarrar y probar sangre era tan fuerte como la llamada de la luna. Los dientes y las uñas comenzaron a extenderse

ante la proximidad del cambio, que me convertiría más en loba que en humana. Lo único que me impedía cambiar del todo era la plata de las muñecas y los tobillos.

—¿Qué necesidad hay de hacer esto? —balbuceé entre dientes, moviendo las cadenas para indicar a qué me refería.

—¿No recuerdas lo que se dice de los lobos y la luna?

Negué con la cabeza. En ese momento casi no recordaba ni mi nombre.

—Los lobos que se aparean cuando la fiebre de la luna se convierte en sed de sangre siempre conciben.

Sonreí con amargura.

—Eso no es una leyenda, es verdad y yo le debo a eso la existencia.

Puso cara de sorpresa.

—¿Qué quieres decir?

—Solo lo que he dicho. Fui concebida cuando mi madre pasaba por la sed de sangre. —Ella intentaba volver a casa con la manada, cuando su automóvil se averió en las afueras de un pueblo. De alguna manera tuvo suerte de que el cementerio y aquel nuevo vampiro se encontraran entre ella y la gente del pueblo, porque eso le permitió saciar ambas necesidades sin matar a ningún humano.

—Entonces esperemos que sea una característica que pase de madre a hija —dijo deslizando los dedos con habilidad. Me dio un escalofrío y me arqueé bajo sus caricias, disfrutándolo tanto por su dureza como por su rudeza. Soltó una risita sofocada— ¿Estás cerca, verdad?

Más cerca de lo que pensaba. La necesidad de aparearme se enfrentaba con la necesidad de hincar mis dientes en su carne y aullarle mi victoria a la luna. Respiré profundamente hasta estremecerme, agradeciendo que la plata me mantuviera encadenada. Era la única razón por la que todavía conservaba la forma humana y estaba lúcida.

—Te equivocaste al usar el ARC1-23.

Hizo un gesto de sorpresa.

—¿Cuándo lo descubriste?

—Hace un par de días —mis palabras eran apenas un jadeo, mi cuerpo se retorcía y empujaba desesperado buscando el alivio que me proporcionaba su deseo.

Un deseo que daba vueltas a mi alrededor tan denso y pesado como la erección que presionaba sus pantalones. Dios, ayúdame, quiero sentirle adentro. Lo quería con tanta desesperación que comencé a sollozar.

—Ese fármaco tiene un alto porcentaje de éxito. Quedarás fecundada en cuanto te folle, lobita y seguirás bajo mis cuidados hasta que nazca el niño.

—Ni lo sueñes —lo dije sin fuerzas. La presión crecía, desgarrándome las terminaciones nerviosas con la fuerza de un rayo. Unas pasadas más con su mano es todo lo que pensaba aceptar...

Se separó unos pasos soltando una risita. Me tambaleé intentando agarrarle, para que acabara lo que había empezado. Pero las cadenas frustraron aquel impulso otra vez. Lo maldije largo y tendido.

—Es justo por eso —dijo en un tono que sonaba a divertido— es por lo que yo criaré a nuestro hijo y no tú.

Aunque veía sus rasgos desdibujados por la creciente nebulosa rojiza que me empañaba los ojos, era evidente la fría determinación de su expresión. Qué raro. Esperaba ver en él una locura casi igual a la que me ardía en las venas.

Tenía que estar loco si pensaba que podía salirse con la suya en una cosa así. Incluso aunque me quedara embarazada, de ninguna manera pensaba aceptar que él cuidara de nuestro hijo.

—De las cincuenta que participaron en el ensayo, diez no pudieron concebir. Yo podría ser uno de esos casos.

—Las pruebas de los últimos meses indican que tu cuerpo está reaccionando muy bien al fármaco.

Pero quizá estaba reaccionando de una manera que no se esperaba o que no había contemplado.

—¿Qué pasa con las otras diez, las que se transmutaron?

Me miró con extrañeza.

—¿Qué pasa con ellas?

—Eran cruces, como yo.

Su expresión alegre desapareció y se quedó de piedra.

—¿Qué quieres decir?

Reí con amargura.

—¿Nunca te has preguntado por qué soy tan rápida y tan fuerte? No soy solo licántropo, soy también vampiro.

Cruzó los brazos y puso una voz grave.

—Imposible, los vampiros no son fértiles.

—Excepto en los pocos casos en que el cambio se produce dentro de las veinticuatro horas después de la muerte. Mi madre fue violada por un vampiro así.

—No.

—¿Por qué crees que fui desterrada de mi manada? Me permitieron crecer por lealtad a mi madre, pero en cuanto alcancé la pubertad, me obligaron a marcharme.

—No.

Esta vez lo dijo más fuerte y yo resoplé.

—¿Qué te pasa? ¿No te gusta la idea de haberte follado todo este tiempo a una mestiza?

No respondió. Me quedé mirándolo fijamente y al ver el asco en sus ojos percibí que lo que le había dicho en broma era verdad. Talon era un hombre que creía en la superioridad de la raza de los licántropos, pero nunca me había dado cuenta de que su opinión también implicaba la no tolerancia a los híbridos.

—Nuestros escáneres no indicaron que no fueras una loba —su tono, serio, tenía todavía una nota de ira y me acarició la piel con tanto ardor como su deseo lo había hecho hacía unos instantes.

—No lo indican porque a todos los efectos soy una verdadera loba. Solo se ven las diferencias con un análisis completo de ADN.

Durante unos segundos más se quedó mirándome sin pestañear. Sin embargo, la fuerza de su rabia crecía y crecía hasta que fue como una ola que arrasó cada una de las fibras de mi ser. Cerró los puños, un claro aviso de que me venía un golpe. Bajé mis defensas tratando de llegar a su mente, pero solo conseguí darme contra una defensa psíquica. Por primera vez en dos años me fijé en el fino alambre que llevaba trenzado en la cadena de oro del cuello. Estaba protegido contra intrusiones psíquicas y eso había sido así desde que lo conocía.

Rompí a reír. Me reí de todas mis precauciones durante esos años.

Descargó su puño en mi estómago y la risa dio paso a una desesperada lucha por respirar.

Siguió golpeándome una y otra vez. Me estremecí, retorciéndome y luchando por liberarme, porque la necesidad de arrancarle cada uno de sus miembros era tan violenta como la de sobrevivir.

—Cobarde —le escupí entre golpe y golpe—. Acércate e inténtalo.

Estaba temblando, dolorida y ensangrentada. Todo lo veía rojo, pero no era sangre. El dolor que me consumía no era nada comparado con la furia del lobo que me dominaba.

Quería y necesitaba sangre.

Si daba un paso más hacia mí podría agarrarlo y hacerlo pedazos. La idea hizo que los dedos se me convirtieran en garras, quería probar su carne. Quería hincar mis dientes en su dulce carne y comprobar que tenía sangre en las venas. Quería verla mezclarse con la mía sobre aquella bonita alfombra dorada.

Él no oyó o no pareció oír nada. Mientras echaba su puño hacia atrás para golpearme de nuevo, la puerta de la izquierda se abrió con un estrépito y alguien me quitó a Talon de encima. Cerré los ojos y aullé de rabia y frustración.

Sentí unas manos sobre mí que me sacudían con fuerza.

—¿Riley? Soy Quinn. Estás a salvo. Todo va a ir bien.

Su voz se perdió entre el rugido de mi necesidad. Me abalancé arañándole la mejilla con mis dedos en zarpa. El olor a sangre se expandió en el aire, incitando el deseo hasta el máximo. Me retorcí, metiéndome los dedos en la boca y chupando la sangre de mi piel y mis uñas. Su dulzura me hizo salivar, pero ya no había nada más con qué satisfacer aquel hambre.

—Riley...

—No le quites las cadenas —advirtió con seriedad una segunda voz—. Está en plena sed de sangre, y podría matarnos a los dos si la liberas.

—¿Entonces, qué demonios hacemos?

—Nosotros no, tú —la segunda voz me resultaba vagamente familiar, aunque la bruma de calor y deseo que me embotaba la mente no me dejó oírla bien—. Tienes que follarla mientras está encadenada.

—¡Por el amor de Dios, está trastornada!

—No tienes elección. Cuando tratamos de curarle las heridas no pudimos con ella entre cuatro. La sed de sangre triplica su fuerza.

Quinn no respondió. No lo veía, no podía sentirlo. No sabía si todavía estaba cerca o no. Eché todo el peso hacia delante intentando romper las cadenas. Las muñecas y los tobillos me ardían y mi piel estaba húmeda y resbaladiza. Esa humedad sabía más dulce que el sexo. Pero no podía alcanzarla, no podía probarla. Las cadenas no eran lo bastante largas.

Inspiró aire para darse fuerzas y soltó un suspiro con enfado, furioso.

—Entonces vigila a ese desgraciado y asegúrate de que no pueda escapar.

Unos dedos me acariciaron la mejilla, me volví intentando morderlos pero solo atrapé aire.

—Lo haré —dijo con suavidad la segunda voz—. Pero me temo que eso no es todo lo que necesitas.

—¿Qué? —se le notaba cierto enfado.

—Necesita beber sangre.

—Soy un vampiro. Ella comparte mi sangre voluntariamente y sigue los pasos para convertirse en uno.

—Lo sé, pero de todas formas una parte de ella ya lo es, así que puede resultar inmune a la maldición.

—Don, no maldición.

Lo dijo con tirantez evidenciando más su enfado.

—Sea lo que sea, es una oportunidad que debemos aprovechar. Tú puedes sobrevivir y nosotros no. Mírale los dientes.

Hubo un silencio.

—Afilados como los lobos —dijo.

—Y no solo nos mordería, ahora es salvaje. Puede que yo sea lobo pero no me arriesgaré a que me muerda. Se tarda unos cuantos minutos en calmarle la sed y es más que probable que antes de conseguirlo me chupara la sangre hasta matarme. Tampoco podemos llamar a una unidad médica porque son pocos los médicos que han visto a un lobo con sed de sangre y mucho menos los que saben tratarlo.

Quinn volvió a hacer una inspiración profunda y soltó el aire despacio. Se oyó el golpe como de un puñetazo. Arremetí contra él, gruñendo e intentando morderlo.

—Estate atento mientras hago esto.

—Ten cuidado.

—No soy tonto.

Oí un portazo y se hizo el silencio. El aroma de sándalo era una caricia en el aire, lo que me indicaba que Quinn todavía estaba cerca. Esperé, con los músculos en tensión, preparada para abalanzarme sobre él en cuanto se pusiera a mi alcance. Oí el susurro de una tela y el de bajar una cremallera. Unos zapatos que caían de golpe. La ansiedad me hizo estremecer, la sed de sangre y el deseo de la luna mantenían una guerra en todo mi ser.

Sentí que sus dedos me presionaban y el calor de la luna apareció arrollando a la marea roja. Su tacto iba de atrás hacia delante por mi piel lubricada y el placer estalló en todas mis terminaciones nerviosas. Luego me introdujo dos dedos empujando con fuerza, me estremecí y me revolví hasta sentir como si todo mi cuerpo se fuera a desgarrar de puro placer. Después todo se hizo pedazos y, aunque no podía verla, aullé a la luna con gozo.

Pero no tenía nada al alcance para satisfacer mi apetito.

Él se acercó. Intenté morderlo. Levantó un brazo y lo presionó contra mi boca. Me eché hacia atrás lo suficiente como para arrancarle un trozo de carne y tiré con violencia. No emitió ningún sonido, pero cuando su sangre me llenó la boca, me penetró de golpe y comenzó a empujar con fuerza y profundamente. Era una sensación que no había experimentado antes. Era el éxtasis puro.

Me hizo el amor con dureza y durante un rato bastante largo hasta que la tensión de mi cuerpo cedió y el deseo se desvaneció bajo el sabor de la sangre y el sudor. Al final, solo quedó sudor, alivio y la necesidad de dormir. Un deseo al que por fin me podía entregar.

Cuando reapareció la cordura, tomé conciencia de que estaba sobre una cama vestida de satén en lugar de contra una pared. En la habitación, la penumbra me indicó que estaba atardeciendo. Luego me sentí saciada y aliviada porque los dolores habían desaparecido. Percibía el sabor de la sangre. Solo podía recordar el delicioso gusto de la carne mientras mis dientes la desgarraban y la cortaban...

Sentí una molestia en el estómago, salí a gatas de la cama y fui corriendo hacia el cuarto de baño. Casi no llego a tiempo.

Cuando ya no me quedaba nada más que vomitar, vacié la cisterna y me incliné hacia atrás cerrando los ojos. Por debajo del regusto a bilis aún permanecía el de la sangre.

Tenía que levantarme y buscar algo dulce con lo que aclararme la boca; de lo contrario, me entrarían otra vez náuseas. Pero en ese momento no tenía fuerzas para moverme.

Unos pasos se aproximaban. La suavidad de las pisadas y el aroma me dijeron que era Quinn. No abrí los ojos. No quería ver lo que le había hecho.

—¿Cómo me encontraste?

—Vi cómo Talon te secuestraba, pero las criaturas me impidieron acudir en tu ayuda. —Se detuvo frente a mí y, más que verla, sentía su amabilidad—. En cuanto pude llamé a Liander e hizo una búsqueda por todas las direcciones conocidas de Talon.

Así que la otra voz que había oído era la de Liander.

—Este sitio acababa de ser adquirido por una empresa subsidiaria, ¿cómo lo encontrasteis?

—Esa subsidiaria es una de las que Jack había descubierto. Puesto que era una compra reciente decidimos probar.

Y Talon que creía que había sido tan listo. Pero cualquier gracia que pudiera encontrarle a eso quedó sofocada por la comprensión de lo que había pasado allí. Qué había hecho yo. Qué había hecho él.

—No quiero convertirme en un vampiro cuando me muera. —El susurro me salió como una confesión. Tragué saliva para aliviar la sequedad, pero solo conseguí bajar aquel sabor amargo otra vez a mi garganta, y el estómago se me revolvió de nuevo—. Odio el sabor a sangre —dije y no porque hubiera probado sangre humana antes de aquella locura de la luna, pero sí había cazado bastantes conejos durante años y siempre que hincaba los dientes en su carne, el contacto de la sangre caliente en la boca me daba ganas de vomitar. Rhoan consideraba que yo era una vegetariana que simplemente no quería admitirlo.

—A muchos vampiros les disgusta el sabor al principio —dijo, poniéndome una taza en la mano y presionándome los dedos contra ella—. Pero tú y yo tendríamos que compartir sangre tres veces al menos y realizar una ceremonia en la tercera ocasión, antes de que te conviertas en vampiro al morir.

Levanté la mirada, sorprendida.

—No sabía eso.

Hizo un gesto de extrañeza.

—Si no fuera así, ¿no crees que el mundo estaría invadido por vampiros?

—Nunca había pensado en ello.

Me movió la mano y me llevó la taza a los labios.

—Aclárate la boca. Te sentirás mejor, créeme.

Lo de la taza no era agua, sino algo dulce y aromático. Fuera lo que fuese, funcionó y me sentí mejor cuando desapareció de mi boca el gusto amargo y metálico. Luego se llevó la taza y la aclaró con rapidez bajo el grifo.

Tenía el brazo vendado desde la muñeca hasta el codo y el hecho de que no lo llevara en cabestrillo significaba que el mordisco no había llegado al hueso.

—¿Qué te hice?

Se encogió de hombros.

—No es nada que mi cuerpo no pueda curar.

—Eso no responde a la pregunta.

—No.

Extendió la mano izquierda y puso sus dedos entre los míos. Tiró de mí hacia sí y depositó un cariñoso beso en

mi frente, dejando sus labios inmóviles y su cálido aliento sobre mi piel. Luego dio un paso atrás.

—Me quedarán cicatrices desde la muñeca hasta el codo.

Si le iban a quedar cicatrices era porque menos romperle el hueso le había hecho de todo. Cerré un instante los ojos.

—Lo siento.

—Solo obedecías los instintos de tu cuerpo. La culpa es de otro.

Aunque lo dijo con serenidad, algo en su expresión hizo que me diera cuenta de que el tiempo de estar juntos llegaba a su fin. Puede que todavía me quisiera, pero ya estaba listo para marcharse.

Respiré hondo, aunque eso no me evitó un repentino ataque de furia. Puede que la loba estuviera saciada pero, ¡Dios!, todavía quería machacar a Talon. No solo por lo que me había hecho sino porque había destruido por completo cualquier posibilidad de relación que hubiera entre Quinn y yo.

—¿Está muerto?

Sus ojos reflejaron una furia fría.

—No.

—Bien, porque le debo uno o dos puñetazos.

—Cuando volvamos a verlo, me aseguraré de que no pierdas esa oportunidad.

Busqué su mirada con incredulidad.

—¿Lo dejasteis escapar?

—No a propósito. Sus hombres llegaron cuando te estaba atendiendo. Para cuando me di cuenta de lo que estaba pasando y fui a ayudar a Liander, Talon había huido.

—Joder.

—Eso es lo que nos ha traído más de un problema.

De nuevo sentí rabia.

—No me culpes. La sed de sangre no es algo que pueda controlar.

—¿Seguro? Si hubieras aceptado mi oferta de aliviarte en el aparcamiento en lugar de andarte con jueguecitos, nada de esto hubiera pasado.

—No pensaba que la sed de sangre me llegaría tan rápido, de todas formas fue él quien me secuestró y encadenó.

—Podíamos haberte encontrado antes de que se te acabara el tiempo.

Puede que sí o puede que no. Talon había olido mi necesidad desbordante y sabía lo cerca del límite que estaba; o puede que la única razón por la que vino a esta casa era porque sabía que no tenía mucho tiempo para contenerme. Lo que me llevó a otra cuestión.

—¿Por qué no te aseguraste de que no podía escapar? ¿Por qué no entraste en su mente para forzarlo a hacer lo que tú quisieras?

—Tenía defensas.

—¿Y? Podías habérselas quitado.

—Hubiera podido de no tener otros problemas más acuciantes.

O sea, yo.

—Estaba encadenada, podías haber hecho lo que hubieras querido.

—No, sintiendo la agonía que tú estabas sufriendo.

Mi rabia se evaporó en parte ante aquellas tiernas palabras. Me tomó las mejillas entre las dos manos y con el pulgar me acarició los labios. Levanté la vista y el pulso se me

aceleró. Puede que la luna hubiera perdido su brillo, pero solo estar cerca de Quinn me hacía quererlo. Era una pena que viviera en Sidney. Después de que el caso estuviera resuelto y olvidado, él se marcharía sin pensar en nada más, porque yo era una loba y nosotras estábamos bien para follar pero no para mantener una relación.

No es que en estos momentos yo quisiera tener una, pero lo que sí deseaba era averiguar hasta dónde llegaba nuestra atracción.

—¿Crees que Talon tuvo algo que ver con las criaturas que nos atacaron? —le pregunté.

—No.

—¿Por qué no?

—Porque dudo que nos echara encima a esas criaturas y luego las matara para salvarte. Y porque había alguien más allí, alguien que estaba observando.

Su voz denotaba crispación.

—¿Los atrapaste?

—No. Pero vi una camioneta y logré fijarme en el número de matrícula cuando arrancaba. Jack está siguiendo la pista con el ordenador —dijo algo inseguro, y su media sonrisa hizo que el pulso se me acelerara—. Parece que nos desviamos del asunto cuando hicimos la búsqueda de Genoveve.

No me extrañaba porque íbamos buscando sobre la marcha... y encontramos muy poco.

—¿El vehículo era de ellos?

—Sí, aunque no está relacionado ni con los militares ni con la investigación, sino con una empresa de pastelería.

Parpadeé. ¿Pastelería?

—¿Y cómo está conectado eso con la clonación?

—Solo Dios lo sabe. Quizá le pusieron ese nombre a la camioneta para no despertar sospechas.

—Es demasiada coincidencia que mis secuestradores también me llevaran a un sitio con el nombre de Genoveve —dije, frunciendo el ceño pensativa, y me mordí el labio—. ¿Sabes que tengo la sensación de que he visto ese nombre antes?

—Seguro que en el supermercado.

—No, en otro sitio.

Frunció el ceño.

—¿Dónde?

Abrí la boca para decirle que se lo contaría en cuanto lo recordara.

Había sido hacía un año y, dadas las circunstancias, era milagroso que lo recordara.

Tenía una cita con una pareja nueva y volvimos a su oficina por razones que se me escapan. Genoveve era una de las carpetas que retiramos del escritorio con rapidez para hacer el amor.

Cerré los ojos, una parte de mí no podía creerse que me hubieran traicionado de nuevo.

Porque mi cita de aquella noche había sido con el director y propietario de Rollins Enterprises: Misha.

Capítulo 13

Quinn me sujetó con fuerza los brazos.

—¿Qué?

—Puede que no sea nada —dije, confiando de verdad en que así fuera. El destino no podía portarse de una manera tan cruel como para que me traicionaran no una sino dos veces.

—Dímelo.

Inspiré a fondo y solté despacio el aire.

—Ese nombre me sonaba y acabo de recordar por qué. La segunda de mis dos parejas tenía una carpeta en su escritorio conmigo el nombre de la pastelería Genoveve.

—¿Pudiste echarle un vistazo?

—¿Para qué? Fue hace un año cuando lo vi y estábamos en pleno apareamiento. Tienes suerte de que me acuerde.

Me soltó los brazos y dio un paso atrás.

—¿Cómo se llama?

—Misha Rollins.

—¿El mismo Misha que tenías al teléfono cuando llegamos al cementerio?

Me quedé mirándolo a los ojos durante un segundo, tratando de captar qué insinuaban sus palabras y noté una sensación de frío en la boca del estómago.

—Hay más de una docena de Camp Road en Melbourbe y aunque estuviera detrás del ataque, es imposible que nos localizaran tan rápido.

Aún conservaba en la memoria las palabras de Talon. Recordé el dispositivo de rastreo que llevaba en el brazo. Y había dicho «nosotros». ¿Quería decir que él y Misha eran socios en esta locura? Pero si eso era así, ¿por qué enviar a estas criaturas contra nosotros y luego matarlas?

No tenía sentido. Nada de esto lo tenía.

—Sabía tu número y dejaste el teléfono móvil encendido.

—Pero no necesitan ningún localizador por satélite. Según parece tengo implantado un dispositivo de rastreo en el brazo.

—Entonces será mcjor que te lo quitemos.

—Misha no puede estar detrás del ataque —lo dije porque quería creerlo. Quería. De lo contrario nunca más volvería a confiar en mis instintos.

La expresión de Quinn era fría.

—¿Por qué no vamos entonces a preguntárselo a él?

—¿Por qué no esperamos a que venga Jack?

Aunque su expresión no se alteró, me mostró su enfado.

—Bien.

Se dio la vuelta sobre sí mismo y salió. Vi como se marchaba, aunque en ese momento lo que quería hacer era retenerlo y hacer el amor con él. No era el celo de la luna. Sino más bien el deseo de aferrarme fuerte a algo bueno. Algo que se me escurría entre los dedos.

Con un suspiro abrí los grifos de la ducha y me metí cuando el agua estuvo lo bastante caliente. Después de lavarme la sangre y el sudor de la piel, examiné mis heridas. Mi estómago estaba sensible al tacto y tres cicatrices de color rosa pálido atravesaban todo un arco iris de colores. En los brazos tenía diversos cortes y también en los hombros y muslos. Aunque no recordaba haberme transformado por la noche, debía de haberlo hecho, porque era la única forma de que esos cortes se hubieran curado tan rápido.

En cuanto me sequé, salí para buscar algo que ponerme y descubrí mi bolso en el borde de la cama. Seguro que Liander lo había traído de la granja. Saqué la falda y la blusa, por suerte había metido ropa interior extra cuando me preparé para ir al club. En cuanto me vestí, me di una vuelta por el amplio vestíbulo, atravesé un salón en penumbra y me encontré con una cocina más grande que mi apartamento. A través de las ventanas se veían luces, lo que evidenciaba que había muchas casas en la parte baja de la ladera sobre cuyo extremo se encontraba esta. A lo lejos, las relucientes crestas de las olas golpeaban una orilla que no alcanzaba a ver.

Liander estaba sentado en una mesa decorada leyendo el periódico y levantó la vista cuando entré. Tenía un ojo morado y varios cardenales repartidos por sus pálidos brazos. Desvió la mirada y se detuvo en la herida del muslo, que ya se me estaba curando. No era una mirada sexual sino preocupada.

—¿Te sientes mejor?

—Mucho mejor. ¿Qué tal tú?

Se encogió de hombros.

—Creo que me duele más el ego que el cuerpo. Solo había cuatro y pudieron más que yo.

—¿Solo cuatro? Caramba, has perdido facultades.

Lo dije con sequedad y me sonrió.

—Hubo un tiempo en que hubiera podido con el doble.

—Hace mucho que estuviste en el ejército.

—No importa, me mantengo en forma.

—Pero no estás preparado para luchar, y después de todo no tienes por qué.

—Es cierto.

Me dirigí hacia el frigorífico para comer algo, pero solo había fruta algo pasada. A pesar de lo que me había dicho Talon, era evidente que no pensaba quedarse aquí durante mucho tiempo. Me decidí por uno de los melocotones que estaban mejor y cerré de un portazo.

—¿Dónde está Quinn?

Liander indicó con la cabeza hacia la puerta acristalada que se encontraba a mi derecha.

—Fuera en el patio. Llamando a alguien para obtener información sobre Misha —dijo dudando y tensando el gesto—. Nos está utilizando a todos, lo sabes ¿no?

—Sí. Lo único que le interesa es descubrir qué ha pasado con su amigo.

—¿El amigo cuyo ADN ha servido para esos clones?

Asentí y mordí el melocotón.

—Veo que Rhoan te ha puesto al corriente de lo que ha estado pasando.

Liander me miró a los ojos.

—Entre nosotros no hay secretos, Riley.

Recordé lo que Liander le había dicho a Quinn cuando yo estaba pasando por la sed de sangre y entonces me di cuenta de que él sabía lo que éramos, y lo sabía porque

Rhoan se lo había dicho. Era fantástico que mi hermano hubiera encontrado a alguien que lo quisiera solo por lo que era.

Aunque dudaba de que Rhoan estuviera agradecido por algo así.

Liander dobló el periódico y se echó hacia atrás en la silla.

—Rhoan también me contó la historia de Quinn con los licántropos. Ten cuidado con él.

Me pasé la mano por la barbilla para quitarme el jugo del melocotón que escurría.

—Primero mi hermano y ahora el novio de mi hermano.

Mis palabras tenían un matiz de exasperación.

—¿Podríais confiar un poco en mi sentido común?

Sonrió, pero la sombra de la preocupación permaneció en sus ojos plateados.

—Tú eres una de las personas más sensatas que conozco, pero las emociones pocas veces tienen algo que ver con el sentido común.

—No conozco a Quinn desde hace tanto tiempo como para ser emocional. Ahora mismo es solo otro amante —dije, aun sabiendo que era un amante con el que podría unirme si alguna vez me daba tiempo para ello. Pero eso no sucedería, así que por qué se preocupaba todo el mundo—. ¿Los hombres que vinieron a rescatar a Talon eran humanos?

Negó con la cabeza, mientras sonreía con un gesto que indicaba que no le engañaba aunque cambiara de asunto.

—Lobos.

—¿Y su olor?

Se encogió de hombros.

—De lobos. Hombres.

Así que no eran clones ni criaturas de laboratorio, lo que supongo que resultaba positivo porque al menos indicaba que la locura de Talon era del tipo normal, de cada día, no del estilo de «quiero dominar el mundo».

—¿Y Jack ha sido informado?

—Sí —dijo mirándose el reloj—. Ya deberían estar aquí.

Puse cara de extrañeza.

—¿Y eso es inteligente? Quiero decir que esa gente sigue buscándonos, así que sería mejor que nos mantuviéramos en dos grupos —dije, aunque quizás el localizador de mi brazo era la única razón por la que seguían buscándonos. Puede que Talon lo hubiera insertado pero no sabíamos si alguien más había detectado la señal.

—Es probable, pero yo no mando aquí. Es Jack.

Y Jack hacía lo que quería. Puede que lo que de verdad le interesaba era atraerlos hacia nosotros. Tenía que existir un método más rápido para descubrir quién estaba detrás de todo esto.

Me acabé el melocotón y tiré el hueso en un cubo de basura cercano. De fuera llegó el ruido de un vehículo que se aproximaba. Liander se levantó y se dirigió a la ventana con fingida informalidad.

—Jack y Rhoan —dijo enseguida.

Se fue a la entrada y me volví cuando vi a Quinn que entraba del patio.

—¿Tus fuentes te han podido decir algo sobre Misha?

—Todavía no —me contestó—. Me volverán a llamar dentro de una hora.

Crucé los brazos.

—¿Vas a compartir con Jack lo que te cuenten?

—Sí —respondió.

Quería decir, no.

—¿Y tratarás de matar a quienquiera que haya mantenido cautivo a Henri todos estos años? —añadí después.

—Matar no es mi estilo.

—Díselo al clon de los aseos.

—Era un clon, eso es diferente.

Quería preguntar por qué, pero mi hermano eligió ese momento para entrar. Nos miró a los dos y entrecerró un poco los ojos.

—¿Te encuentras bien? —me preguntó, dándome un abrazo intenso y protector.

—Sí —repliqué—. Pero déjame algún sitio libre donde darle un puñetazo a Talon si lo encuentras primero.

—Intentaré acordarme —respondió, y luego me echó hacia atrás un poco—. ¿Te dijo algo?

—No, nada nuevo. Solo la misma obsesión.

—Ese desgraciado necesita que le den un par de lecciones —apostilló, poniéndose a un lado y pasándome el brazo por encima de los hombros.

Jack dio unas palmadas en la mesa para llamarnos la atención.

—En nuestra búsqueda por la segunda base militar no hemos descubierto nada que no sea una empresa de cosméticos. Y la búsqueda que hemos hecho en el ordenador sobre la pastelería Genoveve, de momento ha revelado poca cosa. Parece que los propietarios están ocultos tras una maraña legal.

—Puede que tengamos una manera más rápida de llegar —dije, antes de que Quinn tuviera la oportunidad—.

Hace un año vi que Misha tenía un documento sobre su escritorio con el nombre de pastelería Genoveve. Creo que merece la pena preguntarle directamente de qué manera está relacionado con ella.

Jack me contempló un instante y aunque los entrecerró, sus ojos verdes estaban risueños. Seguía jugando conmigo e intentado enrolarme, pero en este caso no tenía ninguna intención de disimular lo que hacía. Había que parar a quienquiera que estuviese detrás de esas criaturas y si yo podía hacer algo, lo haría. Aunque solo fuera para que esos desgraciados dejaran de perseguirme.

—¿Sabes que eso puede ser una buena idea? —dijo como sin darle importancia—. Sobre todo si quedas con él en algún sitio fuera de su oficina.

—Quieres decir que haga de cebo mientras buscas en su despacho.

Me dedicó una sonrisa con todos los dientes.

—Cariño, estoy contento de que estés en mi lado.

—En el único lado en el que estoy es en el de Rhoan y en el mío.

—Por ahora.

—Para siempre.

Rechazó mis palabras con la cabeza. No iba a abandonar ese sueño dijera lo que dijese. Y creo que hacía bien en perseverar. Después de todo, según el efecto de aquel fármaco sobre mi organismo, puede que no me quedara más remedio que entrar en el equipo de guardianes quisiera o no.

—Eso puede ser peligroso para Riley —dijo Quinn—. Sobre todo si resulta que Misha está detrás de los clones o de los cruces.

—No es un guardián —añadió Rhoan—. No puedes pedirle que haga algo así porque no está entrenada.

—Todo lo que tiene que hacer es lo que le sale de manera natural a un lobo cuando la luna está creciendo.

—La han disparado y han tratado de secuestrarla —continuó Rhoan—. No creo que sea muy sensato mandarla sola.

—No soy sensato. —Jack me miró—. ¿Te supone algún problema hacerlo?

—No —dije, porque a decir verdad, en cuanto llegara la noche y la fiebre me hiciera hervir la sangre, me iba a importar un bledo con quien bailara, mientras lo hiciera—. Pero hay otro problema.

Me miró con atención.

—¿Cuál?

—Talon me insertó un localizador en el brazo.

—Tenemos algunos localizadores en nuestro vehículo. Les pondremos la misma frecuencia. Si pasa algo, al menos podremos encontrarte.

Talon también, pero eso era bueno. Mis puños querían cambiar impresiones con su cara.

—Espero que no intentes dejarnos a Quinn y a mí aquí sentados —dijo Liander con aspereza.

—No. Tu especialidad en el ejército era la electrónica, lo que nos resultará muy valioso para entrar en la oficina. Quinn será el guardaespaldas de Riley por si acaso Talon intenta secuestrarla otra vez.

Quinn no dijo nada, pero era obvio que no estaba contento de quedarse fuera del plan principal. Ya me gustaría saber si cuando yo saliera del club él iba a continuar fuera esperando.

Jack me lanzó su teléfono.

—Manos a la obra, muchachos.

❋❋❋

Eran cerca de las nueve cuando llegamos al Blue Moon. El cielo estaba estrellado y la plateada luminosidad de la luna hacía vibrar mis venas tensando mis terminaciones nerviosas.

Quinn detuvo el automóvil en el lado de la calle menos iluminado, tras lo cual se quedó contemplando unos instantes el edificio de color azul eléctrico antes de mirarme.

—Parece que hay mucha gente.

Su expresión no había cambiado en las últimas horas y sus ojos todavía parecían de obsidiana. Si hubiéramos tenido una relación, creería que estaba enfadado, incluso celoso, por mi baile con Misha. Pero sabiendo la poca gracia que le hacían los licántropos y que no quería nada de mí excepto pasar un buen rato, esa idea era ridícula.

—Tengo una mesa reservada siempre para los dos últimos días antes de la luna llena, así que estaremos tranquilos —dije y recorrí con la mirada la corta fila de lobos que estaban frente a la puerta esperando para entrar. El portero era Jimmy. Por lo menos habría alguien por ahí cerca en quien podía confiar si Quinn desaparecía y tenía problemas.

Quinn se volvió y tomó el localizador del asiento de atrás. En el silencio se oyó un pitido nítido y suave.

—¿Tienes idea de cuál es la cobertura de esto?

—No, pero debe de ser de dos o tres kilómetros por lo menos. Talon lo usó para encontrarnos en el Consejo, y ni su casa ni su oficina quedan a esa distancia.

Quinn asintió.

—Ten cuidado ahí dentro. Si necesitas ayuda, baja tus defensas y grita psíquicamente.

Lo miré con extrañeza.

—¿Es seguro para ti bajar las defensas? Quiero decir que estás junto a un club a rebosar de licántropos, ¿no se te hará insoportable toda esa combinación de auras?

—No.

—¿Por qué no?

Vaciló.

—Porque no bajaré mis defensas psíquicas. Te oiré a través de ellas.

—¿Cómo?

—Hemos compartido sangre. En lo físico, ahora estoy más sintonizado contigo.

—¿Eso quiere decir que puedes leer mis pensamientos en todo momento?

—No, porque tus defensas son muy fuertes. Pero si las bajas y me llamas, yo acudiré.

Si lo llamara ahora, ¿vendría? No a mí, sino conmigo. Lo dudaba. Y además si Misha estaba en realidad detrás de esto, yo tendría que estar pendiente de controlar mi fiebre. Necesitaba que mi aura lo envolviera fuerte y rápido para que no tuviera tiempo de pensar, solo para reaccionar a ella. Y mientras lo hacíamos, obtendría las respuestas, tanto si me las daba de viva voz como si me obligaba a leerle la mente.

—No sé cuánto durará esto.

Se encogió de hombros.

—No me voy a ir a ninguna parte.

Eso decía él. Puse la mano en la manilla de la puerta.

—Quinn... —dije, vacilante.

—No hay nada entre nosotros —afirmó con suavidad—. Nada que no sea un sexo fabuloso, claro.

No andaba equivocado, eso era en realidad lo que hasta ahora había habido entre los dos. Pero solo hacía unos días que nos conocíamos y todo indicaba, incluso entonces, que podía haber algo más. Que fuera una relación sentimental más profunda o una simple amistad y buen sexo, el tiempo lo diría. Y no me importaban las advertencias de Rhoan ni de Liander, estaba más que decidida a cambiar el destino y a explorar las opciones.

—Un sexo fabuloso es una buena manera de empezar.

Su dulce sonrisa hizo que el corazón me diera uno de esos vuelcos que ya me resultaban familiares.

—No soy de los que les gusta compartir, Riley, y no quiero verme metido en la cultura de los licántropos. No es para mí.

Levanté las cejas.

—Incluso a costa de perder un sexo fabuloso.

—Incluso así —dejó de mirarme—. Es mejor que te vayas. Puede que ya esté dentro.

—Quizá —dije, observando su perfil, y luego me incliné desde el asiento para darle un beso en la mejilla.

Pero se volvió y mi beso fue a parar a sus labios. Fue una posesión larga y espectacular que me dejó jadeante y deseándole más de lo que había deseado a nadie en mi vida.

—Ve —fue todo lo que dijo, y su deje irlandés me pareció tan fuerte que casi no entendí lo que decía.

Me fui. En ese momento no tenía otra elección.

Jimmy me recibió con alegría y me abrió la puerta, haciéndome pasar y provocando las protestas de los que estaban esperando. Un segundo guarda se encontraba cerca de la puerta de dentro: era Stan, el hermano de Jimmy. Era más menudo, algo delgado, pero aparte de eso era una réplica exacta. La única diferencia radicaba que tenía todos los dientes.

—Hola, Riley —dijo con una voz estentórea—. Misha ha preguntado por ti al entrar, hace diez minutos.

Le dirigí una sonrisa tensa.

—Gracias, Stan.

Asintió.

—Estamos hasta los topes hoy. Reservar mesa fue lo mejor que pudiste hacer.

—Sí —afirmé y, como siempre saqué la llave de una taquilla y luego me dirigí hacia el interior.

El holograma de las estrellas alumbraba el techo. Su luz todavía no había sido oscurecida por el brillo de la luna azul, que empezaba a asomar desde un extremo.

La pista de baile era un mar de gente desnuda que daba vueltas y la mayoría de las mesas estaban ocupadas. El aire se notaba tan caliente como la música y en él se percibía el olor a lujuria y sexo.

Respiré con fuerza, dejando que el ambiente entrara por todos mis poros hasta los huesos.

Si quería llegar a relacionarme con Quinn más seriamente, era probable que tuviera que renunciar a este tipo de bailes. Pero yo era así. La libertad y la excitación de estos bailes de la luna formaban parte de mi naturaleza, y estaría perdida si los dejara solo porque ofendían la sensibilidad humana. Yo no era humana y no deberían juzgarme con esos valores morales. Y pedirme que renunciara al baile de la luna sería como pedirle a él que dejara de beber sangre. No era justo.

Bajé las escaleras y me metí en el vestidor. Misha debía de estar mirando, así que era mejor que me comportara como siempre, que en ese preciso momento significaba hacer lo mismo que desde hacía un año: ducharme y guardar la ropa.

Cuando volví a salir estaba desnuda como todos los demás. Miré por entre las mesas hasta que descubrí la mía, pero él no se encontraba allí. Eso quería decir que o bien estaba en la pista de baile, o bien en uno de los reservados o habitaciones con alguien más.

Me dirigí a la pista de baile. El intenso aroma a sudor y lascivia me rodeó, la respiración se me cortó y luego se aceleró. La presión de la multitud hizo que la piel me quemara y que mi ya arrítmico corazón latiera aún mucho más fuerte.

Unas manos me agarraron, y me hicieron girar antes de empujarme hacia un cuerpo que era fuerte, delgado y marrón. Un destello relució en sus dientes mientras me rodeaba con sus brazos y me guiaba en un baile que era al mismo tiempo sensual y juguetón.

La luna, el ambiente y mis enfurecidas hormonas hacían que estuviera preparada para dar y recibir, para que me hicieran el amor. De haber sido en otro momento y otro día, podría haber hecho las dos cosas allí mismo.

Aquel extraño me besó en la boca, una caricia que era una incitación que prometía también pasión.

—Quiero poseerte —me dijo con voz suave—. ¿Estás libre para llevar este baile más lejos?

Su voz era tan incitadora como su danza y me gustó que me preguntara antes de intentar nada, como habrían hecho muchos de los que estaban bailando. Me gustaba la manera

tan seductora en que se apretaba contra mí. Respiré a fondo y traté de recordar que yo estaba allí por una razón.

—Por desgracia no, ahora mismo no —murmuré, presionando con mi cuerpo un poco más. Él no era más alto que yo, así que su calor me acariciaba en el lugar exacto en el que lo necesitaba.

El deseo brillaba en sus risueños ojos verdes.

—Soy Kellen.

—Riley.

—¿Sueles venir por aquí?

—Sí, ¿y tú?

—Es la primera vez. Pero creo que he encontrado una razón para volver.

Le sonreí con generosidad, me gustaba el destello travieso y, sin embargo decidido, de sus ojos. El cuidado con el que encajaba su cuerpo en el mío.

—Estaré pendiente de ti.

Me alzó la mano y me besó los dedos.

—Hazlo —dijo y me hizo dar vueltas devolviéndome al centro de la locura.

Encontré a Misha pocos segundos después. Estaba justo en el centro de la multitud que se movía en la pista y bailaba con un grupo de lobos de plata. Cuando nos miramos sus ojos se veían como licuados. Su deseo era algo tan vivo que me quitó el aliento y me devoró la piel. Eso me sorprendió. Misha nunca había esperado para el placer y los tres con los que bailaba parecían más que impacientes.

Me tomó de la mano, acercándome mientras les dábamos la espalda a aquellos plata. Dejamos atrás su destello de rabia, que enseguida se perdió en aquel mar de deseo.

No me dijo nada, solo me llevó hacia el grueso de los que bailaban, justo en el mismo centro donde el roce de los cuerpos era mayor y el olor a sexo tan fuerte que casi parecía líquido. Yo apenas podía respirar, mi deseo era violento, pero aun así no estaba lo bastante poseída como para no notar su rabia.

Me rodeó el cuello con una mano y me atrajo hacia sí. Su beso fue violento, duro y largo.

—Deberías haberme preguntado, Riley —dijo al fin—. Te hubiera respondido.

Le rodeé el cuello con los brazos, jugando todavía, aunque sabía que el juego se había terminado.

—He venido a hacerte unas preguntas.

—Quizá. Y quizá no seas más que una distracción.

No me podía mover ni retirarme. Había descubierto la verdad y no quería hacer ninguna de las dos cosas. Estaba muy cerca, me sentía a gusto.

—¿Qué te hace pensar eso?

—El hecho de que tres minutos antes de que entraras aquí, me notificaran que habían asaltado mi oficina de la calle Collins —su sonrisa era tensa—. Pueden registrar cuanto quieran. No encontrarán nada.

—¿Estás seguro de que no te importa?

—Desde luego que sí.

El calor me presionaba por todas partes, me empujaba. El de Misha y el de los demás lobos que nos aplastaban. En cada respiración entraba el ansia de sexo y la estela azul de las luces contra mi piel creaba diamantes de sudor. Casi no podía pensar, la fiebre empeoraba y a pesar de eso sabía que debía mantener alerta mi cerebro. No conseguía olvidar que Misha podría ser mi enemigo.

—¿Cómo lo supiste? —dije, respirando apenas con un jadeo.

—Siempre he preferido contar con algo más que las últimas maravillas de la técnica.

No lo explicó y a mí no me quedaba casi aire para preguntarle. Me sujetó la cintura con las manos, sentí sus dedos calientes y violentos cuando me levantó y me puso sobre él. Le rodeé la cintura con las piernas y comenzamos a movernos.

—El cebo obtendrá respuestas esta noche, créeme —gruñó.

No le respondí. No podía. Me quemaba la sangre, el corazón me palpitaba como una máquina de vapor y solo quería cabalgar sobre ese hombre flaco y enfadado hasta que las olas de placer que daban vueltas en mi piel se fusionaran formando una energía total.

Y eso es lo que hice.

Llegamos al clímax al mismo tiempo, con una fuerza que me arrancó de la garganta un sonido ahogado mientras su cuerpo golpeaba contra el mío y contra las espaldas de los otros con movimientos rápidos y furiosos.

Los temblores disminuyeron. Todavía lo sentía duro dentro, pero eso no me sorprendía porque la energía de la luna estaba en su plenitud. El calor de la luna garantizaba a los licántropos la potencia suficiente para celebrarlo una y otra vez durante esa fase lunar que duraba una semana. Esa noche y el día siguiente serían los momentos álgidos, y entonces el tiempo de recuperación entre cada acto sexual iría disminuyendo hasta llegar a cero. Quizás era una manera natural de reconciliarnos con nosotros mismos por vernos forzados a cambiar durante la luna llena. La noche de luna llena era la única en la que no controlábamos la forma que adoptábamos. Esa noche nos manteníamos únicamente como lobos.

Comenzó a moverse de nuevo dentro de mí. Su expresión era tensa, resuelta, y yo sabía que planeaba cobrármelo todo antes de decir nada más.

El que estuviera allí, follándome, aunque ya se había enterado de que habían entrado e investigado en su oficina, me aseguraba que no se hallaría nada incriminatorio en su despacho. Si la evidencia estaba en otra parte o en realidad no había nada que encontrar, eso nadie lo sabía.

Antes de marcharnos permanecimos en medio de aquella masa sudorosa de gente que daba vueltas sobre la pista durante una hora.

Seguimos en la mesa, en la ducha, contra la pared, en las escaleras. Siempre lo hacía con furia y dureza, y la mayor parte de las veces me tomó sin darme nada. El lobo de mi interior se lo estaba pasando bien, pero la mujer empezaba a cabrearse un poco.

Por fin, me dejó sobre la mesa. Lancé un suspiro de alivio. Estaba magullada, me dolía todo y solo había quedado satisfecha a medias, y yo sabía que lo había hecho a propósito. Me estaba haciendo pagar por lo que él consideraba una traición.

Me deslicé hasta uno de los bancos y me llevé una cerveza de la bandeja de un camarero que pasaba. No bebí enseguida sino que me pasé la botella helada sobre la frente enfebrecida.

Misha se sentó enfrente.

—Formula tus preguntas.

Sus ojos plateados no reflejaban nada.

—Dime por qué tenías un archivo con el nombre de pastelería Genoveve en tu escritorio hace un año.

—Era una empresa que estaba pensando comprar —levantó sus pálidas cejas y dijo—: Tienes muy buena memoria.

—Excepcional, si consideramos las circunstancias.

La sonrisa que había en sus labios no concordaba con su mirada glacial.

—¿Y lo hiciste? —le incité a responder viendo que no decía nada.

—No.

—¿Quién lo hizo?

—Konane.

—¿La compañía dueña de Moneisha?

—Sí.

Quité la chapa de la botella y di un largo sorbo antes de seguir preguntándole.

—¿Y quién es el dueño de Konane?

Sonrió.

—Hazme otra pregunta.

Su expresión confirmaba sus palabras. Por fin. Me preguntaba cuántas horas de pago me exigiría.

—¿Y qué relación tiene el chocolate y la investigación?

—Puede que el dueño solo quisiera diversificar su grupo de empresas.

Su manera de decirlo despertó mi intuición y creí detectar algo.

—Tú no crees eso.

—No.

—¿Por qué?

Se echó hacia atrás en el asiento y me estudió un instante con una expresión arrogante y risueña.

—Porque el dueño de Konane y yo compartimos los mismos intereses y hace un tiempo fuimos socios.

Mi sonrisa fue forzada.

—Nunca me dijiste que te interesara el chocolate.

Había frialdad en su dura expresión. Tenía la extraña sensación de que este hombre, el hombre que me había hecho el amor con tanta rudeza esa noche, era el Misha auténtico. Y que el Misha que me había mostrado los pasados doce meses era simplemente un medio para conseguir un fin. No tenía ni idea de cuál era el fin, pero presentía que eso era algo que debía descubrir.

Bajé mis defensas para introducirme en su mente. No me sorprendió dar contra un muro que rodeaba sus pensamientos, pero no era electrónico. Sus defensas psíquicas eran tan naturales como las mías e igualmente fuertes.

Bebí otro sorbo de cerveza e intenté olvidar las prisas por irme. Tenía un trabajo que hacer y además, la luna todavía me quemaba las venas.

—No fue el chocolate lo que nos llamó la atención —dijo con suavidad—, sino el hecho de que Genoveve estuviera en apariencia construida sobre una base militar.

¿Coincidirían los planos encontrados en el despacho de Alan Brown con la base donde al parecer se encontraba Genoveve? Es muy probable que sí.

—He leído que descubrieron en Melbourne y alrededores unos túneles de la segunda guerra mundial donde escondían armas, pero nunca que hubiera algo más grande que eso.

—Nadie sabía de esos túneles hasta que excavaron. En principio se destruyeron todos los planos después de la guerra y muchos de los ellos se taparon con cemento.

Si los planos habían sido destruidos, ¿cómo se había hecho con ellos Alan Brown? ¿Y por qué no los había destruido? Me acabé la cerveza y aparté la botella.

—¿Entonces por qué creíste que podría haber algo de cierto en los rumores sobre lo que había bajo Genoveve?

—Porque hablé con un hombre que había descubierto una entrada. Y lo mismo hizo el propietario de Konane.

—¿Y por qué una vieja instalación militar ejerce tanta fascinación sobre ti y el dueño de Konane?

—Porque la búsqueda de la perfección a veces exige tomar caminos que el gobierno no aprueba, y en ese caso es mejor investigar en secreto.

Dios mío... ¿Estaba diciendo lo que yo creía que estaba diciendo?

Sonrió.

—No estoy relacionado con Genoveve ni con la investigación sobre clonación de no humanos.

—Solo tengo tu palabra, y ahora mismo, no me siento inclinada a creerla.

—Te juro por mi madre que no he dicho ninguna mentira esta noche.

Ninguna mentira, ¿pero había dicho alguna verdad absoluta? Tenía el presentimiento de que la respuesta era no.

—¿Así que no tienes nada que ver con las clonaciones?

Una mirada risueña iluminó sus ojos.

—No tengo ningún tipo de relación con los actuales intentos de clonación. Si te interesa mi modesta opinión, no le veo el sentido. Hasta que no entendamos en su totalidad la complejidad de la creación, la clonación siempre será un camino de búsqueda de la imperfección.

—No puedes entender algo si no investigas.

—Es cierto. Pero ahora mismo es una investigación en la que se está derrochando dinero. ¿Cuánto tiempo hace que el hombre intenta clonarse a sí mismo? ¿Y hasta dónde ha llegado? Ahora solo puede crear una imagen imperfecta o enfermiza de sí mismo cada cincuenta intentos.

—El cultivo de partes del cuerpo salió de las investigaciones sobre clonación y eso ya es lo bastante provechoso.

Se encogió de hombros.

—Solo de forma marginal. El gobierno es tacaño con el marketing y la investigación.

Sin embargo el mercado negro estaba en auge y el gobierno no conseguía detenerlo.

—¿Y qué investigación pensabas dirigir bajo las instalaciones de Genoveve y por qué no la compraste al final?

Sonrió.

—Mis empresas, como muchas otras, tratan de desentrañar el misterio de la larga vida de los vampiros. Se puede hacer una fortuna con un descubrimiento así.

Eso era decir poco, considerando la fijación de los humanos por la juventud.

—Entonces cuando dijiste que Moneisha había conseguido identificar el racimo de genes que hacen que un vampiro sea lo que es, ¿estabas hablando de tus propias investigaciones?

—En parte. Trataba de averiguar cuánto sabías.

—¿Por qué?

—Porque me lo habían pedido.

Lo miré sorprendida. No me imaginaba a Misha doblegándose a las órdenes de otro. ¿Pero qué sabía yo sobre él en realidad? ¿Por medio de quién?

Su respuesta fue una sonrisa. Y cambié de asunto otra vez.

—¿Tuviste éxito identificando los genes de vampiros?

—En parte.

Lo estudié durante unos segundos.

—Una investigación así no necesita hacerse en una instalación secreta.

—Sí, cuando los sujetos con los que se experimenta no son voluntarios.

—¿Estáis secuestrando vampiros en las calles?

—No. Pretendía hacerlo porque las nuevas leyes del gobierno han puesto difícil conseguir la suficiente piel y sangre para desarrollar la investigación. Pero nunca llegué a comprar Genoveve porque hubo una oferta mejor. Todas mis empresas se ajustan a las normas.

Se ajustan ahora, quiso decir. Pero sospechaba que no lo harían en un futuro.

—Sabes que Jack lo verificará.

Se encogió de hombros.

—No encontrará nada fuera de lugar.

—¿Y tu compañía solo se dedica a la investigación con vampiros?

Sonrió.

—No.

—¿Entonces, a qué?

—Mis empresas participan en otras que investigan sobre fármacos.

Podría apostar algo a que estaba metido en el asunto de la ARC1-23.

—¿Eso quiere decir que sabías todo lo que Talon estaba haciendo para obligarme a concebir?

De nuevo en sus ojos brilló una mirada risueña.

—Sí.

La rabia me dominó y los dedos se me encogieron como si fueran garras.

—¿Y lo aprobabas?

—No.

—Entonces, ¿por qué demonios no me avisaste?

—Porque, una vez más, me habían advertido de que no lo hiciera.

Resoplé suavemente.

—Y claro, tú nunca te rebelas contra las órdenes. Mentira podrida, Misha.

—Están pasando muchas cosas que no entenderías. Tengo muchas limitaciones que no puedo saltarme, sin importar si deseo o no hacerlo.

Eso me sorprendió.

—¿Tienes ganas de explicarme eso con más amplitud?

—Todavía no.

Expulsé una bocanada de aire y pensé en las cosas que me había dicho en los últimos días.

—Me dijiste que me imaginara al supersoldado que podría crearse con las habilidades de un vampiro y ninguna de sus limitaciones. ¿Es eso lo que estás haciendo? ¿Intentar crear un supersoldado, cruzando los genes de un humano con los de un vampiro?

—Quizá —dijo sonriendo con desidia.

—¿Y qué pasa con los híbridos no humanos?

—¿Qué pasa con ellos?

—¿También estás relacionado con su creación?

—Ya te he dicho que no.

No hubo ni un movimiento en su cara, ni un parpadeo, y sin embargo, sentí que acababa de decirme una mentira absoluta.

—¿Entonces no sabes nada del ataque que sufrí poco después de hablar contigo por teléfono?

Levantó una ceja.

—Quiero follarte, no matarte.

Me apoyé atrás, en parte queriendo creerle pero desde luego sin conseguirlo.

—Eso no responde a la pregunta.

—Sí que responde —vaciló—. De hecho intenté avisarte, pero me colgaste.

—¿Así que sabías lo del ataque en el cementerio?

—Sí.

—¿Cómo sabían dónde iba a estar yo?

Dirigió la mirada al brazo donde llevaba el rastreador, y en ese instante me dio la respuesta. Juré por lo bajo.

—¿Cómo supiste lo del ataque?

Me sonrió como antes y no respondió.

Tamborileé en la mesa con los dedos.

—Bueno, ¿vas a decirme quién es el dueño de Konane?

Me miró de arriba abajo y la fiebre, que seguía a la espera, se encendió. Sus ojos plateados se encontraron con los míos, haciéndose eco del deseo en que ardía. No quería desearlo, pero en ese momento no podía elegir. Además, necesitaba que me diera la respuesta que todavía no me había dado.

—Quiero otras dos horas ahí —dijo señalando con la cabeza hacia la muchedumbre apiñada en la pista.

—¿Por qué?

Su sonrisa era dulce, aunque todavía había cierta frialdad en ella. Algo muy calculado. Fue en ese momento cuando noté la similitud entre él y Talon.

—No importa el porqué.

Supuse que, a fin de cuentas, qué más daba. Le di sus dos horas. Luego él me dio el nombre.

Talon.

Capítulo 14

Me dirigí a los aseos y me di una larga ducha caliente. No me alivió mucho el dolor del cuerpo, pero que hizo que me sintiera más limpia. El calor de la luna ya no fluía por mis venas. Por lo menos, al fin Misha se había dado cuenta. Quizá pensó que eso le aseguraba volverme a ver.

Aunque si había pensado una cosa así, es que no me conocía en absoluto, nada. ¿Y además, qué sabía yo de él? ¿o de Talon?

Por lo menos había conseguido que respondiera a mis preguntas, si las respuestas eran ciertas o no, ya se vería.

Sin embargo, aquella noche había obtenido algo más, me había afianzado en mi decisión de no convertirme nunca en guardián. Porque los guardianes, ya fueran hombres o mujeres, solían usar el sexo para obtener información y al estar con Misha había experimentado cómo podía sentirme al hacerlo. A mí no me suponía ningún problema tener relaciones sexuales con alguien desconocido. Lo había estado haciendo toda mi vida en diferentes clubes para licántropos, y disfrutaba muchísimo. Pero hacerlo con un extraño

solo para sacarle información, desprendía cierto tufillo a prostitución, lo que hacía que me sintiera incómoda.

Sin embargo ¿no era exactamente lo que acababa de hacer? De acuerdo, conocía a Misha, pero eso ¿lo hacía diferente? El hecho de haberme puesto en situación y estar dispuesta a hacer lo que fuera necesario, demostraba que me parecía más a mi hermano y que era más capaz de hacer un trabajo de infiltrada de lo que yo pensaba.

Y ese era el pensamiento más incómodo de todos.

Sentí como si tuviera algo en los ojos y me los froté con la mano. Luego eché un vistazo al reloj de la pared. Acababan de dar las dos y ya era hora de marcharme. Me quedé bajo el agua caliente unos minutos más, luego me sequé con una toalla y me vestí. Stan y Jimmy me despidieron con cariño mientras volvía a la zona más oscura de la calle.

Quinn estaba apoyado contra el capó, con los brazos cruzados y el rostro impasible.

—¿Te encuentras bien?

Me encogí de hombros.

—Tengo respuestas para todo el mundo.

—Las respuestas pueden esperar. Se te ve fatal.

—Qué raro. Es así como me siento —me detuve unos cuantos centímetros antes de llegar al automóvil deseando que me tomara en sus brazos con dulzura. Solo que me abrazara. Nada más, bueno, no enseguida. Lo único que necesitaba era un contacto agradable que no fuera rudo, violento o calculado.

Pero ni se movió ni se lo pedí.

—Misha sabía que Jack y Rhoan habían entrado en su oficina.

—Eso explica la sensación de descontento que me llegaba de ti.

¿A quién podía sorprender que mis vibraciones fueran de descontento? Mis dos parejas me estaban usando para sus propios fines y yo nunca lo había sospechado. Me lo merecía por confiar en mis malditos instintos.

—Talon ha aparecido por el club esta noche —continuó.

Me alarmé.

—¿Qué?

Asintió con la cabeza.

—Entró hace unos cuarenta y cinco minutos y se fue a los diez minutos de entrar.

—¿Tienes idea de para qué? —le pregunté. No tenía sentido que viniera por mí después de haber intentado matarme al enterarse de mi doble herencia.

—Puede que lo haya reconsiderado.

—No —respondí; Talon rara vez cambiaba de idea sobre nada. Si había ido al club debía de ser por alguna razón que no fuera tener un hijo conmigo—. ¿Intentaste detenerlo?

—No, pero le seguí dentro.

No los había detectado, a ninguno de los dos.

—¿Qué hizo?

—Os estuvo mirando a Misha y a ti.

—Misha me dio a entender que él y Talon habían sido socios. Puede que todavía lo sean. Quizá Talon entrara al club por esa razón.

—Y puede que se diera cuenta de que aunque personalmente no le guste tu doble herencia, sigues siendo un bocado demasiado apetitoso como para renunciar a investigar contigo.

Un frío intenso me recorrió de arriba a abajo. Tenía la sensación de que había dado en el clavo.

Quinn me observó antes de ponerme los dedos alrededor del brazo y atraerme hacia sí para abrazarme. No dijo nada, solo me sostuvo. Fue algo tan bueno y agradable, y tan endemoniadamente perfecto que quise llorar.

—Será mejor que no perdamos de vista a Talon. Me temo que está más metido en esto de lo que creíamos.

—Lo está. Es el dueño de Konane y el propietario de Genoveve.

Me besó en la cabeza, sentí sus labios como la suave caricia de una pluma caliente. Luego me apartó y la noche se hizo más fría.

—Si es así, es mejor que nos vayamos.

Asentí, aunque no quería ir a ningún sitio, solo volver a sus brazos.

—Ven, ponte esto aquí y luego sube a nuestro vehículo —lo dijo sin alterar la voz, aunque yo notaba cierto nerviosismo contenido. Puede que él, como yo, sintiera que la resolución de todo este lío estaba cerca.

Tomé la delgada tira metálica que me pasó.

—¿Qué es esto?

—Esto alterará la señal de rastreo del chip y así nos aseguraremos de que no nos siguen.

Me lo até en el antebrazo mientras me metía en nuestro vehículo.

—¿Sabes algo de Rhoan o de Jack?

—Han terminado y están esperándonos en casa de Liander.

Viajamos en silencio hasta llegar al taller. Rhoan, Jack y Liander estaban sentados en el pequeño salón comedor que se encontraba detrás del taller. Rhoan se levantó del sofá en el que estaba sentado junto a Liander y me abrazó. Le correspondí, contenta de tener a alguien estable en mi vida. Constante. Alguien que me quería por lo que era, no por lo que podía hacer o producir para él. Alguien que siempre me aceptaría como soy, de estirpe de vampiro y herencia loba, y todo eso.

—¿Estás bien? —me susurró.

Asentí porque si me atrevía a responderle, las lágrimas que ya me anegaban los ojos podían elegir ese momento para saltar.

—Sexo a cambio de información no es muy agradable la primera vez.

—Ese es el problema, al final el sexo fue más que agradable —cuando lo dije, me dio un escalofrío—. No quiero ser un guardián de la noche.

Pero podía ocurrir y mucho me temía que Jack estaba en lo cierto en cuanto a que no solo era buena para desempeñar esa función sino que además me iba a gustar. Incluso hasta un poco, eso de obtener información a cambio de sexo.

—Entonces afróntalo de manera práctica —Se echó hacia atrás, con una expresión severa pero con una mirada llena de comprensión—. ¿Quieres algo caliente?

—Café con un chorrito de *bourbon*.

Me apretó la mano y fue hacia el minibar. Me senté en una dura silla de madera cerca de Quinn.

—Qué —dije con una voz algo tensa—, ¿cortaste todos los sistemas de seguridad por casualidad?

Liander me miró más que ofendido.

—Puede que esté oxidado, pero no tanto

—Entonces ¿cómo es que Misha sabía cuando entré esta noche en el Blue Moon que estabais en su despacho registrando sus archivos?

—No podía saberlo —dijo Jack—. Créeme, tuvimos mucho cuidado.

—Electrónicamente quizá, pero Misha me dio a entender que allí había algo más que sistemas de seguridad.

—Lo había, pero no llegó a vernos.

—Alguien o algo os vio.

Rhoan me pasó la bebida y me la tomé de golpe. Me quemaba mientras bajaba, pero al menos me quitó aquel nudo frío que se había formado en la boca del estómago.

—Entonces ¿no contestó a tus preguntas?

—Sí, estaba muy dispuesto a hablar. Piensa que no tiene nada que ocultar.

—¿Y le creíste? —preguntó Quinn con suavidad.

Nuestras miradas coincidieron, y por un instante me perdí en la profundidad de sus ojos oscuros.

—No.

—Entonces ¿por qué Genoveve? —preguntó Jack.

—Porque al parecer está construida sobre un búnker militar de la segunda guerra mundial. Estaba planeando utilizarlo para investigaciones ilegales.

—¿Estaba? —preguntó Jack.

Rhoan me ofreció una jarra humeante y la acepté con una sonrisita.

—Pues sí. La misma compañía que es dueña de Moneisha hizo una oferta mejor.

—¿Konane?

—Sí. Y el propietario de Konane es Talon.

Liander se quejó.

—Lo teníamos y lo dejamos escapar.

—Y lo más probable es que esté fuera del maldito país ahora mismo —dijo Rhoan sentándose a un lado del sofá y pasándome el brazo por los hombros—. Nunca lo encontraremos.

—Lo haremos —dijo Quinn en voz baja—. Estaba esta noche en el Blue Moon mirando a Misha y a Riley. Y parecía furioso.

—Interesante —murmuró Jack—. Eso indica que aún quiere a Riley. Quizá podamos sacar partido de ello.

—No —dijeron Rhoan y Quinn al mismo tiempo.

Jack no les hizo caso y se me quedó mirando.

—Esto atañe a algo más que a un licántropo y a una compañía. Y ahora mismo, él es la única pista que tenemos. Hay que capturarlo e interrogarlo.

—De acuerdo —dijo Rhoan, cuyo tono era prácticamente de discusión—, ¿pero por qué Riley tiene que hacer otra vez de cebo? Ya ha hecho por los suyos y su país más de lo que le corresponde.

—Lo sé —la voz de Jack denotaba un arrepentimiento que sus verdes ojos no mostraban—. Pero Talon no está interesado ni en ti ni en mí. Y debido a la influencia que tiene Gautier sobre los demás guardianes no podemos confiar en ninguno en este momento.

—Sabemos donde está la pastelería Genoveve, ¿por qué no hacemos una simple redada en ese maldito lugar?

—Porque no sabemos dónde están las entradas a los subterráneos y mientras damos con ellas tendrían tiempo de destruir las pruebas que necesitamos.

Le di un sorbo al café y miré a Jack con serenidad. Aunque era consciente de que me estaba introduciendo cada vez un poco más, las razones por las que había ido esa noche al Blue Moon seguían siendo válidas. Había que parar a quienquiera que estuviera detrás de todo esto y, si yo podía hacer algo, no tenía ningún derecho a abandonar.

De todas formas ¿iba a estar más segura si lo dejaba? Ya habían intentado matarme en la estación de tren y eso que no estaba metida del todo en esta investigación. Puede que quedarme por ahí solo empeorara las cosas. Además, mi lobo interior ya tenía bastante y ansiaba una venganza ejemplar.

—No te olvides de que ya han muerto diez guardianes, u once si contamos a Kelly —le dijo Jack a Rhoan sin apartar la mirada de mí.

Cerré los ojos para no pensar en los demás guardianes, tampoco quería imaginar que Kelly podría haberse sumado a ellos.

Mierda, ella no. Yo no hacía amigos con mucha facilidad, no era justo que el destino fuera tan cruel como para arrebatármela también a ella.

—Tenemos que detener esto ahora —añadió Jack como en susurro.

—¡Riley ni siquiera es un guardián! —Rhoan se levantó de la silla con los puños apretados y el rostro lívido—. ¿Cómo crees que va a poder sobrevivir si los demás guardianes a los que has enviado no han sido capaces de hacerlo?

—Porque es una superviviente —se contuvo—. Y porque es un dhampiro, como su hermano. Esa es una gran ventaja con la que los dos contáis.

—Ella está en esta maldita habitación, no en otro sitio —interrumpí—. Rhoan, tranquilízate y siéntate. Jack solo me ha dado la puñetera oportunidad de beberme un café y tomarme un respiro ¿no?

Me levanté y caminé hacia la terraza con el café en la mano. El aire de la noche era tan cortante como el hielo y aspiré una profunda bocanada. Eso no disipó el temor que se había despertado en mí. No temor a lo que tenía que hacer, sino a aquello en lo que podía convertirme.

Me incliné sobre la balaustrada de hierro forjado y tomé un sorbo de aquel aromático café de avellana. El viento agitaba los árboles cercanos y me alborotaba el pelo, que flotaba como si fueran dedos de fantasmas.

Cerré los ojos e intenté calmarme con el frío de la noche y el brillo de las estrellas.

Aunque no oí nada, una caricia juguetona con olor a sándalo se impuso en ese instante al olor de avellana y aquello me dijo que ya no estaba sola. Se apoyó en la baranda, con su cuerpo separado del mío unos cuantos centímetros, pero lo bastante cerca como para que su calor me quemara la piel.

—¿Es por la luna? —me preguntó en voz baja.

—En parte, sí. Jack parece haberse olvidado de que Rhoan, Liander y yo nos transformaremos en lobo mañana por la noche.

—Es casi seguro que todo habrá terminado para entonces.

Abrí los ojos. Parecía como si las estrellas se reflejaran en aquella mirada del color de la noche.

—No has salido aquí afuera para detenerme, ¿verdad?

Su sonrisa era agridulce.

—¿Qué derecho tengo a hacerlo?

—Tengas o no tengas derecho, no parecía importarte mucho hace unos minutos.

Se encogió de hombros.

—La sugerencia de Jack me pilló por sorpresa.

—Pero ahora que has podido pensar, te has dado cuenta de que sería la manera más rápida de encontrar a tu amigo.

Me sostuvo la mirada unos segundos.

—Sí.

Miré a otra parte y le di un sorbo al café.

—Hay muchos riesgos y Talon no es tonto.

—Tampoco lo es Jack. Confía en él.

—Es en Talon en quien no confío —miré hacia el cielo—. Y él es quien me puso el chip en el brazo. Si me secuestra, lo primero que hará es quitármelo.

—Pero él no sospechará que yo también llevo uno.

Lo miré bruscamente. La sonrisa de sus labios no llegó hasta sus ojos.

—Tú no vas a meterte ahí sola.

—Si alguien debe venir conmigo, ese es Rhoan. Está entrenado para estas cosas.

—Y yo tengo muchos siglos a mis espaldas. La vida y el tiempo proporcionan mejor entrenamiento del que tu Consejo jamás podría imaginar.

—Jack no te lo permitirá.

—Jack no puede detenerme.

—Pero Talon no intentará secuestrarme si estás conmigo.

—¡Oh sí!, ya lo creo que lo hará. Para empezar le rompí la nariz cuando te rescaté y estoy seguro de que está ansioso por devolverme el favor. Y segundo, he matado a muchos de sus preciosos clones.

Tenía que admitirlo, me sentía mucho mejor siendo un cebo con Quinn a mi lado. Puede que no estuviera más segura pero al menos no estaría sola.

—Gracias —murmuré.

Hizo una mueca.

—Mis razones son tan solo egoístas, no imagines que hay mucho más detrás.

—¿Eso quiere decir que si tienes que elegir entre tu amigo y yo, salvarás a tu amigo?

La cordialidad desapareció de su cara, que no reveló emoción alguna.

—Sí.

Me parecía justo. Él y su amigo se conocían desde hacía siglos. Y solo había hecho el amor conmigo un par de veces. Si yo estuviera en su lugar, es probable que hiciera lo mismo. Creo.

—Hay algo que tenemos que hacer antes de meternos allí —continuó—. Solo por si nos separamos.

—¿Qué es?

—Crear un enlace mental entre nosotros.

—Los enlaces mentales pueden anularse con amortiguadores y me apuesto lo que sea a que Talon tiene instalado el mejor.

Aunque los últimos amortiguadores no habían funcionado con Quinn en el Consejo, a mí sí que me habían impedido acceder.

—Si está desarrollando esos clones de vampiros, no puede arriesgarse a prescindir de ellos.

—Nosotros compartimos sangre.

—¿Y qué? Un amortiguador es un amortiguador.

—Pero el amortiguador afecta a una zona específica del cerebro. Al compartir sangre nuestra conexión psíquica funcionará en un área diferente a esa.

—¿Me estás tomando el pelo?

La sonrisa de sus labios hizo que mi pulso perdiera el ritmo.

Incliné un poco la cabeza y lo estudié unos instantes.

—¿Por qué?

Se encogió de hombros.

—Porque de no ser que nos quedemos sin opciones, intento que los dos salgamos de ahí vivos.

—Y una vez que el enlace está hecho ¿puede romperse?

Vaciló al contestar.

—No, pero yo estoy casi siempre en Sidney, así que no importa.

—¿Y en esas raras ocasiones en que no estés?

—Aun así no importa mucho. El enlace es fundamentalmente una cerradura entre dos espacios, tu mente y la mía. Y como en cualquier puerta cerrada, tienes que llamar para poder entrar.

—¿No hay llaves maestras?

La luz de las estrellas se reflejó unos instantes en sus ojos.

—No hay llaves.

—Entonces ¿qué tenemos que hacer?

—Deja tu café.

Lo hice.

—Ahora, levanta la mano izquierda, tócame en la sien con las yemas de los dedos y cierra los ojos.

Él hizo los mismos movimientos y sentí el calor de sus dedos sobre mi cabeza.

—Ahora imagínate que estás a oscuras en una vasta llanura. En medio de esa llanura hay un muro que no puedes traspasar. Imagina que ese muro son tus defensas psíquicas.

Era más difícil de lo que pensaba. Siempre había dado por sentada la existencia de mis defensas psíquicas. Eran un don heredado, algo que poseía desde mi nacimiento y que con los años había ido adquiriendo cada vez más fuerza. Cuando se hizo guardián, Rhoan me enseñó cómo bajarlas, pero todavía necesitaba entrenar. Nadie me había dicho que se podían crear «puertas». Era probable que no todo el mundo pudiera hacerlo.

El sudor me resbalaba por la cara y tuve que contener el impulso de secármelo de un manotazo. La oscura llanura iba tomando forma y también el muro. Era rojo y no tenía fin, me pareció que oscilaba un poco.

—Ahora —entonó Quinn con suavidad—, imagina que hay una puerta en el extremo izquierdo del muro.

—El muro es interminable.

—Eso es que o no ves el muro o tienes habilidades psíquicas que no han sido empleadas aún. Imagina que la puerta está a tu izquierda, tan lejos como te alcance la vista pero sin moverte.

De nuevo hice lo que Quinn me pedía y el esfuerzo me hizo temblar.

—Ahora empuja la puerta para abrirla y me verás dentro.

Respiré hondo y me visualicé abriendo lentamente esa puerta. Era como si intentara mover una maldita montaña. Empujé, empujé y finalmente la abrí de golpe y me caí de bruces sobre mi cara psíquica. Levanté la vista y me imaginé a Quinn allí de pie, riéndose.

Y de pronto, se reía, no con la voz, sino por dentro. Era una caricia agradable que conmovió las fibras de mi alma, insinuándose de una manera que iba más allá del tacto, más allá del mismo sexo.

»Nadie se había caído antes al cruzar por una puerta.

La voz de su mente era tan intensa y seductora como su voz real, aunque no sé por qué la encontré sorprendente.

»Bueno, nunca me ha gustado hacer lo que hace todo el mundo —levanté a mi ser psíquico del suelo y añadí—: ¿Entonces, esta puerta quedará abierta a menos que uno de nosotros la cierre?

»Sí, pero creo que es mejor dejarla cerrada, ya que al ser una loba tu aura está llegando al máximo y puede resultar peligroso. En cuanto estemos dentro de Genoveve, ábrela.

¿Quería eso decir que él no estaba tan inmunizado frente a mi aura como pretendía? No era para lamentarlo.

»¿Y cómo la cierro?

»Simplemente imagina que la puerta se cierra y se cerrará.

No había nada de simple en eso. Cerrar esa puerta psíquica fue tan difícil como abrirla. Pero quizás influía en ello el que una parte de mí no quería perder aquella intimidad.

Cuando quedaban unos centímetros sonó un portazo como si alguien la empujara desde el otro lado. Se me escapó un grito ahogado y abrí los ojos. Me miró entre seductor y amable.

Dejé caer la mano que apoyaba en su sien.

—Debe de ser increíble practicar sexo así.

Con cara de extrañeza deslizó los dedos desde mi sien hasta mi mejilla.

—¿Nunca has hecho el amor con otro psíquico?

—Claro que lo he hecho, tú eres psíquico y esta noche he descubierto que Misha también lo es. Pero nadie me había sugerido nunca que bajara mis defensas para conectar nuestras mentes de una manera tan íntima como nuestros cuerpos.

—Es una experiencia sin igual.

Notaba sus dedos cálidos contra mi mejilla y sentía que el sol y el deseo me ahogaban. El corazón me latía tan fuerte que estaba convencida de que lo podían oír en la sala de dentro. Me aclaré la garganta y no sé cómo conseguí tartamudear.

—Te tomo la palabra.

—Quizás un día...

No terminó la frase porque sus labios se encontraron con los míos. En la escala de besos este fue de un nivel tan alto como nunca antes había experimentado, incluso con él. Lo hizo como una posesión salvaje y erótica que resultaba al mismo tiempo apasionada e íntima. Y eso desbarató total e irreparablemente la mentira de que solo quería sexo conmigo. Nadie podía besar de esa manera y decir que era solo sexo.

Aunque él no lo admitiera con palabras, no tenía ninguna duda de que en cuanto acabara esta misión se marcharía.

Eso sí que era duro.

Me contuve. Los dos respirábamos con dificultad y nuestro común deseo era evidente.

—Muchos más como este y acabaría montándote en este mismo balcón.

—¿Y crees que me importaría?

—Bueno, no. Aunque pensaba que no eras precisamente un exhibicionista.

—Contigo podría serlo.

—Recuérdame que acepte ese reto algún día.

Sus labios parecían risueños, sin embargo había una tristeza en sus ojos que me conmovió.

—No pasará, Riley.

¡Vaya que sí pasaría! Mi alma de loba tenía ya su olor en la nariz y no pensaba dejarlo marchar con tanta facilidad. Tomó la taza de café y me la ofreció.

—¿Te he estimulado demasiado?

—Tengo la fiebre bastante controlada. —Una cosa sorprendente porque a pesar de haber pasado esas cinco horas con Misha, todavía debería sentir con intensidad el calor de la luna. La luna llena llegaría en apenas un día y con la fuerza con que había sentido la fiebre durante esa semana, ahora debería estar en un estado de agitación extrema.

Puede que fuera la situación o quizás el miedo a hacer por segunda vez de cebo lo que estaba arrinconando la energía de la luna. Fuera cual fuese la causa, estaba segura de que más tarde, durante ese día, mi necesidad resurgiría. Yo era licántropo y no había manera de escapar de esa parte esencial de nuestra existencia.

—Deberíamos marcharnos —dijo mirando al cielo—. Enseguida anochecerá.

Se me encogió el estómago. Tiré lo que me quedaba de café por el balcón y entré.

—¿Cuál es el plan?

Rhoan refunfuñó.

—Riley...

—No hay otra manera y los dos lo sabemos.

—Iré con ella —dijo Quinn mirando desafiante a Jack.

Jack no pareció sorprendido en absoluto.

—Creo que no deberías. Como te dije antes, yo puedo proteger a Riley, pero tú no.

—Si las cosas se van al traste, tu protección no nos servirá de nada ni a ella ni a mí.

—Es cierto —Jack me miró—. No voy a molestarme en decirte que las cosas pueden ponerse difíciles, porque ya sabes lo que Talon es capaz de hacer mejor que cualquiera de nosotros. Solo te voy a decir que debes hacer lo necesario para sobrevivir, sin importarte lo que sea. Incluso si eso significa matar.

Me quedé mirándolo a los ojos, con la gargantea seca, y luego asentí.

—Os implantaremos unos microchips en las axilas, así podremos localizaros a los dos —siguió—, y os daremos armas. Luego tendrás que volver a tu casa, Riley.

Durante unos instantes me quedé esperando para ver dónde estaba la trampa.

—Lo más seguro es que tengan detectores de armas.

La sonrisa de Jack era taimada.

—Pero buscarán armas con apariencia de armas.

Puse expresión de extrañeza pero no me molesté en pedirle explicaciones, de todas formas me las iba a dar enseguida.

Jack se levantó de golpe y dijo una de sus frases favoritas:

—Pongámonos en marcha, muchachos.

❋❋❋

Cruzar la entrada de los apartamentos donde vivía nunca me había resultado tan angustioso. Aunque no percibí a

ningún intruso, eso no quería decir que no los hubiera. Al fin y al cabo, yo no detectaba a los humanos y las cosas que habían atacado a Quinn en su apartamento me habían olido a humano.

Quinn se detuvo en la puerta y hasta que no comprobé todas las habitaciones no me di cuenta de por qué. No podía entrar sin invitación.

—¿Quieres entrar? —le pregunté con una sonrisa.

—Será más fácil hacer de cebo desde dentro que en la entrada —dijo con una voz seca—. Pero acuérdate de que eso trae consecuencias.

Asentí.

—Una vez invitado, nunca se te puede rechazar.

—¿Quieres decir que puedo entrar y salir cuando quiera?

—Quiero decir que cuando estés en Melbourne puedes venir a por un poco de diversión nocturna.

Me dirigió una especie de mirada turbia que podía querer decir cualquier cosa.

—Quizá.

No podía entristecerme también por esto.

—Quinn O'Connor, eres bienvenido a traspasar el umbral de la puerta de mi casa siempre que te plazca.

Pasó, me tomó de la mano y me besó las yemas de los dedos. El calor se extendió por mi cuerpo como mercurio y mi espíritu se estremeció.

—Gracias.

—Tú eres más que bienvenido.

Retiré mi mano de la suya, me fui a la cocina por una soda y una bolsa de sangre sintetizada del frigorífico. Quinn estaba de pie junto a la ventana cuando salí. La luz de la ma-

ñana que entraba por ella formaba a su alrededor un halo dorado.

Aceptó la bolsa de sangre con una sonrisa.

—No veo a ninguno —dijo.

—Se supone que no debes verlos —solté él bolso y destapé la soda—. Rhoan y Jack son guardianes, y muy buenos.

Me bebí la soda de un trago y luego fui a la cocina a tirar la lata en el cubo de la basura; al darme la vuelta, vi que Quinn me estaba mirando.

—Te inclinas un poco hacia la pierna izquierda. Es mejor que cambies el cuchillo de posición.

—Eso es fácil decirlo.

Me incliné y ajusté el arma. Solo meter la mano por un lateral de la bota ya era difícil y, por un instante, deseé haberme comprado otro calzado más flexible. Pero a Talon le habían gustado y quise dejármelas puestas. Prácticamente eran una segunda piel y dejarían ver si escondían un arma; pero los cuchillos del Consejo eran todo, menos normales. Tres de ellos eran delgados, como hojas de plástico transparente pero rígidas como el acero, y podían penetrar casi cualquier cosa, o eso me habían asegurado. El otro era casi idéntico, pero estaba hecho de una composición especial que reaccionaba con la sangre y la desintegraba, lo que revelaba la franja de plata que atravesaba su centro. Ideal, según Rhoan, para inmovilizar a licántropos y metamorfos en su forma humana. Yo prefería el láser manual microscópico que me habían camuflado en el moño.

Quinn tenía las mismas armas y alguna más, aunque sospechaba que no las usaría a menos que fuera totalmente necesario hacerlo.

Cuando conseguí colocar el cuchillo en una posición cómoda, me rodeó el brazo con los dedos y tiró de mí hacia sí. Una mejilla me quedó pegada a su pecho con lo que podía oír el lento latido de su corazón, lo que hacía que me sintiera más segura de lo que nunca había estado en mi vida.

Fue una ilusión por la que me habría dejado llevar con facilidad.

—Son cerca de las nueve —dije después de un rato—. Espero que lleguen pronto. —Todo el valor que tenía al principio se esfumó.

—Hay una camioneta moviéndose en la calle —dijo con una voz tan fuerte que me retumbó en el oído—. Hay ocho tipos dentro.

—Debería sentirme ofendida con Talon porque solo haya enviado dos hombres de más para encargarse de una mujer como yo.

Se rió con suavidad y me besó ligeramente en la cabeza.

—Confían en el elemento sorpresa.

—También deberían esperar resistencia.

—Talon nunca te ha visto en acción ¿verdad? Y seis fueron suficientes para dominarme.

Levanté mis ojos hacia él.

—Nunca me has explicado bien eso.

Hizo una mueca.

—Es sencillo, se debió a que eran la viva imagen de Henri. No me lo esperaba y eso me impresionó. En una situación de vida o muerte un segundo de duda es suficiente para que tus probabilidades cambien.

Casi le costó la vida.

—¿Y por qué fue en una jardinería?

—Como te dije, supongo que querían hacerlo pasar por el asesinato fortuito de un vampiro.

Tenía sentido. Con la cantidad de vampiros asesinados en las últimas semanas, nadie se hubiera sorprendido. El Consejo podía haberlo investigado, pero si les parecía un hecho aislado en lugar de algo relacionado con bandas, no le darían prioridad.

—Están saliendo de la camioneta —dijo en voz baja.

Las extremidades me dolían de la tensión y el estómago se me iba cerrando en círculos.

—¿Clones?

—Hay clones y licántropos.

Inspiré, me puse de puntillas y le di un beso en la mejilla.

—Buena suerte.

Sus labios permanecieron en los míos y sentí su aliento cálido sobre mi piel.

—Tú también.

El timbre de la puerta sonó. Volví a inspirar, luego me separé de él y sacudí los dedos agarrotados.

—¿Sí?

—Entrega especial —respondió una voz huraña—. Necesito que firme.

Miré a Quinn una última vez y pude percibir la tensión de sus hombros. Luego me dirigí a la puerta. Con los dedos temblorosos agarré la manilla y corrí el cerrojo, pero no llegué a abrirla, pues eso lo hizo un fuerte empujón que procedía del otro lado y que me golpeó de lleno en la nariz, para acabar lanzándome hacia atrás.

Me caí al suelo con un gemido. Sin embargo, rodé con rapidez y me puse de pie. La sangre de la nariz me salía a borbotones mientras aquella gente entraba por la puerta. Olían como la basura que se deja mucho tiempo al sol. Fuera cual fuese el método que Talon estaba utilizando para crear esas cosas, también las estaba matando.

Después ya no tuve tiempo de pensar porque dos de ellos se abalanzaron sobre mí. Esquivé el golpe de la primera criatura, pero no pude hacerlo con el segundo. Su puño se estrelló contra mi barbilla y el impacto me derribó hacia atrás. Era la segunda vez que iba a parar al suelo y mi respiración sonaba como un silbido. Por un momento las estrellas bailaron sobre mí, el mundo se oscureció y un gusto amargo a sangre me llenó la boca.

Alguien que olía a sexo y muerte cayó sobre mí. A pesar de estar jadeando y luchando para que aquella amenazadora negrura no invadiera mi mente, pude oír el gruñido de aquella criatura extraña. Olía y parecía un lobo, pero los dientes le crecían y babeaba al percibir la proximidad del alimento.

Aquel desgraciado no iba a alimentarse con mi carne, no si podía evitarlo.

Reuní todas mis fuerzas y le estampé el talón de mi mano en la cara. El hueso y los cartílagos quedaron destrozados con el golpe y gritó. Lo aparté de un empujón. Gateé hasta ponerme de pie y me limpié la sangre de la nariz.

El aire se movió a mi izquierda. Pivoté sobre un pie y le di una fuerte patada. El golpe impactó contra el estómago de la criatura que iba a abalanzarse sobre mí, pero no pareció inmutarse. Entonces me agarró el pie doblándolo con fuerza haciéndome aullar de dolor. La razón de su sonrisa empalagosa y arrogante la supe un segundo después cuando levantó la pistola. Tiré de mi pie para liberarlo de su mano, luego oí un ligero «pop» y sentí un pinchazo en el brazo. Me miré y vi el dardo.

Era mejor que me drogaran a que me dejaran inconsciente a golpes.

A pesar de eso, caí luchando.

Talon no esperaría otra cosa.

Capítulo 15

Recuperé la consciencia despacio y al hacerlo tuve una sensación de *déjà vu*. Unas voces metálicas y guturales me rodeaban. La luz era tan intensa y cegadora como la del astro rey. Un aire frío me acariciaba, pero la piel me seguía ardiendo.

Cuando la consciencia fue más nítida, la sensación que tuve fue de un placer creciente y un dolor persistente. Tenía los brazos por encima de la cabeza y el hormigueo que sentía en los dedos me decía que había estado en esa posición mucho tiempo.

El olor a sudor, mezclado con un pesado aroma a sexo y lujuria, impregnaba el ambiente. La fiebre de la luna me abrasaba el cuerpo y la intensidad de su fuerza era un indicio de que el momento del cambio estaba próximo, más de lo que creía.

Tenía la espalda apoyada contra algo realmente frío y bastante duro y sobre el estómago sentía un cuerpo tan caliente como el sol. La piel me abrasaba y todos los músculos me temblaban.

Las manos que tenía sobre mí me resultaron familiares. Empujado hacia dentro el calor me penetraba e iba aumentando progresivamente de una manera que deseaba y odiaba.

Como antes, no era un sueño. Talon estaba dentro de mí y yo respondía con tanta intensidad como siempre.

El placer era una espiral de fuerza que no podía detener. Me corrí al mismo tiempo que él, pero me mordí los labios para ahogar el grito jadeante que me surgía de la garganta. Puede que mi cuerpo estuviera preparado para responder a su tacto y a su olor, pero yo no estaba participando por voluntad propia en ese acto sexual y estaría perdida si le daba la satisfacción de saber que él todavía podía provocarme un orgasmo.

Me dio un último empujón, luego salió y dio un paso atrás. La habitación que veía tras él tenía una forma larga y estrecha, la pared del fondo era de cristal. Unas sillas de aspecto cómodo estaban alineadas siguiendo la curva de la cristalera y detrás de ellas había varios sofás. Me recordó las salas que a veces se veían en los locales deportivos, con la única diferencia de un alargado panel de control y un escritorio que tenía a mi izquierda.

Al final, mi mirada coincidió con la de Talon. La suya parecía tan risueña que iluminaba sus ojos dorados, pero su expresión era de total arrogancia. Cerré la mano, pero con las manos encadenadas por encima de mi cabeza no tenía mucho margen para lanzarle un puñetazo.

—Adivino que esto significa que has decidido que no está tan mal follarse a un cruce, ¿eh? —le dije con frialdad.

Se dirigió poco a poco hacia el sofá y se sentó en el respaldo, dejando que su pierna se balanceara perezosamente.

—Follar, sí. Tener un hijo, no. Soy la quintaesencia de la raza de los licántropos. No puedo cruzarme con nada que no se aproxime a la perfección.

Cuando dijo eso lo miré con extrañeza. Él podía ser perfecto, pero solo en el aspecto físico. Su corazón y su espíritu dejaban mucho que desear.

—Entonces te morirás sin tener hijos.

Esbozó una media sonrisa.

—Es posible.

Aquella sonrisa y el brillo de sus ojos me hicieron desconfiar. No me hacían presagiar nada bueno. Moví con cuidado las cadenas que tenía alrededor de las piernas. Estaban tan tirantes como las de las manos, pero al sentir el roce de la piel en los muslos vi que aún llevaba las botas puestas. Los cuchillos no me servían de mucho si no podía alcanzarlos. A pesar de todo, había una cosa positiva que debía considerar: las cadenas no eran de plata.

—Entonces, ¿por qué me has traído aquí?

—Porque eres un dhampiro de los que presenta menos problemas, algo muy poco corriente. El examen de tus genes hará que mi investigación de un paso gigantesco.

—Pensaba que estabas creando clones.

—Y lo estoy haciendo. Pero también investigo el ADN de diferentes razas con la esperanza de averiguar por qué están muriéndose los clones.

—Te doy una pista. Si lo que quieres es crear dhampiros, todo lo que tienes que hacer es esperar en la tumba de un no muerto. Atrápalo cuando se despierte y exprímelo justo en ese momento. Su semen es viable en las primeras veinticuatro horas.

—Los que acaban de ser convertidos son muy violentos y todavía no dispongo de tantos recursos como para malgastarlos.

—También puedes malgastarlos echándoselos a Quinn.

Y a mí, pensé.

Se encogió de hombros.

—Estaba poniéndose peligroso.

—¿Porque se estaba acercando?

—Sí.

—¿Y dónde lo tenéis ahora?

Me miró con un destello en los ojos.

—¿Te importa?

Puse los ojos en blanco.

—¡Por favor, es un vampiro!

Talon resopló.

—Por lo menos aún te queda algo de gusto. Está abajo, en una celda.

—Será una buena prueba para mi último lote.

—No es un guardián —dije sabiendo que era una suposición bastante acertada.

Sonrió durante un instante.

—No. Es algo mucho mejor que eso, un vampiro muy viejo, de los pocos que quedan.

Una parte de mí anhelaba preguntar por Kelly, pero no lo hice. En gran parte porque en ese momento necesitaba ser fuerte y si me enteraba de que había muerto, las fuerzas podían fallarme.

—¿Y eso es lo que planeabas para mí también?

—Oh no, lobita. Tú pasarás los días aquí en el laboratorio de Genoveve y las noches en mi cama.

Muy dentro de mí sentí su voz como una caricia suave y familiar. La proximidad de la luna llena hacía que el deseo fuera algo automático, aunque se me revolvieran las tripas. No quería que me tocara, pero si la urgencia apretaba no tendría otra opción.

—Dime una cosa: ¿mandaste a esos psicópatas de la camioneta a por mí?

Parpadeó con rabia.

—No.

—Entonces, ¿quién lo hizo?

—Alguien que no te importa.

¿Quería decir que esperaba que me quedara allí como si fuera una mascota? Este tipo era idiota. Un loco idiota.

—¿Y entonces por qué me trajeron a mí primero?

—Porque esos guardias son míos y obedecen mis órdenes, por eso.

Lo miré sorprendida. Una disensión en las filas era algo que nos convenía.

—¿Y cuáles eran tus órdenes?

—Traerte aquí para que yo pudiera asegurar lo mío primero —hizo una pausa—. Eso fue antes de que supiera que eras de sangre impura.

¿Sangre impura? Eso era tan horrible como lo de Quinn preguntándome si necesitaba «un alivio».

—¿Es el que le da órdenes a Misha?

Talon resopló.

—Misha es un idiota que se ha puesto a jugar a algo muy peligroso.

—Entonces ¿quién está al mando?

Vi en sus ojos un destello risueño.

—Alguien que conoces, lobita. Alguien con quien tratas desde hace algún tiempo ya.

Bueno, vaya, eso reducía las posibilidades. Podía ser un antiguo amante, o un amigo, o el tipo del local donde tomaba el café muchos días.

—¿Sería posible que fueras un poco más específico?

—No puedo serlo.

Apreté los puños, aunque aquello no era más que un gesto de irritación.

—¿De verdad crees que el Consejo va a permitir que te quedes con alguien de su personal y no haga nada?

—Eres una secretaria, no un guardián. Hasta me cuesta creer que te echen de menos.

—Rhoan lo hará.

Su sonrisa me recordó a la de un tiburón, pero a la de uno de los vanidosos.

—Ni Rhoan ni el Consejo saben nada sobre Genoveve y sus instalaciones. Están centrados en Moneisha, y me alegro por ellos de que sigan así.

Aquella arrogancia iba a ser su perdición, y solo soñaba con ser testigo de ese final. Se levantó, fue despacio hacia la cristalera y se quedó mirando fijamente afuera. Cerré los ojos y me imaginé la llanura oscura y la puerta que había creado.

La voz de Talon me sobresaltó.

—Mi padre comenzó esta investigación hace mucho tiempo y pretendo terminarla.

—¿Tu padre estaba tan chiflado como tú? —dije, aunque fue un comentario distraído, pues quería concentrarme en abrir la puerta. La frente me empezó a sudar.

—Mi padre era un genio. Supo ver el potencial de la raza de los licántropos, un potencial que no se hacía realidad por un único motivo, que no era más que el de la falta de selectividad en la reproducción.

La oscura llanura se desplegó ante mí, el muro rojo brillaba con intensidad. Agarré la manilla y dejé caer mi peso sobre la puerta. Sentía todavía como si tuviera que mover una montaña, y me pregunté si eso mejoraría con el tiempo —y el uso— o si ese tipo de rigidez mental era natural.

Talon hablaba y hablaba con monotonía.

—Pasó su vida estudiando las secuencias de ADN de los genes de los licántropos adultos, cómo se forman las proteínas y cómo se emplean para formar un cuerpo adulto. Y yo soy el resultado de esa investigación.

Abrí los ojos de golpe.

—¿Eres un clon?

Me miró por encima del hombro.

—Mejor llámalo «una creación natural de laboratorio». Soy todo lo que ni mi padre ni los licántropos son.

Lo miré, perpleja. Eso explicaba su tamaño y la energía irresistible de su aura. ¡No era natural!

—Pero... ¿por qué todos tus clones apestan a muerto si tu padre perfeccionó la investigación?

—Porque buena parte de esa investigación se perdió en el incendio que acabó con su vida. Y porque utilizo un acelerante para conseguir adultos con todas sus funciones activas. Los genes de los vampiros son más difíciles de conseguir que los de licántropo.

—Pero si tu padre vio el potencial de los licántropos, ¿por qué estás trabajando con clones de vampiro?

—Porque el vampiro es más rápido que el licántropo y tiene el don de ocultarse en las sombras. Si identificamos las secuencias que originan esa diferencia y añadimos las del licántropo, obtendremos una criatura con un poder casi indestructible.

—Y a pesar de eso me rechazas porque no soy una licántropo pura. Eso no tiene sentido ni para un loco.

Me miró con una sonrisa condescendiente.

—Mis creaciones serán por completo lobos, solo tendrán unas cuantas secuencias de ADN que les den mayores habilidades.

—Entonces ya no serán lobos.

Resopló.

—¿O sea que yo no soy un lobo solo porque mi ADN ha sido mejorado? No, mis creaciones serán lobos y serán todopoderosas.

Y él pensaba ser la mano omnipotente que controlara ese poder. ¡Quién sabía qué intentaría hacer si pudiera tener algo así en sus manos!

—¿Misha trabaja contigo en esto? Su empresa también se dedica a la identificación de los genes de vampiros.

Sus labios mostraron una expresión de regocijo.

—Misha no quiso ver los beneficios de la clonación.

Así que Misha me había dicho la verdad en ese aspecto, ¿pero podía fiarme de que el resto de lo que me había contado también fuera cierto? De alguna manera sospechaba que no.

—¿Entonces es tu socio?

—En Genoveve, no.

De nuevo Misha me había dicho la verdad. La cuestión era por qué, si resultaba obvio que estaba metido con Talon en otras empresas y también con el hombre que los controlaba a ambos.

En el panel de la izquierda se encendió una luz. Talon fue hasta allí y descolgó el teléfono. La voz que llegó del otro lado del hilo me pareció gutural y que tenía cierto acento, por lo que desde donde yo me encontraba costaba entender lo que decía.

Talon colgó, luego vino hasta mí y me agarró la cara con una mano clavándome los dedos en las mejillas. A esa distancia tan corta su aura era sofocante, desprendía deseo, ansia y necesidad.

—Tengo asuntos que atender —me dijo y luego me besó con fuerza.

Necesitaba ayuda, la fiebre se acababa de despertar y no pude evitar que mi cuerpo se arqueara hacia él. Cuando dio un paso atrás, le escupí en la cara. Se rió y se limpió la saliva con el brazo.

—Ya veremos si te quedan ganas de luchar cuando la fiebre te consuma.

Salió. Cerré los ojos y volví a conjurar la puerta mental empujándola con todas mis fuerzas. Esta vez se abrió y no me caí de bruces.

»¿Te encuentras bien?

La voz mental de Quinn sonaba seria y suave, a pesar de que su enfado y preocupación podían percibirse en cada fibra de su cuerpo, lo que, además de ánimos, me proporcionaba fuerza y calor.

»Sí ¿y tú?

»Solo unas costillas magulladas. Estoy encerrado en una celda, pero aún tengo escondidas las armas.

»Yo también. Estoy encadenada en un sitio que parece una sala de control, desde donde se ve lo que tiene todo el aspecto de ser un espacio para luchar.

»¿Talon está contigo?

»Se acaba de marchar.

»¿Y la fiebre?

»Me abrasa —respondí; aunque si bien en ese momento la fuerza del miedo me ayudaba a no hacer caso de ella, tenía la sospecha de que solo con que entrara Talon en la habitación se acabaría todo mi control.

»¿Puedes escaparte?

Tiré de las cadenas para probar. Al hacerlo me cayó encima polvillo del cemento y me hizo estornudar.

»Me llevará un tiempo, pero sí.

»Pues comienza ya. Esta celda dispone de unas barreras de rayos láser y no puedo salir si no se desconectan.

»Entonces ¿es que no confías en que Rhoan y Jack se estén dando prisa para venir a rescatarnos?

»Son las cinco de la tarde. Si de veras se estan apresurando, tienen una extraña manera de hacerlo.

»Algo ha debido de ir mal.

»Seguro —dudó un instante y añadió—: Vendrán, de eso no hay duda. Lo que sucede es que creo que no nos podemos permitir el lujo de quedarnos de brazos cruzados esperando a que vengan por nosotros.

»Especialmente sabiendo que Talon piensa utilizarte como si fueras un saco de boxeo para entrenar a su última hornada de clones.

Estaba moviendo el pie derecho, empecé a girarlo y a retorcerlo al tiempo que tiraba de la cadena, hasta que el tobillo quedó en carne viva y el dolor me subió por la pierna. La argolla de la pared empezó a aflojarse y cada vez que se desprendía polvillo de la pared aumentaba mi esperanza.

De pronto se soltó, y la cadena respondió saltando como un latigazo a través de la alfombra, como si fuera una condenada serpiente.

Seguí con la argolla que mantenía aprisionada mi otra pierna, el sudor me empapaba y yo no dejaba de temblar, hasta que por fin pude aflojarla. Aparté poco a poco las cadenas y me las escondí detrás de las piernas por si Talon entraba, y luego empecé a trabajar con las que me mantenían juntas las manos.

Puede que fuera porque la argolla estaba más alta y yo podía tirar de ella con todo mi peso, el caso es que la segunda salió más deprisa que la primera. A pesar de todo tenía las muñecas en carne viva.

»Estoy libre.

Todavía llevaba las cadenas pero ahora podría escapar. Me encaminé hacia el panel de control haciendo ruido al arrastrarlas y empecé por buscar en los cajones del escritorio.

»Genial. Ahora llega la parte más difícil: encontrarme.

»Por desgracia, Talon no ha sido tan considerado como para dejar por aquí los planos de este sitio.

La risa de Quinn brilló en mi mente atenuando por un instante el dolor de las muñecas y los tobillos.

»Tendré unas palabras con él cuando lo vea.

El tercer cajón de abajo estaba cerrado. Lo forcé para abrirlo y encontré varias llaves. Con la cuarta pude abrir los seguros de las muñecas, con la séptima los de los tobillos. No sabía qué abrían las otras pero no pensaba dejarlas ahí.

Amontoné las cadenas debajo del escritorio y volví hacia donde estaba el panel de control.

»¿Tienes idea de dónde te encuentras?

»No. No hay señales ni movimiento en absoluto.

Pasé la vista por todas las pantallas que aparecían en el panel y finalmente encontré una con imágenes que parecían cámaras de seguridad. Presioné el botón y conseguí una imagen de diferentes escenarios. Seguí apretando. La primera persona que encontré fue Talon. Se encontraba en un laboratorio, mirando por un microscopio y, su actitud denotaba que no estaba muy contento, lo que a mí sí me puso la mar de contenta.

Avancé y por fin encontré una serie de luces rojas entrecruzadas.

Esas barreras láser... ¿son rojas y salen de cuatro lados?»

»Sí.

»Si es así, me parece que ya sé dónde estás.

»Miré a la parte superior de la pantalla. Sótano tres.

»Todo lo que tengo que hacer es averiguar cómo entrar.

»Ten cuidado.

»Vaya, y yo que iba a ponerme a correr por todas las salas.

El sonido de aquella carcajada me recordó a una brisa de verano, intensa y cálida.

»Cualquiera diría que te dedicas a esto.

No encontraba mi ropa por ninguna parte, así que fui hacia lo que parecía un aparador. Contenía varias cazadoras de piel y pantalones de la talla de Talon, así como una bata blanca de laboratorio. Me puse la bata, me subí las mangas y luego me solté el pelo para ir en busca del dedal láser. Los cuchillos los dejé donde estaban.

»En marcha —me dije con optimismo.

Abrí la puerta y me asomé. El pasillo era largo y doblaba hacia la derecha. Eché un vistazo hacia arriba. Había dos cámaras de seguridad, una justo encima de mí, la otra donde empezaba la curva del pasillo.

»Apágalas de un tiro.

»Si lo hago saltará la alarma.

»Eso pasará en cuanto des un solo paso fuera. No sabes quién está mirando por ellas.

Me puse el dedal láser en los dedos, ajusté el gatillo, levanté la mano y disparé. El cristal negro saltó hecho añicos, que cayeron al suelo en silencio, como la nieve. Hice lo mismo con la otra cámara y luego me quedé escuchando a ver si se oía el timbre de la alarma.

Nada.

Salí con cuidado. El silencio era inquietante y el aire frío. Tiritaba mientras me alejaba poco a poco por el pasillo. Me hubiera gustado llevar encima algo más que esa bata. Cuando llegué a la esquina, oí un ligero tarareo en medio del silencio. Me quedé inmóvil. Sentía correr el sudor por mi espalda y el dedo me temblaba contra el gatillo. El tarareo se detuvo. Solté la respiración que había estado reteniendo pero, en ese instante, oí el eco de unos pasos que venían en mi dirección.

Juré por lo bajo y miré a mi alrededor con rapidez. Aparte de la puerta por la que había salido, no vi ninguna otra, ni rincón alguno para esconderse. Puede que no hubiera llegado muy lejos pero no pensaba batirme en retirada. Olfateé el aire. Pino y café. Entonces no era Talon.

Inspiré con fuerza, me alejé de la pared, me puse a caminar hacia el vestíbulo y mis tacones resonaban tanto como los latidos de mi corazón. Su olor se hizo más intenso y un segundo después lo vi, era un hombrecito marrón que llevaba un portapapeles y lucía en la cara una expresión de sospecha que me inquietó.

Se detuvo al verme.

—¿Quién demonios eres tú?

—Investigación —respondí mientras avanzaba hacia él.

Su expresión de extrañeza aumentó.

—¿De qué departamento?

—De este —dije, poniendo un dedo sobre la placa de identificación de la bata al tiempo que se la mostraba.

El portapapeles se le cayó al suelo y su mandíbula siguió el mismo camino. Entonces lo golpeé. La cabeza hizo un chasquido hacia atrás y se dio contra el suelo con un crujido que me arrancó una mueca de dolor. Lo arrastré a un lado y comprobé su pulso.

Todavía tenía. Le quité el pase que llevaba en una cinta colgada alrededor del cuello, me envolví en la bata lo mejor que pude y seguí. Ante mí aparecieron las puertas del ascensor. Y también otra cámara.

Seguí andando mirando hacia abajo. Las puertas se abrieron. Entré, apreté el botón del sótano tres, di unos pasos atrás y esperé.

Y esperé.

El corazón me palpitaba con violencia, los dedos me temblaban. Presioné el botón por segunda vez.

El ascensor seguía sin moverse.

Entonces me fijé en un panel con una ranura para tarjetas. Maldije por lo bajo, pasé la tarjeta que acababa de quitarle al hombrecito y la puerta se cerró.

Me desplomé contra la pared e hice varias respiraciones profundas. Hasta que vi la cámara. La forma de espiar a la gente en ese sitio era peor que la del puñetero Consejo. Sin embargo, no me moví, confiaba en que mi aspecto desaliñado y sudoroso haría pensar a cualquiera que me estuviera mirando que solo era otra de las zorras de Talon. Supongo que al fin y al cabo eso era.

El ascensor se detuvo en el sótano tres y las puertas se abrieron. Me asomé sacando la cabeza en cuanto pude. Me recibió una oscuridad tejida de rayos rojos entrecruzados. Activé mis infrarrojos y examiné la habitación. No había nada —o nadie— cerca.

»Deprisa —dijo Quinn.

—Como si no me la diera —murmuré y mi mente percibió una onda de risa que dejaba una estela tan dulce como un beso.

Me pareció que tardaría una eternidad en pasar por esa telaraña de rayos láser. Pero la prisa no era una prioridad cuando el mínimo movimiento podía acabar cortándome el cuerpo en rebanadas.

Por fin, localicé la celda y solo el alivio de volverlo a ver hizo que me estremeciera. Recuperé las llaves del bolsillo de la bata que llevaba y elegí la que me pareció adecuada y la metí en la cerradura. Los láser desaparecieron, Quinn estaba libre.

No se movió, se quedó observándome de una manera distante. Aunque no quería otra cosa que perderme en la seguridad y el calor de sus brazos, era un riesgo que no podía correr. La fiebre era afilada como un cuchillo.

—¿Y si nos encontramos a Talon?

Me estaba leyendo el pensamiento mucho mejor de lo que yo era capaz de hacer con él, porque tenía más práctica. Me encogí de hombros.

—Me ocuparé de eso.

Asintió aceptando mi respuesta, aunque los dos sabíamos que con el calor que recorría mi flujo sanguíneo solo había una manera de ocuparse de ese asunto.

—Vamos.

Me guió a través de aquel laberinto de luces. Un suave zumbido llenó el silencio. El ascensor se movía otra vez.

—Tú te escondes a la izquierda y yo a la derecha. Si se detiene aquí atacaremos —dijo Quinn.

Tenía la boca seca, me envolví en las sombras y me arrimé contra la pared. El movimiento del ascensor vibraba a mi espalda y cerré los ojos esperando contra toda esperanza que no se detuviera allí.

Lo hizo.

Salieron ocho personas que se dirigieron hacia las celdas de los láser. Olían a muerto y sentí una punzada de alivio. De haber habido un solo licántropo entre ellos hubiera tenido problemas.

El ascensor se cerró y nos dejó sin posibilidad de retirada.

»Vete —dijo Quinn, y lo hice.

Podía tener la velocidad de un vampiro pero los tacones retumbaban contra el suelo y se descubrió el pastel. Oí un grito y vi que el último vampiro de la fila se daba la vuelta y su puño volaba hacia mí. Lo esquivé y luego le di un puñetazo en las costillas que le arrancó un grito.

Por el rabillo del ojo vi moverse algo fugazmente. Me volví, le di una patada al primer vampiro en la cabeza y luego me retorcí para zafarme de las manos que me agarraban. Pero lo único que conseguí fue caer en las manos de otro. Su brazo me apretaba el cuello como una serpiente; maldije, y me puse a dar patadas como una mula. Solo le daba al aire y se rió, pude sentir su repugnante aliento al rozarme la mejilla. Me volví y lo agarré por las pelotas apretando con fuerza. Hizo un extraño sonido y fue aflojando la presión sobre mi cuello. Me solté deprisa y lo arrojé en la trayectoria de otro que venía de manera que los dos rodaron por el suelo en una maraña de piernas y brazos.

Otro vampiro se abalanzó sobre mí. Me eché atrás con rapidez, lo justo para esquivar su puñetazo. Evité un segundo golpe, luego me sostuve en una pierna y con la otra le pateé las tripas. El golpe rebotó en la carne y toda mi pierna se sacudió. Estaba claro que aquel desgraciado tenía ladrillos en el estómago en lugar de músculos.

Esquivé otro golpe y luego descargué uno contra la mandíbula del vampiro. Aunque su cabeza hizo un crujido al caer hacia atrás, gruñó, o se rió. Era difícil de decir porque solo vi sus dientes como una ráfaga. Lo volví a golpear, pero entonces me agarró el puño y lo retorció con fuerza. El dolor me atravesó el brazo y salió un grito desgarrado de mi garganta, un grito que se hizo más fuerte cuando me clavó los dientes en la carne. La avidez con la que succionaba me revolvió las tripas.

Temblando, me volví y derribé de nuevo a aquella criatura. Me retorcía de dolor porque al retirar los dientes del brazo me desgarró la carne, y él rugió con frustración. Le descargué sobre un lado de la cara un golpe que lo dejó tambaleándose.

No se marchó muy lejos. Vi una mancha roja de calor, y luego a Quinn frente a mí, su ira era tan grande que me quemó piel y mente.

Envolvió con sus dedos el cuello del vampiro y lo empujó hacia sí.

—¿Dónde está el desgraciado que ha creado todos estos clones?

El vampiro comenzó a maldecirlo, pero de pronto dejaron de oírse sus palabras. Hubo un silencio. Ninguna conversación ni movimiento de ninguno de los dos vampiros. Yo sabía lo que pasaba. Quinn estaba irrumpiendo en la otra mente.

Me levanté la manga de la bata para ver la herida. Era tan grave como me imaginaba, y antes de que pudiera transformarme oí el crujido de un hueso y sentí la mano de Quinn sobre la mía. El vampiro yacía inerte detrás de él.

—Déjame —me dijo suavemente.

Llevó mi muñeca hasta su boca y pasó con rapidez la lengua por la herida. La dicha de aquella suave caricia me hizo saltar y se me escapó un gemido. Me atravesaba con la mirada de sus ojos oscuros mientras sentía su excitada respiración contra mi piel. Lamió la herida como un gato, lavando la sangre, limpiando y curándola. Fue algo erótico, sensual y, sin duda alguna, exquisito.

La respiración se quedó en algún lugar de la garganta y la fiebre comenzó a derribar los muros que la controlaban.

—Quinn, no.

Fue una suave y susurrante súplica a la que él no hizo caso. Las sensaciones se agolpaban a mi alrededor. El delicado erotismo de su contacto me hizo estremecer y tensar los

muslos mientras la presión crecía y crecía hasta que sentí una rigidez tan firme que parecía como si todo mi cuerpo se fuera a quebrar. Entonces pasó, me sacudí y gemí por la intensidad del orgasmo.

Solo pasaron unos minutos, y al abrir los ojos y encontrarme con su mirada supe que había sido deliberado. Alivió la válvula de presión de mi olla interior para ayudarme a prolongar un poco más mi control.

—Gracias.

—Una sangre tan dulce como la tuya nunca debe desperdiciarse.

Me besó en los dedos y sentí sus labios calientes contra mi piel, luego me soltó la mano y se alejó.

—Tenemos que seguir.

En aquel momento lo hubiera acompañado a cualquier parte, pero me decidí por el ascensor.

—¿Conseguiste algo del vampiro antes de matarlo?

—La ubicación de Henri y la salida más próxima.

—¿Entonces vamos primero a por Henri y luego nos retiramos?

—No, yo voy por Henri y tú te largas ahora mismo de aquí, ¿queda claro?

—Quinn...

Cuando las puertas se abrieron me puso una mano en la espalda presionando con suavidad para que entrara.

—Es lo mejor. Hay una salida cerca del ascensor. La alarma no se ha activado de momento, pero no creo que tarde. Y entonces es cuando esto se volverá peligroso.

—No puedes luchar tú solo, sin ayuda, contra todas esas criaturas.

Tomó el pase que yo tenía y lo deslizó en la ranura antes de apretar el botón del primer piso.

—Puedo luchar mucho mejor sabiendo que tú estás a salvo. Por favor, hazlo, es lo más prudente.

Respiré tan hondo que me estremecí. Una parte de mí quería quedarse a luchar a su lado, pero la otra sabía que tenía razón. No estaba entrenada para este tipo de trabajo. Podía pelear, pero no quería matar y eso no solo me ponía en peligro a mí sino también a él.

—Está bien.

Una sonrisa se dibujó en sus labios carnosos

—Eres la mujer más increíble que he conocido.

Hice un gesto de sorpresa.

—¿Por hacer lo que es más prudente?

—Por hacerlo sin rechistar.

—No deseo morir, y además, esto no es algo que me guste —dije, sabiendo, aunque no hubiera ventanas ni relojes, que estaba empezando a caer la noche. La luna llena pronto llegaría a su cénit y su fuerza hacía que todo mi cuerpo se estremeciera. Pronto sería una loba y si bien los dientes son eficaces contra algunos, contra muchos otros no sirven de nada.

Lo toqué levemente en la mejilla.

—Por favor, ten cuidado.

Tomó mi mano y besó la palma.

—Soy un vampiro muy viejo y no he llegado a serlo por descuidado. Te aseguro que un joven lobo loco, con delirios de Hitler, no me liquidará.

Era posible. Pero ese joven lobo loco tenía a sus espaldas un arma de clones disfuncionales, y ellos sí que podrían.

El ascensor se detuvo y las puertas se abrieron. Quinn me sujetó y se asomó. Recuperé un par de cuchillos de las botas y me los metí en los bolsillos de la bata.

—Despejado —dijo estirándome hacia fuera—. Ve a la izquierda y sigue el primer pasillo a la derecha. La salida está justo al final.

Me quedé quieta, tratando de grabar su rostro en mi mente, por si algo ocurría y nunca volvía a verle.

—Vete —me dijo con suavidad, soltándome la mano.

Avancé hacia él, le di un rápido beso en la mejilla y luego me volví para marcharme. Pero apenas había avanzado diez pasos cuando una estridente sirena rompió el silencio. Quedé paralizada con el corazón en alguna parte de la garganta y palpitando descontrolado.

—Corre —dijo Quinn.

Corrí. Aquella sirena resultaba ensordecedora y me retumbaba en los oídos a pesar de que el fuerte repiqueteo de los tacones la atenuaba. El pasillo era largo y giraba a la izquierda de manera que no se podía ver lo que venía de la otra dirección. No había visto a mucha gente por las salas y esperaba que eso siguiera así hasta que pudiera salir.

Debería haber asumido ya que no era probable que yo tuviera una buena racha. Detrás de mí se abrió una puerta, y se oyeron unos pasos que parecían llevar el mismo ritmo estrepitoso de la alarma. Venían hacia donde yo estaba, no se alejaban.

Por delante también se oían más pasos. Maldije entre dientes y comprobé la pistola láser. Estaba a media carga. Con eso podía suprimir a unos cuantos antes de acabarla y, después, lucharía con el cuchillo y los puños.

La curva del pasillo se terminó, del mismo modo que ahí acabó mi libertad. Talon estaba de pie ante la señal de salida tan desnudo como cuando se separó de mí; mantenía cruzados sus musculosos brazos y su expresión era arrogante. Detrás de él había seis clones.

Frené patinando y apreté la mano derecha. Tenía el dedo en el gatillo de la pistola, lista para disparar si alguno de ellos hacía el menor movimiento.

—¿Pensabas irte a algún sitio? —dijo arrastrando las palabras con aquella voz suya.

Agarré el cuchillo con la otra mano.

—He decidido que no tengo muchas ganas de quedarme en este lugar. ¿Serías tan amable de quitarte de ahí para que pueda salir?

Puso cara de sorpresa.

—¿Serías tan amable de decirme dónde está tu amante vampiro?

—¿Qué te hace pensar que conozco a ese tipo o que me importa?

—El hecho de que le ayudaras a escapar.

—O sea que si le ayudé a escapar es porque está conmigo ¿no es así?

Su sonrisa me erizó el vello.

—Nunca encontrará a su amigo. Esto es un laberinto y los pasillos están muy iluminados. Me temo que no hay sombras en las que se pueda ocultar un vampiro.

Quinn no necesitaba sombras ni esconderse. Lo único que tenía que hacer era tocar las mentes de todos con los que se cruzara y obligarles a no ver nada. Eso era mucho mejor que las sombras.

—¿O sea que todo este jaleo es porque una loba y un vampiro se han escapado de tu red? Un poco exagerado ¿no te parece?

Se encogió de hombros.

—La alarma se dispara automáticamente si se viola alguna entrada.

Mi corazón empezó a latir más rápido. Ni Quinn ni yo habíamos violado ninguna. ¿Quería eso decir que Rhoan y Jack estaban aquí?

Talon habría pensado que éramos nosotros, pero era seguro que lo comprobaría con los de seguridad.

—Marc, ¿puedes retenerla? Me llaman de seguridad.

Detrás de mí resonaron unos pasos. Me agaché con un rápido movimiento e hice un barrido con el rayo láser por las piernas de los tres hombres que se me acercaban; eso les cortó la carne y el hueso como lo haría un cuchillo con la mantequilla. El aire olía a carne quemada y los tres yacían tirados en el suelo, chillando y agarrando aquellas piernas que ya no formaban parte de sus cuerpos.

Me dieron náuseas. Tragué saliva, sin concederme tiempo para pensar en lo que acababa de hacer.

Aunque era, desde muchos puntos de vista, peor que matarlos.

Las maldiciones de Talon se perdieron con el sonido de más pasos. Me eché con rapidez hacia atrás, cortando a tres clones más antes de que el láser agotara la energía. Saqué el segundo cuchillo y los embestí. Bajo la fuerte iluminación, aquella arma tan fina como el papel destellaba como si fuera de diamante. Cayeron dos clones más, la hoja se clavó profundamente en sus pechos.

El último se me echó encima. Rehuí los primeros golpes, luego me encogí hasta el suelo haciéndole caer con una zancadilla. Mientras se caía me sujetó, pero me solté a la vez que le propinaba un puñetazo tan fuerte como pude. Mi puño se estrelló contra la carne y un acre y cálido olor a sangre se esparció por el aire. Me di la vuelta, le sujeté la pierna y se la retorcí. Se oyó el chasquido del hueso y el clon gritó.

Sentía arcadas mientras trataba de respirar y el sudor se deslizaba por mi espalda. Me alejé un paso del clon, sin hacer caso de la bilis que me subía a la garganta y me reencontré con la mirada de Talon.

Mi actuación lo había enfurecido, pero también lo había excitado.

—Ahora solo quedamos tú y yo —le dije con voz suave.

—En realidad no. Tengo a cientos de creaciones semejantes a estos a mi entera disposición.

—Por lo que veo no eres ese espécimen de licántropo tan perfecto ¿verdad?

Hizo un gesto de extrañeza y luego mostró una sonrisa confiada.

—¿Quieres pelea, lobita?

Flexioné los dedos.

—¿Crees que tengo miedo?

—Creo que tienes mucho miedo.

Y estaba en lo cierto. No era tanto por su fuerza física como por su aura. Podía sentirla incluso desde donde yo estaba. Era como una manta sofocante, un calor que avanzaba por mi piel como un insidioso e insistente demonio. Estando más cerca sería demasiado fuerte como para ignorarla por mucho tiempo.

Descruzó los brazos y presionó sobre una banda que llevaba en la cintura.

—Seguridad, tengo aquí un problema del que hay que ocuparse. Utilizad la fuerza que creáis necesaria para resolver el asunto de la entrada forzada.

Los de seguridad no parecían muy contentos de hacerlo porque oí una voz estridente desde donde yo estaba. Talon cortó con un brusco «hacedlo» y luego volvió a mirarme.

—Y ese —me dijo, sacudiendo las manos y flexionando los dedos— será el final de tu amante.

—No lo subestimes —dije mientras me balanceaba un poco sobre las puntas de los pies, preparada para dar un salto hacia él en el instante en que se abalanzara sobre mí.

—No lo hago pero, incluso al mejor luchador el láser puede hacerlo picadillo, como tú has demostrado con mucho acierto.

—Lástima que se le acabara la batería. Hubiera disfrutado disparando a esa sonrisa de engreído que tienes en la cara. —Sabía que insultarle no era lo más inteligente, pero no podía evitarlo, tenía muchas ganas de hacerlo.

Me recorrió con la vista, con un calor que me hizo sentir frío por dentro.

—Ya es de noche afuera, lobita. En unos minutos la luna estará en su apogeo. Voy a disfrutar golpeándote hasta que me obedezcas y luego disfrutaré follándote como un lobo.

La bilis me subió a la garganta. Forzar a alguien mientras los dos se encuentran en la forma de lobo no solo era el acto de un ser despreciable, sino que para un licántropo representaba la máxima degradación y humillación. Aquello no tenía nada que ver con la energía de la luna o las necesidades de un lobo porque el celo de la luna terminaba cuando se producía el cambio. Sería una violación, un acto de dominación y de fuerza. Eso significaba que la persona con la que estaba no le importaba nada y que para él el otro no era más que un animal cuya forma ambos compartían.

No sabía de ningún lobo que hiciera el amor en una noche así. Muchos subían a las colinas para disfrutar de la libertad de los bosques y festejar que la luna llena estaba en su cénit.

—Inténtalo —es todo lo que le respondí.

Sin embargo sabía, lo mismo que él, que antes de cambiar de forma tenía que vencerlo. Porque una vez adoptara la forma de lobo él sería más fuerte que yo. Así era la naturaleza y ese punto era algo que ni siquiera mis genes de vampiro podían obviar.

Su sonrisa se hizo más amplia y vino hacia mí. Esperé hasta tenerlo cerca, luego giré sobre la pierna y le aplasté la cara de un puñetazo antes de hacer un movimiento de cintura para apartarme de su camino. Los dedos le resbalaron en la bata, pero pudo sujetarla por la parte de abajo y dio un brusco tirón para detenerme en seco. Lo maldije y tiré de ella mientras daba una vuelta para quitármela.

Soltó una risita.

—Puedo oler tu excitación, lobita. Y verla.

A esa distancia su aura me sofocaba. Sin embargo, estaba logrando resistirme y por el momento era lo único que importaba.

Y quizá, solo quizá, podría utilizar su deseo en su contra.

Subí las manos hasta mis pechos y me acaricié los pezones con los pulgares.

—¿Ves algo que te guste?

La lujuria se encendió aún más en su mirada. Tiró la bata a un lado y vino hacia mí. Me aparté a un lado. El cosquilleo de mi cuerpo se hizo más fuerte. Tenía que acabar con esto pronto.

Se frenó resbalando, maldiciendo mientras se volvía.

—No tendrás lo que no puedas atrapar —bromeé.

Volvió a la carga. No pensaba, solo reaccionaba. Su aura me quitó la respiración y me dejó mareada, pero de alguna manera, mantuve encerrado al deseo. Aunque a duras penas.

Lo sujeté por la muñeca y le hice girar, arrojándolo contra la pared. Lo agarré del cuello y le inmovilicé, después bajé suavemente la mano hasta acariciar su gruesa erección. Buscó el contacto empujando su cuerpo, que temblaba, y la piel le brillaba del sudor.

—Si quieres algo de mí, primero pregunta. Que te lo hagan sin permiso nunca es agradable.

—Antes te gustaba —jadeada al hablar, sus temblores aumentaban.

—Eso era entonces, esto es ahora.

Seguí acariciándolo, veía como el deseo aumentaba en su mirada y yo tenía que luchar contra esa parte de mí que quería tenerlo dentro y montarlo hasta el final. Mientras él se acercaba al clímax llevé la mano del cuello a mi bolsillo y recuperé el último cuchillo de la bota. Llegó al orgasmo, su cuerpo se sacudía y empujaba mientras derramaba el semen por mi mano. Levanté el cuchillo con el hilo de plata y se lo clavé con fuerza en el hombro.

Abrió mucho los ojos, estaba conmocionado. Cuando la sangre entró en contacto con el cuchillo comenzó a salir humo de la herida. Gritó y me dio un puñetazo. La fuerza del golpe me lanzó por el pasillo. Fui a chocar contra la pared con un gemido, vi las estrellas y saboreé la sangre por segunda vez en un día.

Luego no pude hacer otra cosa que tratar de protegerme de Talon, pues se abalanzó sobre mí como un torbellino de rabia y puñetazos de los que no podía escapar.

Sin embargo, apenas duró unos minutos porque el hormigueo que me recorría se convirtió en una fuerza que no podía reprimir y que me arrastró nublándome la visión y borrándome el dolor. Entonces oí un grito ensordecedor, un grito como nunca antes había oído.

—¡Rhoan, no! —gritó Jack en un tono severo de mando que retumbó por todas partes.

Me puse de pie gateando con dificultad, arañando el suelo de acero con las garras. Rhoan, en su forma de lobo, estaba de pie sobre Talon. El rugido que le salía de la garganta hacía que su cuerpo se estremeciera. Tenía los dientes a escasos centímetros del cuello de Talon. Me pareció que ese iba a ser el final de aquel desgraciado.

Talon estaba lejos de preocuparse por eso. Tenía los ojos muy abiertos y vidriosos y seguía chillando. De todo él se desprendía, parpadeante, una energía dorada, lo que en principio señalaba el cambio de una forma a otra, pero la cuchilla de plata que le había clavado no le permitía transformarse y seguía atrapado en su forma humana.

Siempre me había preguntado si sería doloroso.

Ahora lo sabía.

Jack dio unas zancadas hacia Rhoan y lo sujetó por el cuello, sacándolo a rastras.

—No nos es útil muerto —lo regañó y luego me miró—. ¿Te encuentras bien?

Asentí. No había mucho más que yo pudiera hacer. Rhoan se acercó a mí y me acarició con el hocico. Lamí su nariz y deseé que estuviera en forma humana para que pudiera abrazarme.

—Entonces sugiero —siguió diciendo Jack con aspereza—, que los dos os vayáis a buscar a nuestro vampiro extraviado.

Nos fuimos.

Pero Quinn había desaparecido.

Y además, también el cuerpo de su amigo.

Capítulo 16

Me dejé caer sobre la hierba cubierta de rocío y me ajusté la bata al cuerpo. Hacía casi una hora que el sol había salido, pero los restos del amanecer todavía teñían el cielo con nubes naranjas y doradas.

Yo estaba sentada al pie de una colina que era un hervidero de actividad. Había una fila de camiones en el camino que llevaba a la entrada del laboratorio subterráneo del que entraba y salía mucha gente, algunos llevándose equipos y otros conduciendo prisioneros.

A mi derecha, una densa columna de humo ascendía hacia el cielo y el olor a carne quemada cortaba el aire. Los clones habían sido aniquilados y la limpieza había empezado.

Me pasé la mano por la frente con un gesto de cansancio. Solo deseaba irme a casa, darme un largo baño y olvidarme de todo eso. Quiero decir, de todo excepto de Quinn.

Pero Jack me había ordenado que me quedara hasta que pudiese hablar conmigo, así que me quedé, mirando, esperando y preguntándome cómo iba a apartarme de aquel lío.

Porque todavía estaba dentro.

Cerré los ojos y me tumbé, disfrutando de la caricia de la brisa, hasta casi quedarme dormida. Al cabo de un rato, oí unos pasos que se acercaban y entreabrí un ojo.

Era Jack, no Rhoan.

Se sentó en la hierba a pocos pasos de mí, mirando al sol con el rostro demacrado y cansado.

—Bueno ¿por qué os retrasasteis? —le pregunté al ver que no decía nada.

Dio un resoplido.

—¿Te lo creerías si te digo que fue por el tráfico?

—No.

—Ya. Bueno, creo que he de admitir que perdimos vuestra señal.

—Hijo de puta.

—Puede que lo sea —dijo mirándome—. Fue Rhoan quien te encontró. Empezó a andar, y antes de verte, ya sabía que estabas allí.

Debía darle las gracias a la conexión entre gemelos.

—Tengo que decirle que la próxima vez ande más rápido.

Sus labios dibujaron una sonrisa, pero sus ojos permanecieron serios.

—Sabes qué he venido a decirte, ¿verdad?

Inspiré un poco de aire y expiré despacio.

—El trabajo está a medias.

Habíamos hallado solo la fuente de los clones, porque aunque Talon había estado coqueteando con la producción de cruces, sus laboratorios no eran el lugar principal de donde salían. Y era seguro que aquella cosa fea y extraña de color azul que me había atacado en el aparcamiento no había salido de allí.

Jack asintió.

—Por lo que he encontrado en el laboratorio, Talon no trabajaba solo.

—Me dijo que antes lo había hecho con Misha. —Talon estaba tan seguro de salirse con la suya que había hablado más de la cuenta—. También me dijo que él no tenía nada que ver con los hombres que me secuestraron y que la persona que estaba detrás de todo esto era alguien a quien yo conocía muy bien.

—Sí. También ha estado muy hablador hace una hora.

Supuse que no voluntariamente.

—¿Y qué ha contado?

Vaciló.

—La idea de dejarte embarazada fue suya en exclusiva.

—Eso no me sorprende.

Jack asintió con la cabeza.

—No, pero por lo que parece, lleva haciéndolo desde hace más de un año. El ARC1-23 no fue el primer fármaco que te suministró, aunque los otros eran legales.

Es decir, que al no tener suerte se vio forzado a intentarlo con otros fármacos. Lo que significaba que yo era estéril, como los médicos se temían. Cerré los ojos, a pesar del nudo que tenía en la garganta estaba confundida sobre mis sentimientos.

—¿Y por qué no se detectó en mi reconocimiento médico semestral?

Hizo una mueca.

—Lo comprobé y sí que estaban. Pero los fármacos de fertilización no están en la lista de los que deben informarse, así que no se reflejaron en el resumen general del reconocimiento.

—Me imagino que en el futuro se hará.

Lo dije con un tono frío y él hizo un gesto tranquilizador.

—A partir de ahora se informará de cualquier cosa fuera de lo normal.

A pesar de eso, para mí llegaba un poco tarde, pensé.

—Es cierto —siguió diciendo Jack con voz jovial—, el deseo de Talon de crear al licántropo perfecto es alucinante considerando que él no es un lobo puro.

Me quedé mirándolo atónita.

—¿Qué?

—Es un dhampiro, como tú.

—Me dijo que era un licántropo.

—Y aún insiste en ello. Pero nuestros análisis reflejan otra cosa.

¡Y eso que él se creía la quintaesencia de la raza de los lobos!

—Entonces, si Talon es un ejemplo de lo que puede llegarse a alcanzar ¿cómo es que ha podido degenerar todo de esta manera?

—Porque su padre era muy poderoso, un inconformista muy rico que trabajaba por su cuenta y buena parte de su investigación se perdió en un incendio que destruyó el laboratorio y se llevó su vida.

—Es posible entonces que Talon no sea su única creación.

—Exacto.

—Y puede que una o dos de sus creaciones estén dirigiendo el otro laboratorio. —Que bien pudiera ser el llamado Libraska.

Jack me dedicó una de sus sonrisas satisfechas, pero estaba demasiado cansada para molestarme.

—¿Le sacaste todo esto leyéndole la mente y nada más? —le pregunté.

—Y de los archivos de su oficina. Muchos de ellos eran de su padre.

—¿Así que sabes para quién trabaja Talon?

Hizo una mueca de frustración.

—No. Esa parte de sus recuerdos había sido borrada. Alguien con unos poderes psíquicos muy fuertes pasó con él las últimas cuarenta y ocho horas. Solo está recitando lo que le dijeron que contara.

—¿Y cómo es que ha estado tan hablador?

—Porque no han borrado su memoria tan bien como creían.

—También puede indicar que están dispuestos a sacrificar a Talon y esa parte de la investigación.

—Quinn se estaba acercando tanto como nosotros. Y este proyecto se estaba convirtiendo en algo demasiado arriesgado.

Eso era lógico.

—¿Qué pasa con Misha? ¿Dónde crees que encaja?

—Es casi seguro que esté metido, pero ¿el que maneja los hilos?, no lo creo, sobre todo después de haber mostrado tan buena disposición a que le investigáramos —dijo y me miró—. Si Talon dice la verdad, y la persona es alguien a quien tú conoces, entonces ellos deben de saber lo que eres.

—Nadie más lo sabe.

—Yo lo sé, Quinn lo sabe, Liander lo sabe.

—Tú me quieres como guardián, Liander ama a Rhoan y por eso no me tocaría un pelo, y Quinn no usaría como fuente de los clones a un hombre que él conoce desde siempre.

Hizo un amago de sonrisa.

—Todo eso es cierto, pero si Talon decía la verdad y la persona que está detrás de esto es alguien a quien tú conoces bien, adivinarlo no puede resultar tan difícil como crees.

Fruncí el ceño.

—Eso no tiene sentido. Si ellos han sabido desde el principio lo que yo soy, ¿por qué iban a esperar hasta la semana pasada para probarme, enviándome a un tirador o a dos de esas cosas para secuestrarme? ¿Y por qué sospechan lo que soy yo y no sospechan de Rhoan?

Se encogió de hombros.

—La verdad es que no lo sé.

—¡Y yo qué pensaba que el Consejo lo sabía todo!

—Llegaremos a saberlo, finalmente.

Genial y mientras tanto yo estaba parada en medio de todo sin más opción que seguir involucrada y sin que a nadie le importara lo que yo deseaba.

—Bueno, ¿a dónde vamos entonces?

—Misha es el único hilo del que podemos tirar.

—Eso no lo sabrás hasta que tengas tiempo de ver todos los archivos del laboratorio.

—Es cierto.

—No quiero saber nada más de Misha.

—Lo sé.

—Entonces no me lo pidas.

—No lo haré. Pero debes preguntarte cómo vas a decidir en qué pareja puedes confiar o cuál es otra trampa.

Sabía todo eso. Sabía que lo único que yo hacía era dejar que me dorara la píldora, pero la verdad era que pensaba llegar al fondo de todo aquel asunto. Aunque no quería que

Jack creyera que yo iba dar un paso más. No quería que él pensara que me estaba consiguiendo con facilidad.

—No voy a hacerme guardián.

Pero ya era muy tarde y los dos, él y yo, lo sabíamos.

—Riley, si tuviera otra salida, no te lo pediría.

Resoplé un poco.

—No intentes engañarme, Jack. Esta vez no.

Me miró con una sonrisa torcida.

—Esta vez es cierto. Quienquiera que esté detrás de esto se ha infiltrado en el Consejo. No tengo ni idea de quién más puede estar metido, además de Alan Brown y Gautier. Toda la gente de la lista que encontraste en el despacho de Brown está muerta y rastrear todo aquello en lo que trabajaron nos va a llevar tiempo. Lo que significa que Misha es actualmente nuestra única fuente de información viable. Si ahora mismo tratáramos de poner a alguien en su camino o en su cama, sabría que vamos a por él.

—Misha ya lo sabe. Ese punto le quedó bastante claro al asaltar su oficina.

—Pero sospecho que Misha está jugando a dos bandos y eso puede darnos alguna ventaja.

—¿Eso quiere decir que debo cumplir con mi deber y abrirme de piernas como la perrita buena que soy?

Parpadeó con rabia.

—Encontramos los restos de Kelly en esa arena, Riley. La molieron a palos en esa maldita arena.

Las lágrimas se me agolparon en las pestañas. Esperaba contra toda esperanza que su destino fuera distinto al de los otros guardianes desaparecidos. Confiaba en que estuviera infiltrada en algún sitio y que solo se hubiera retrasado en volver. Pero el destino parecía dispuesto a poner patas arriba mi mundo y hasta entonces no sabía que la esperanza también estuviera en sus planes.

—Eso es jugar sucio, Jack.

—Ellos sí que están jugando sucio. No tengo otro remedio que hacer lo mismo.

No le dije nada. Solo sentía el dolor por la pérdida de esa amiga especial.

—Esto no es el final. Y en el fondo lo sabes.

Me retiré las lágrimas de las mejillas y me dispuse a darle lo que quería.

—No malgastes saliva convenciendo a quien ya está más que convencido.

Soltó una risita y me dio unas palmadas en la espalda.

—Vas a ser una de las mejores.

—No, no lo soy. Ni me acercaré a Misha. Creo que es mejor que nos pongamos a vigilarlo para averiguar cuál será su siguiente paso.

—En eso estoy de acuerdo —dijo, se levantó y al estrecharle la mano oí sonar sus huesos—. ¿Por qué no vas a buscar a tu hermano y os vais los dos a casa?

Me quedé mirándolo.

—Pensaba que los dos nos merecíamos una semana de ocio y descanso.

Entrecerró los ojos dejando ver el brillo de su mirada.

—Dos días.

—Cinco.

—Tres.

—Ni para ti ni para mí, cuatro.

Sonrió.

—Trato hecho. Pero si Misha se acerca a ti en esos días, espero que me lo digas.

—De acuerdo —respondí, aunque sabía que no lo haría.

Jack subió la colina y desapareció dentro del edificio. Me quedé tumbada al sol un poco más y luego decidí que era mejor marcharme antes de que la hierba creciera sobre mí.

Me puse de pie y miré hacia atrás para ver Genoveve. Mientras me aproximaba por el camino, Rhoan salía de una de las puertas principales; se le veía tan agotado y desaliñado como a mí.

No dijo nada, solo me dio el abrazo que había estado esperando toda la noche. La presa se rompió y las lágrimas comenzaron a saltarme de los ojos. Sentía pena de Kelly, de mí misma y de una relación a la que nunca le habían dado una oportunidad.

—No dejes que te presione —dijo Rhoan al cabo de un buen rato.

Me solté, llorando aún con hipo, y me sequé las lágrimas con las mangas.

—No lo haré.

—Y no te rindas con Quinn.

—Tú fuiste el que me dijo que no esperara nada de él.

Hizo una mueca de arrepentimiento.

—Eso fue antes de leer esta nota.

Mi corazón dio un salto.

—¿Ha dejado una nota?

—Sí, en la cámara criogénica donde han debido mantener a Henri todo este tiempo.

Sacó un trozo de papel blanco del bolsillo y me lo pasó. Los dedos me temblaban al desdoblarlo.

Gracias por ayudarme a encontrar a mi amigo. Siento no poder ofrecerte lo que estás buscando. Si nos hubiéramos conocido hace unos siglos...

Cuídate.

Quinn.

Se me cayó el alma a los pies y miré a mi hermano.

—Es casi una declaración de intenciones.

Sonrió.

—El que te haya escrito esto, significa que él por lo menos siente algo más que una atracción sexual, sobre todo porque ha añadido: «si nos hubiéramos encontrado mucho antes».

Volví a leer la nota.

—Si hacemos lo que Jack quiere que hagamos, también puedo hacer esto —dije arrugando el papel en una pelota y arrojándola lejos.

—Dale tiempo, Riley. Hace poco que os conocéis, y ha tenido malas experiencias con los lobos.

—Lo sé —mi sonrisa salió forzada—. Pero soy una loba y él es un vampiro con complejo de humano. No creo que haya mucho en común entre nosotros.

—Pero una vez que un lobo ha olido a su presa ya no la suelta.

Le sonreí irónicamente.

—En especial cuando huele a un fabuloso sexo.

—Así es. Un sexo fabuloso es algo que uno nunca debe desperdiciar.

—¿Por eso estás todavía con Davern?

—Sí —me hizo un gesto descarado, luego enlazó sus dedos con los míos y los retorció un poco.

—¿Por qué no nos vamos a casa, nos damos un baño y luego salimos y nos ponemos ciegos de bebida?

Sonreí.

—Algo así me parece el final perfecto para una semana desastrosa.

Y lo era.